Você é candidato a ler este livro?

Responda nosso questionário para descobrir. Simplesmente marque "S" para Sim e "N" para Não na linha antes de cada pergunta.

Sobre você

- ☐ Você espera o melhor de seu filho?
- ☐ Você diz o que pensa com convicção?
- ☐ Você é condizente com o que diz?
- ☐ Você responsabiliza seu filho pelas ações dele?

Se até agora você respondeu "S" quatro vezes e está se sentindo muito bem com isso, pode não precisar deste livro. Mas se você não tem mais o que fazer, termine o questionário só por diversão.

- ☐ Você grita, berra, ameaça ou chantageia seu filho para que faça coisas simples e rotineiras como se levantar para ir à escola, vestir-se, comer, fazer a lição de casa ou realizar uma tarefa doméstica?
- ☐ Quando diz não a seu filho e ele chora, você é tomado pela culpa? Você acaba cedendo ao pedido inicial de seu filho — dizendo sim para o que acabou de dizer não?
- ☐ Você se envolve em longas conversas com seu filho, para defender por que disse não a certo pedido?
- ☐ Você se preocupa se seu filho não se sente bem consigo mesmo?

- ☐ Você se incomoda que seu filho não esteja feliz?
- ☐ Você planeja festas de aniversário exageradas?

- Os pais de Rosa, de 7 anos, fretaram um ônibus e levaram a filha e muitos amigos a uma cidade a cerca de 185 quilômetros de distância para que cada um pudesse criar seu próprio ursinho de pelúcia;* depois eles comemoraram com bolo e sorvete em uma sorveteria.
- Os pais de Mikey, de 5 anos, alugaram o estádio de um clube que tinha vista para um campo de atletismo.
- Marti, mãe solteira, gastou um mês inteiro de salário no aniversário de sua filha de 10 anos.

- ☐ Você se preocupa se seu filho não acompanha os êxitos ou as realizações de outras crianças?
- ☐ Você já desejou que outra criança fracassasse para que seu filho parecesse melhor?
- ☐ Você tem dificuldade em dizer não?
- ☐ Você acha muito difícil dizer a seus filhos o que realmente sente como pai ou mãe?
- ☐ Você se sente frustrado na maior parte dos dias?

Sobre a escola

- ☐ Você se envolve demasiadamente na vida de seu filho? Teme que algo terrível aconteça se não acompanhar cada um dos estudos de campo da escola?
- ☐ Você termina de fazer as tarefas e trabalhos escolares de seu filho?
- ☐ Você exige uma explicação completa do professor de seu filho quando ele não recebe uma nota alta?
- ☐ Você arruma desculpas quando seu filho não termina as tarefas em tempo? ("Oh, foi nossa culpa. Tivemos de ir a ________________ e tivemos ________________ para fazer.")
- ☐ Uma simples lição de casa consome a energia de toda a família por uma noite inteira? E o resultado são muitas lágrimas e frustrações — e uma lição incompleta ou errada?
- ☐ Você confere e corrige a lição em favor de seu filho?

*O autor se refere ao brinquedo "Build a Bear", que existe inclusive em alguns *shopping centers* de São Paulo. Trata-se de uma máquina em que a criança cria seu próprio bichinho de pelúcia.

Sobre seus filhos

- ☐ Eles sempre têm de ser solicitados a colaborar em casa?
- ☐ Eles o desrespeitam e não levam em consideração o que você tem a dizer?
- ☐ Eles reclamam de ter de obedecer-lhe?
- ☐ Não lhes falta nada?
- ☐ Eles praticam uma ou mais atividades extracurriculares?
- ☐ Eles têm de ser lembrados mais de uma vez de fazer alguma coisa?
- ☐ Quando eles batem a porta em sua cara, você assume que "as crianças são assim mesmo"?
- ☐ A hora de dormir é um campo de batalha?

Se *qualquer um* desses tópicos fez sentido para você e se pelo menos um foi assinalado com um "S", você não precisa apenas *ler* este livro, mas *levá-lo consigo o tempo todo*. Mantenha um exemplar em seu carro e outro em casa.

Esse livro vai quebrar seu galho.

Eu prometo.

Uma conspiração está acontecendo,
em sua própria casa.

Tanto o batalhão de mordedores de calcanhares quanto o grupo hormonal têm uma estratégia que promete fazê-lo subir pelas paredes. *Transforme seu filho até sexta* é um plano de ação que vai tomar as rédeas de seu filho e colocá-lo em um rumo diferente.

É a virada milagrosa que você procurava.
Eu garanto.

KEVIN LEMAN

TRANSFORME SEU FILHO ATÉ SEXTA

Mude a atitude, o comportamento
e o caráter dele em cinco dias

Traduzido por LIZANDRA ALMEIDA

mundocristão
São Paulo

Publicado originalmente por Revell, uma divisão da Baker Publishing Group, Grand Rapids, Michigan, EUA

Para proteger a privacidade das pessoas que compartilharam suas histórias com o autor, alguns detalhes e nomes foram alterados.

Dados Internacionais de Catalogação na Publicação (CIP)
(Câmera Brasileira do Livro, SP, Brasil)

Leman, Kevin

Transforme seu filho até sexta: mude a atitude, o comportamento e o caráter dele em cinco dias / Kevin Leman; traduzido por Lizandra Almeida — São Paulo: Mundo Cristão, 2009.

Título original: Have a New Kid by Friday

1. Autodomínio em crianças 2. Crianças — Criação 3. Disciplina infantil 4. Educação de crianças I. Título.

09-02277 CDD — 649.64

Índices para catálogo sistemático:
1. Crianças: Disciplina: Educação doméstica 649.64
2. Disciplina infantil: Educação doméstica 649.64
Categoria: Educação

Edição revisada segundo o Novo Acordo Ortográfico.

Publicado no Brasil com todos os direitos reservados por:
Editora Mundo Cristão
Rua Antônio Carlos Tacconi, 79, São Paulo, SP, Brasil, CEP 04810-020
Telefone: (11) 2127-4147
www.mundocristao.com.br

1ª edição: junho de 2009
1ª edição (Novo Formato): outubro de 2012
A partir de 2017 esta obra passou a ser
impressa em sistema digital por demanda.

Para meu filho,
Kevin Anderson Leman II

Você sempre foi um grande filho.
Temos muito orgulho de tudo o que você
já realizou na vida. Ganhar dois prêmios Emmy não
parece muito pouco. Tenho de admitir que levei
certo tempo para me acostumar às pessoas se
aproximando para perguntar se eu era o pai de Kevin
Leman, mas este é um papel do qual vou continuar
gostando com o passar dos anos.

O que realmente significa muito para sua
mãe e eu, na verdade, é o jovem em que você
se tornou. Apreciamos sua natureza gentil, atenciosa
e ponderada. Não poderíamos amá-lo mais,
e oro para que Deus continue abençoando
muito sua vida.

Com amor,
de seu pai semifamoso

Sumário

Agradecimentos

À minha editora Ramona Cramer Tucker: foi um ano difícil para você, e gostaria que soubesse quanto aprecio sua habilidade de perseverar e conseguir realizar o trabalho de maneira tão profissional.

Meu mais sincero agradecimento por sua contribuição inestimável.

Para a outra mulher da minha vida, minha editora na Revell, Lonnie Hull DuPont: adoro seu sentimento de proteção como autor para quem você, Mamãe Ursa, está sempre atenta para mantê-lo sempre na linha.

INTRODUÇÃO

Eles são sindicalizados... e estão ganhando força

Seus filhos têm um plano de ação para enlouquecê-lo... mas você não tem de deixá-los dar as cartas.

Tenho notícias para você. Desde o início dos tempos, os filhos se organizam em sindicatos e têm um plano para enlouquecê-lo. Não acredita?

Olhe ao seu redor. Diga-me o que vê nos *shopping centers,* lojas, restaurantes e até em sua própria sala de visitas.

Que tal a garotinha que chora até sua mãe se cansar e consegue ir não só *uma,* mas *três* vezes ao carrossel?

E o adolescente que grita: "Fique quieto!" para seu pai e lhe dá as costas?

E o pai que permite a seu filho de 12 anos com sobrepeso encher o carrinho do supermercado com chocolates, biscoitos recheados, refrigerantes e salgadinhos, e simplesmente dá de ombros quando o garoto come dois chocolates enquanto estão na fila do caixa?

E o menino de 7 anos que dá à mãe aquele olhar duro de "eu duvido que você faça alguma coisa a respeito disso aqui", enquanto empurra o brócolis para fora do prato, deixando-o cair no chão do restaurante?

E a garota de 16 anos que levanta o dedo para o pai que não quis lhe dar dinheiro para ir ao cinema, e então pede as chaves do carro para sair à noite?

E a adolescente de 14 anos toda vestida de preto, que transpira "atitude" por todos os poros, e dá todos os indícios de que está indo no caminho errado?

E o menino de 3 anos que passa o dia todo gritando, para ter certeza de que seus pais vão atender a todos os seus caprichos?

Isso tudo serve para mostrar que, em nossa sociedade atual, até mesmo as crianças pequenas estão dando as cartas. Elas são parte do grupo de ungidos — esperam tudo do bom e do melhor para si, sem esforço algum de sua parte, só por existirem. Em seu ponto de vista, o mundo *está em débito* com elas — e deve em grande escala. Alguns chupadores de chupeta hedonistas do batalhão de mordedores de calcanhares se tornaram professores eméritos e estão liderando a divisão do grupo hormonal. E ainda há os filhos já adultos que voltam para seu ninho aconchegante e nunca mais vão embora...

Você também conhece esse lado. Se pegou este livro, o fez por alguma razão. Você está em dificuldades? Quer que algumas coisas — ou muitas delas — mudem em sua casa? Não são sempre as grandes coisas que cansam. São as batalhas constantes contra atitudes e comportamentos, como o revirar de olhos, as respostas atravessadas, as brigas entre irmãos, a greve de silêncio, o bater de portas. São afirmações como "Você não pode me obrigar!" e "Eu te odeio!" jogadas em sua cara, seguidas de mais uma retirada de seu filho para o quarto. É o cansaço e o estresse de lidar com crianças que começam a aprontar desde que se levantam da cama.

Não são sempre as grandes coisas que cansam. São as batalhas constantes.

Talvez o comportamento de seu filho já o tenha constrangido (você poderia ter passado sem a explosão de raiva de seu filho no *shopping* ou os *piercings* de nariz e umbigo que sua filha apresentou pela primeira vez exatamente no dia em que você trouxe um colega de trabalho para jantar), e você sabe que é hora de fazer alguma coisa. Talvez você tenha evitado certas atividades devido às atitudes de seus filhos ("Bem, querido, não sei se devemos sair para jantar com os Olsons; sabe como são as crianças..."). Ou talvez esteja presenciando sinais claros de desrespeito e revolta, e esteja preocupado com o que eles farão em seguida.

Serei duro. Você tem muito trabalho pela frente e pouca margem de ação. Eu sei, porque criei cinco filhos — quatro meninas e um menino — com minha esposa, Sande. Os anos passam rápido demais.

Se você acredita que, como pai, deve ser uma autoridade sadia diante de seus filhos, este livro é para você. Se não acredita nisso, coloque o livro de lado e compre outro. Você não vai gostar do que tenho a dizer, não vai segui-lo e ainda vai reclamar de mim para seus amigos.

Porém deixe-me fazer uma pergunta antes: como você se sente depois de uma hora de gritaria com seus filhos para que se levantem pela manhã a tempo de pegar o ônibus escolar? Poderia haver uma maneira melhor?

E se você fizesse algo diferente?

E se você não os acordasse esta manhã? E se você não fizesse mais nada?

"Mas, dr. Leman", você diz , "não posso fazer isso. Eles se atrasarão para a escola. E eu me atrasarei para o trabalho."

Agora você está entendendo.

Como você se sente depois de ouvir seus filhos discutirem constantemente sobre quem deve varrer o chão?

Como você se sente depois de ouvir que seus filhos tiveram dor de barriga com o lanche que você preparou?

E se você não interferir nas batalhas entre irmãos? E se você não bancar o pacificador ou correr para lavar a camiseta favorita de sua filha a tempo de ela usá-la na escola? E se você não fizer lanche algum?

Ah, agora você está entendendo.

Existe uma maneira melhor, e ela está em suas mãos.

Você sabia que seu papel como pai não é criar uma criança feliz? Que se seu filho ficar infeliz temporariamente, quando ele ou ela escolherem mostrar um rosto feliz novamente, a vida será melhor para todos?

Quando seu filho grita "Você não pode me obrigar a fazer isso!", ele está certo. Você não pode *obrigá-lo* a fazer coisa alguma. Mas se ele escolher não ajudar, você também não precisa levá-lo à autoescola para tirar sua carteira de motorista.

> Como você se sente depois de uma hora de gritaria com seus filhos para que se levantem pela manhã a tempo de pegar o ônibus escolar?

Veja, nada na vida é de graça. Quanto antes as crianças aprenderem isso, melhor. Cada pessoa é responsável, independente da idade, pelo que sai de sua boca. E lares deveriam ser construídos sobre pilares de respeito mútuo, amor e responsabilidade. Não há ungidos. Se você brincar desse jogo em casa, criará Pestes — com P maiúsculo. Você criará crianças que pensarão estar no banco do motorista do carro da vida. Que pensarão que sua felicidade é a única coisa que importa na vida, e que eles "merecem" não só o que querem mas tudo o que quiserem, quando quiserem.

Muitos de nós fizemos isso inconscientemente a nossos filhos. Passamos muito tempo tirando os obstáculos de seu caminho — tomando decisões demais por eles, dando-lhes opções demais, resgatando-os de situações difíceis, dando desculpas para quando são irresponsáveis, ignorando todas as vezes que fomos destratados. Afinal, você quer que seu filho goste de você, não é? Não é de admirar que as crianças achem que estão no comando, e as ameaças e chantagens paternas não funcionem!

Muitas mães, principalmente, me dizem que se sentem como escravas, fazendo só o que os filhos querem. E ficam exaustas no final do dia. (Se você está dizendo "Amém, irmão!", continue lendo.) Há muitos especialistas que falam sobre destruir a autoestima de uma criança. Eles juram que se você recompensar seu filho por isto ou aquilo e suavizar seu caminho pela vida você vai aterrissar na maravilhosa terra de Oz e viver feliz para sempre. Mas estou aqui para lhe dizer, depois de cerca de quatro décadas ajudando famílias — e sendo pai de cinco filhos com minha querida esposa — que geralmente o oposto é verdadeiro em relação a essa abordagem. Muitas famílias aterrissaram em uma rua onde gostariam de jamais ter pisado.

> Nada na vida é de graça. Quanto antes as crianças aprenderem isso, melhor.

Você quer que seu filho cresça como um membro sadio e útil de sua família e da sociedade, certo? *Transforme seu filho até sexta* é uma estratégia de resultado garantido. *Sempre*. Vai ajudá-lo a criar um adulto responsável do qual terá orgulho de chamar de seu filho agora e ao longo do caminho. Vai reduzir o nível de estresse em casa e dar a liberdade que você nunca experimentou antes na paternidade. E até vai provocar algumas risadas. (Espere até o "Dia de lazer"! Mais sobre isso depois.)

Se você está pensando: *Isso parece bom demais para ser verdade. Deve haver um truque*, você está certo. *Existe* um truque — você. *Você* é a chave para mudar os pensamentos e ações de seu filho. Para funcionar, é preciso que se torne o tipo de pai que quer ser. Isso exige uma decisão de sua parte de erguer a cabeça e ser um pai, e não um brinquedo de criança. Então me dê uma semana para mudar *seus* pensamentos e ações, e você ficará impressionado com os resultados!

> Se você está pensando: *Isso parece bom demais para ser verdade. Deve haver um truque*, você está certo.

Haverá momentos neste livro em que você vai torcer o nariz, porque não vai gostar das sugestões. Mas posso oferecer-lhe 100% de garantia: se seguir as estratégias simples deste livro, em apenas cinco dias terá um filho novo. Um filho que se deu conta de que a vida não diz respeito apenas a ele. Que outras pessoas também contam. Um filho que diz obrigado pelas coisas feitas por ele. Você terá um novo clima de respeito mútuo, amor e responsabilidade em casa. E poderá descobrir um sorriso surgindo em seu rosto com mais frequência do que imaginou.

Como posso garantir que o relacionamento com seu filho pode mudar tão drasticamente em apenas cinco dias? Porque vi essa transformação em centenas de milhares de famílias *toda vez* que as estratégias foram seguidas!

Transforme seu filho até sexta não é só um livro. É uma estratégia que *realmente funciona*. Melhor ainda, qualquer um pode usá-lo. Não exige doutorado em ciência espacial. Quer ter um grande filho? Quer ser um grande pai? Aceite o desafio de 5 dias do dr. Leman.

Quer ter um grande filho? Quer ser um grande pai? Aceite o desafio de 5 dias do dr. Leman.

Na segunda-feira, revelarei qual é a estratégia de sobrevivência real de seu filho — e porque ele continua a fazer as coisas que o deixa louco.

Na terça-feira, falaremos sobre as três coisas mais importantes que os pais querem para os filhos — e como ensiná-los de uma forma que nunca esquecerão.

Na quarta-feira, vamos olhar mais adiante. Quem você quer que seu filho seja? Que tipo de pai você quer ser? Você pode chegar lá com minhas "Três Estratégias Simples para o Sucesso", testadas e aprovadas.

Na quinta-feira, identificaremos os três pilares da verdadeira autoestima e aprenderemos como desenvolvê-los em seu filho.

Na sexta-feira, você será o psicólogo. Vamos rever os princípios e o plano de ação que temos desenvolvido desde segunda-feira e nos preparar para lançá-lo sobre nossas crianças sem que elas suspeitem.

A seção "Pergunte ao dr. Leman" oferece conselhos práticos sobre mais de 100 temas fundamentais para os pais. Leia no A a Z ou use o índice no final do livro para ir direto ao ponto.

Então, vem o que chamo de "Dia de lazer". É o meu dia favorito. Depois de colocar seu plano em ação, você se senta e aprecia a diversão... e a confusão no rosto de seu filho. É o melhor entretenimento paterno.

Se você não desistir, garanto que chegará à recompensa. Eu sei. Tenho visto esses benefícios em minha relação com meus próprios filhos, que têm idades entre 15 e 35 anos. Sande e eu nos orgulhamos deles. Todos foram muito bem na escola e na vida em geral. Diferentemente de mim, eles não estouraram os pontos na carteira de motorista nem tiveram de fazer novamente o curso de direção. O que é interessante e maravilhoso é que eles realmente se amam. Fazem enormes sacrifícios para estar juntos. E veja isso: eles amam e respeitam os pais. E até gostam de sair conosco. Mesmo os amigos de nossa filha de 15 anos reconheceram outro dia que os pais dela são "legais".

Depois de colocar seu plano em ação, você se senta e aprecia a diversão... e a confusão no rosto de seu filho. É o melhor entretenimento paterno.

Em *Transforme seu filho até sexta*, peguei quase quatro décadas de casamento e experiência em paternidade — incluindo minha experiência clínica como psicólogo, minha experiência pessoal como pai de cinco, e muitas histórias que ouvi em viagens ao redor do país, trazendo bom senso e sabedoria a relações familiares — e reuni em um pequeno livro. Fiz isso porque me importo com *sua família*. Quero vê-lo ter o tipo de relacionamento gratificante em sua família que vejo na minha. Quero que você experimente um lar no qual todos os membros da família se amem e respeitem.

Seus filhos merecem.

Você também.

E nada poderia me fazer mais feliz do que ver isso acontecer.

De onde eles vieram?

Por que seus filhos fazem o que fazem... e continuam fazendo? Sua reação tem muito a ver com isso.

Matthew, de 4 anos, estava de mau humor. Sua mãe percebeu assim que o pegou na pré-escola. Tudo o que ele queria era discutir com ela. Então ele liberou o chutador impulsivo no banco de trás, enquanto voltavam para casa e gritou: "Eu te odeio!"

Se você fosse pai ou mãe dele, como reagiria?

Você poderia:

1. Repreender a criança com a mesma veemência.
2. Ignorar a criança e fingir que ela não existe.
3. Tentar alguma coisa nova e revolucionária que cortasse esse tipo de comportamento pela raiz... para sempre.

Que opção você preferiria?

Se você respondesse com a mesma veemência, ambos sairiam do carro se sentindo péssimos e de mau humor. E o que aconteceria no final das contas? Você se sentiria péssimo pelo resto do dia. Seu filho iria para o quarto e ficaria de cara feia. Um ou os dois finalmente acabariam pedindo desculpas (provavelmente você primeiro, já que sua culpa paterna prevaleceria; e também, por se sentir mal por perder o controle da situação, você provavelmente acabaria ministrando uma boa dose de ameaças).

Se você ignorasse a criança e fingisse que ela não existe, poderia funcionar por um tempo — até que ele precisasse de você. Com uma criança de 4 anos, demora cerca de 4,9 segundos até que ela precise pegar alguma coisa na casa (como o leite na prateleira de cima da geladeira). O problema é que se você não fizer nada quanto a esse comportamento, vai passar o resto do dia fumegando por baixo da superfície... e chutando o cachorro.

Essa mãe decidiu ir ao fundo da questão e fazer algo revolucionário. Ela estava muito nervosa; perguntava-se se realmente funcionaria. Ela tinha lido todos os livros sobre disciplina e tentado vários métodos. Nenhuma das outras técnicas funcionara. E Matthew estava, bem, se tornando uma peste. Ela não conseguia acreditar que estava pensando isso de seu próprio filho, mas era verdade.

Ela suspirou. *Tempos de desespero exigem medidas desesperadas.* Essa nova técnica da qual ouvira falar fazia muito sentido. Tinha funcionado com três amigas suas. Segundo elas, só era preciso levantar-se e ser mãe, usando consistência e persistência em suas próprias ações, e não voltar atrás. Ela sabia que essa seria a parte mais difícil. Ela era covarde quando se tratava de Matthew. Quando o menino virava aqueles olhos grandes, azuis e lacrimejantes para ela, sempre conseguia o que queria.

Porém, hoje as coisas iam mudar, decidiu. Ela faria todo o esforço em relação àquele novo método. Era preciso fazer alguma coisa. Matthew estava deixando-a louca. Na semana anterior ele tivera um ataque de raiva no *shopping;* mordera a filha da vizinha quando ela não quis lhe dar o brinquedo que ele queria; e a escola a alertara de que precisava fazer alguma coisa quanto ao comportamento agressivo de Matthew em relação a seus colegas.

Assim que chegaram em casa, a mãe não disse uma palavra. Cuidou de seus afazeres, tirando as sacolas de compras do carro. Depois de alguns minutos, Matthew vagueava pela cozinha. Geralmente biscoitos de chocolate e leite esperavam por ele ali. Era seu lanche rotineiro depois da escola.

"Mamãe, onde estão meus biscoitos e meu leite?" ele perguntou, olhando para o lugar usual no balcão da cozinha.

"Não vamos comer biscoitos e tomar leite hoje", disse ela, com naturalidade. Então virou as costas para a criança que a pressionara o dia todo e foi para outro cômodo.

Matthew teria dito a si mesmo: *Bem, acho que hoje vamos ter de nos virar sem o lanche?* Não, porque crianças são seres de hábitos. Então o que Matthew fez? Seguiu sua mãe até o outro cômodo.

"Mamãe, não estou entendendo. Sempre comemos biscoitos e tomamos leite depois da escola."

A mãe olhou em seus olhos e disse:

"A mamãe não está com vontade de lhe dar biscoitos e leite hoje." Então virou-se e foi para outro cômodo.

A essa altura, Matthew estava parecendo um zagueiro de time de futebol no domingo à tarde — lutando para evitar o gol. Ele seguiu sua mãe para o cômodo seguinte. "Mas, mamãe, isso nunca aconteceu antes." Havia pânico em sua voz. Ele estava começando a tremer. "Não entendo."

A mãe agora sabia que Matthew estava pronto para ouvir o que ela tinha a dizer. Era o momento instrutivo: o momento em que a realidade entra na história e tem um impacto sobre a cabeça e o coração da criança. É a hora em que o pai ou mãe dão à criança a informação direta.

"Não vamos ter leite e biscoitos hoje porque a mamãe não gosta da maneira que você falou com ela no carro." Mais uma vez, a mãe se virou para ir embora.

Antes de dar três passos, Matthew se derreteu inteiro. Ele correu para sua mãe e agarrou sua perna (afinal, ele faz parte do batalhão de mordedores de calcanhares). Chorava copiosamente. "Me desculpe, mamãe! Me desculpe! Eu não devia ter falado aquilo."

"Mas, mamãe, isso nunca aconteceu antes." Havia pânico em sua voz. Ele estava começando a tremer. "Não entendo."

Hora de uma nova oportunidade maravilhosa. A mãe aceitou as desculpas de Matthew, deu-lhe um abraço e lembrou-o de que o amava. Também disse como se sentia por ele ter falado com ela daquela maneira. Três minutos depois, as coisas tinham se acalmado, e ela soltou Matthew de seu abraço. E novamente voltou a seus afazeres.

O que ela ouviu de Matthew então? "Mamãe, posso comer biscoitos e tomar leite agora?"

Era o momento que ela temia. Fortaleceu sua coragem e disse calmamente: "Querido, eu disse que não. Não vai ter leite e biscoitos hoje."

Matthew ficou atônito. Ele abriu a boca para protestar, mas foi embora tristemente.

Deixe-me perguntar: esse garotinho vai pensar da próxima vez que desrespeitar sua mãe?

POR QUE O PEQUENO BUFORD SE COMPORTA MAL... E SEMPRE SE DÁ BEM?

Por que será que ultimamente tantas crianças tendem a insultar seus pais, a agir desrespeitosamente? Por que tantos pais se veem ameaçando e chantageando, e nunca conseguem nada? O que está havendo?

As crianças fazem o que fazem porque se safaram uma vez!

Isso tem a ver com quem realmente está à frente de sua família. É você ou seu filho? Os pais de hoje geralmente não agem como pais. Estão tão preocupados em ser amigos dos filhos, em não traumatizá-los, em ter certeza de que a criança é feliz e bem-sucedida que falham em seu papel mais importante: ser pai. Eles tiram toda a neve da estrada da vida de seus filhos, aplainam os desníveis para que a criança nunca se sinta desconfortável ou mude de rumo. Por que deveria? Acostumou-se a ver as coisas sendo feitas para ela. Mamãe e papai se tornaram meros serviçais, fazendo as vontades das crianças, e não pais, que têm em vista o melhor para a criança no longo prazo.

As crianças fazem o que fazem porque se safaram uma vez!

Os pais atualmente são ótimos em arrumar desculpas, e tendem a se culpar pelos filhos — "Não consegui que ela fizesse a lição porque tive um jantar de negócios" — em vez de dar a César o que é de César: "Minha filha não fez a lição porque estava com preguiça." Eles passam mais tempo alertando e lembrando do que educando.

O resultado é que as crianças de hoje estão se tornando cada vez mais poderosas. É só "eu, eu, eu" e "me dá". Elas cada vez se explicam menos e têm menos responsabilidades na família. Para elas, a família significa o que você pode conseguir e não o que pode dar. Cada vez menos crianças hoje consideram os outros antes de si mesmas, porque nunca foram ensinadas a pensar assim.

Cada criança é um grande espertinho, com uma estratégia previsível. No jogo cotidiano de tentativa e erro criado para extrair o máximo de você, ela se motiva a vencer porque dessa forma você fará tudo o que ela quiser. Isso significa que se ela fizer alguma coisa e funcionar, vai tentar de novo. Mas aos poucos a criança aumenta seu esforço. Ao invés de simplesmente chorar quando não consegue o que quer, vai acrescentar uma dose de chutes. Se bater a porta faz com que você saia correndo atrás de sua filha adolescente para lhe entregar as chaves do carro como ela queria, ela será mais dramática da próxima vez. Crianças são mestres em manipulação. Não pense que não o estão manipulando.

Crianças são mestres em manipulação. Não pense que não o estão manipulando.

É por isso que o comportamento de seu filho tem tudo a ver com você. Se você deixa seu filho vencer, ele será suficientemente esperto para repetir esse comportamento da próxima vez. *Transforme seu filho até sexta* foi criado para oferecer-lhe um arsenal completo de ferramentas para usar sem precisar matar seu filho. Mas também resultará em algo mais se você seguir os princípios: sempre ajuda ser o pai que se quer ser para ter o tipo de filho que se quer ter.

Esses princípios funcionam com crianças de 4 anos, de 14 e até com presidentes de empresas milionárias. Tente e veja funcionar. Os princípios básicos podem parecer duros demais, e alguns de vocês podem relutar no início. Mas você chegou a esse livro porque quer ver mudanças em casa, e quer vê-las rapidamente. Bem, eu sou esse tipo de pessoa. Se você quiser que eu segure sua mão por um ano e meio enquanto fala sem parar sobre seus problemas, sou a pessoa errada. Mas se você quer encarar a vida sinceramente e fazer as coisas de modo diferente para o bem de toda a sua família, você escolheu certo. As pessoas se espantam com as mudanças que acontecem em suas casas em apenas cinco dias. Adolescentes desbocados e rebeldes se tornam quietos, respeitosos e prestativos. Crianças pequenas que gritam e se atiram no chão passam a dizer "por favor" e "obrigado".

Então, dê uma chance a este livro. Pense onde você gostaria de estar. Posso ajudá-lo a chegar lá.

ATENÇÃO, POR FAVOR

Você sabia que tudo o que seu filho faz tem um motivo? No jargão psicológico, isso é chamado de "natureza motivacional do comportamento", graças ao dr. Alfred Adler. Quando seu filho se comporta mal, está fazendo isso para *chamar sua atenção*. Todas as crianças são "chamadores de atenção". Se seu filho não consegue chamar sua atenção de maneira positiva, vai procurar fazê-lo de maneira negativa. Isso porque a lógica própria de uma criança (o diálogo interno que diz a ela quem e o que é, e que vai adverti-la por toda a sua vida) está se formando *neste momento*. E as crianças naturalmente pensam: *Eu só tenho importância quando as pessoas me notam ou me servem. Eu só importo quando domino, controlo e venço.*

Eis a boa notícia: o que as crianças aprendem, podem desaprender. A escritora Anne Ortlund disse: "Crianças são como cimento fresco — moldáveis e impressionáveis."[1] Ela não poderia estar mais correta. Crianças são maleáveis — até certo ponto. Mas conforme crescem, o "cimento" endurece. É por isso que quanto antes você trabalhar Atitude, Bom comportamento e Caráter de seu filho, melhor. (Mais sobre isso no cap. de "Terça-feira".)

O problema da educação é que demanda tempo, e os pais de hoje não só não têm tempo, como não o criam. Algumas crianças passam a maior parte de seus dias no que chamo de "canis infantis" (creches), e então passam o final da tarde e início da noite em programações múltiplas: ginástica, coral, futebol, etc.

Quando eu lecionava na Universidade do Arizona, trabalhava com classes de 300 alunos — incluindo estudantes de graduação, médicos e enfermeiras — em um auditório. Eu trazia famílias e resolvia seus problemas com os alunos, para quem fazia perguntas básicas:

1. Como você acha que esta criança aprendeu esse comportamento?
2. Por que ela se comporta mal?
3. O que os pais estão fazendo a respeito disso agora? Por que não funciona?
4. Como os pais dizem que se sentem sobre esse comportamento?
5. Em que nível está o comportamento dessa criança — estágio 1 (busca de atenção) ou estágio 2 (vingança)?
6. O que você acha que os pais devem fazer?

Uma família que lutava contra o mau comportamento de seu filho me contou sobre as atividades nas quais ele estava envolvido. Além da escola, o rapazinho tinha afazeres todas as noites da semana, e ele tinha apenas 10 anos! Meu conselho aos pais foi: "Corte as atividades extracurriculares. Todas elas. Em vez de levar seu filho ao psicólogo, fiquem em casa e passem um tempo juntos. O comportamento que vocês estão presenciando acontece porque seu filho quer e precisa de sua atenção. Ele está desesperado por atenção. E nenhum terapeuta vai substituir o papel de vocês como pais na vida de seu filho."

Quando seu filho se comporta mal ou finge, o que está realmente dizendo? "Preste atenção em mim, por favor!"

Se você não prestar atenção em seu filho da maneira correta (vamos falar mais sobre isso no cap. "Quinta-feira"), seu filho aumenta suas apostas para a próxima rodada: vingança. "Sinto-me machucado pela vida, então tenho o direito de atacar os outros, incluindo você." Se seu filho está nesse ponto, você realmente precisa deste livro. Muitas crianças que chegam ao estágio de vingança se encaminham para o início de uma ficha criminal.

> Quando você escolhe travar uma batalha com seu filho, você nunca vence. Você tem muito mais a perder do que ele.

JOGO DE PODER

Quando você escolhe travar uma batalha com seu filho, você nunca vence. Você tem muito mais a perder do que ele. Sua filha adolescente não se importa nem um pouco de usar uma camiseta apertada demais, mas você se importa, e ela sabe disso. Então, o que ela quer dizer quando desce correndo as escadas, atravessa dramaticamente a cozinha e balança a porta olhando para trás? "Duvido que você ouse dizer alguma coisa!"

Você nunca vencerá uma briga pelo poder, então não vá por esse caminho. Em vez disso, vou ensinar-lhe uma maneira diferente, melhor. Uma maneira de você estabelecer a autoridade em casa.

CRIATURAS DE HÁBITOS

Em um estudo clássico, pesquisadores condicionaram pombos a bicar três vezes a fim de receberem sua recompensa, uma bola de comida. Então, depois que os pássaros estavam treinados, os pesquisadores mudaram o sistema de recompensa. Os pássaros recebiam a comida a cada 97 bicadas, então a cada 140 e depois a cada 14. Os pombos ficaram tão confusos que não sabiam o que fazer. Eles tinham aprendido seu comportamento tão bem que continuavam, dia após dia, bicando três vezes para receber a comida.

Crianças, assim como pombos, são criaturas de hábitos. Se você não acredita nessa afirmação, tente esquecer apenas uma coisa em sua rotina na hora de dormir. Veja o que acontece: "Oh, mamãe, você se esqueceu de apertar minha bochecha. Você sempre aperta minha bochecha." Lembra-se de Matthew, que estava acostumado à rotina de leite e biscoitos depois da escola? Apenas quando sua rotina foi quebrada é que ele realmente ouviu sua mãe e aprendeu a se comportar de outra maneira.

Crianças aprendem um comportamento, então continuam bicando da mesma forma para obter sua recompensa. É por isso que a vida de quem tem crianças pequenas pode ser mais fácil — seus pombos passaram menos tempo bicando pela recompensa. Se você tem uma criança de 12 anos ou mais, ela já teve muito mais tempo de bicar pela comida. Vai ser preciso mais esforço de sua parte. Mas você ainda vai conseguir ver isso até sexta-feira se mantiver firme. Se quiser que seu filho seja responsável, vou mostrar-lhe como chegar lá. Se quiser que ele seja receptivo ao ensino e escute, também vou mostrar como chegar lá. É o que ambos merecem.

Pense nisso

Qual é o 1º desafio com seu filho nesse momento? Nessa situação, pense em como seguir os seguintes princípios:

1. Dizer uma vez só.
2. Virar as costas.
3. Sair andando.

Então, como você muda a relação com seu filho? Você reeduca o pombo. Você usa consistência e persistência para estabelecer sua posição, nunca hesitando diante do objetivo.

COMO FUNCIONA?

Vamos dizer que seu filho queira ir ao McDonald's no *shopping*, mas você não tem dinheiro para isso. Ele arma um berreiro geral e se joga no chão, deixando-o terrivelmente embaraçado. O que você faz?

"Mark, nós não vamos ao McDonald's."

Então você vira as costas para a criança e vai embora.

"Mas dr. Leman, espere um pouco", dizem alguns de vocês. "O senhor não está dizendo que eu devo deixar uma criança de 6 anos sozinha no *shopping*, está? Como é que eu posso simplesmente ir embora?"

Ah, aqui está a chave. Seu filho não quer que você vá embora. Ele não vai deixar você ir muito longe. Ele só quer brigar com você. Só quer vencer.

Assim que essa criança percebe você se afastando no meio da multidão, de repente a cena perde a graça. Vencer a batalha não é mais tão importante. Encontrar e seguir a mamãe — sua zona de segurança — é.

Vamos dizer que seu filho de 3 anos derrubou de propósito a irmã de 18 meses, que está aprendendo a andar. Você se zanga? Claro. A atitude foi má, sem dúvida, e você não vai deixar barato. Sem contar que Caroline, de 18 meses, agora está chorando. Mas primeiro você respira fundo e pensa em uma estratégia. Então chama o Andy.

> Se você quer que seu filho o leve a sério, diga uma vez. Apenas uma vez. Se disser mais de uma vez, estará querendo dizer: "Acho que você é tão idiota que não entendeu da primeira vez, então preciso dizer novamente".

"Andy, você está precisando de atenção hoje? Se você precisa de um abraço, é só pedir. Venha e me peça um abraço. Você não precisa empurrar sua irmã para conseguir isso. Esse tipo de comportamento não é aceitável."

Você tirou a graça daquela ação ao nomear a natureza motivacional do comportamento da criança. Ao fazê-lo, a criança se dá conta de que você sabe exatamente o que aconteceu e por que ela fez o que fez. Você está no controle, não ela. Ela não tem motivos para fazer de novo.

Vamos dizer que sua filha adolescente disparou contra você alguns palavrões porque você fez frango para o jantar — outra vez — e ela diz que odeia frango (mesmo que na semana anterior tenha pedido frango). Quando for a hora de ela ir à casa de Miranda para "estudar", você diz, "Não vamos à casa de Miranda." Então, vira as costas e começa a dobrar roupas.

Exatamente da mesma forma que a criança de 4 anos que queria leite com biscoitos, a filha de 14 anos vai atrás de você: "Como assim, a gente não vai à casa de Miranda? Você sempre me leva lá às terças-feiras."

"Não vamos à casa de Miranda porque não gostei da forma que você falou comigo mais cedo."

Você vira as costas e vai embora. Independente de quanto ela implorar, der chilique, pedir desculpas, não a leve à casa de Miranda. Ela vai precisar explicar a Miranda por que não pode ir. É claro, ela pode apresentar uma versão diferente da situação do que a sua, mas isso não importa. Você se posicionou, e sua filha vai pensar com mais cuidado em suas palavras da próxima vez.

Se você quer que seu filho o leve a sério, diga uma vez. Apenas uma vez. Se disser mais de uma vez, estará querendo dizer: "Acho que você é tão idiota que não entendeu da primeira vez, então preciso dizer novamente". Isso é respeitoso com seu filho?

Assim que tiver dito, vire as costas. Espere suas palavras serem ouvidas. Não olhe por cima do ombro para ver se seu filho está fazendo o que você disse. Não vai haver respostas nem discussões. Você disse o que tinha a dizer calmamente, e é isso.

Então, vá embora e se ocupe de alguma coisa.

Seu filho vai ficar furioso? Chocado? Confuso? Você terá alguns dias de briga? Ah, sim!

Deixe-me, porém, perguntar uma coisa. Como você se sente depois de um conflito com seu filho? Zangado? Mal? Culpado? Você grita e depois fica arrasado pelo resto do dia por ter feito isso? Você fica se perguntando se "deveria" ("Eu deveria ter feito isso; deveria ter feito aquilo")? É você o pombo perplexo, tentando obter a recompensa de fazer seus filhos felizes? Você realmente quer viver assim?

Como você lida com seu filho de 16 anos quando descobre uma revista pornográfica embaixo de sua cama? Com seu filho de 2 anos que chuta sua barriga quando está no carrinho do supermercado? (Uma vez, fui chutado por uma criança num restaurante, e eu nem conhecia a criança. Isso é que é um pai constrangido.) Como você lida com a oscilação "eu te odeio/eu te amo" de seu adolescente? E com o telefonema da diretora da escola dizendo que seu queridinho foi longe demais dessa vez?

O que fazer na segunda-feira

1. Observe o que está havendo em sua casa. Quais aspectos da relação com seu filho realmente o incomodam?
2. Pense no que gostaria de mudar.
3. Decida pegar o touro a unha.
4. Espere que grandes coisas aconteçam.

O que é normal (ou existe normal?) e o que é esperado? O que você deve levar em consideração e o que deve deixar para lá? No próximo capítulo, falaremos sobre as três coisas mais importantes para os pais em geral: Atitude, Bom comportamento e Caráter.

Lembre-se, crianças são como pombos. Precisam se esforçar um pouco para receber recompensas. Como são criaturas de hábitos, precisam de consistência e persistência, ou se perderão no labirinto. Também precisam saber que não têm passe livre para correr pelo labirinto e ainda esperar uma recompensa no final.

Suponha que você e eu vivamos ao sabor da nossa vontade pelos próximos 30 dias. Vamos dizer exatamente o que pensamos, fazer o que quisermos, não fazer o que não der vontade. Como será a vida para nós no final desses 30 dias? Uma bagunça! Não teríamos mais um trabalho porque teríamos destratado nosso chefe. Nossos amigos teriam dito: "Esqueça". E alguém teria nos baleado na rodovia.

Hoje as crianças precisam de orientação. Precisam de responsabilidade. Precisam ser ensinadas de que há consequências para suas ações (ou inações). Do contrário, suas vidas serão desordenadas.

Outro dia, quando minha filha e eu estávamos no aeroporto, presenciamos uma briga de socos entre gêmeos de 3 anos. O que a mãe estava fazendo? Falando ao celular. O que o pai estava fazendo? Lendo o jornal. Falei para minha filha, em tom de brincadeira: "São filhos como esses que tornam seu pai um homem rico."

Pai, é hora de você dar um passo e ser pai. Seu filho precisa saber que você é firme — o que você diz é o que faz. Você não deve ser insultado, e se for, haverá consequências. Consequências imediatas. E você não será dissuadido.

Os críticos dirão: "Mas você não fará a criança se sentir mal e culpada?" Espero que sim! É importante ter um pouco de culpa na vida. E se sentir mal pode levar a um grande bem.

Espere e verá.

> Oh, você me pegou. Mas estou muito satisfeita com isso. Pensava ser uma grande mãe. Meus pais foram tão autoritários que nunca quis ser como eles. Não me dei conta de que tinha ido para o lado completamente oposto. Quase nunca dizia não aos meus filhos. Eu me esfalfava para fazê-los felizes, e eles não são felizes. Todo mundo me dizia quanto eu estava fazendo e como eu era uma boa mãe por isso, mas na verdade foi muito difícil me impor. Mas acabou. Uma semana atrás, adotei seus princípios de "Diga uma vez, vire as costas e vá embora". Eles realmente funcionaram. Estou pasma. Meu filho levou o lixo para fora de boa vontade ontem, sem eu mesma ter de pedir, e

minha filha trouxe pão só porque percebeu que estava acabando. Não consigo acreditar na mudança!

Millie, Carolina do Norte

Assisti a seu seminário sobre mudança de comportamento de crianças na semana passada, e foi muito mais forte do que eu imaginava! Minha semana foi tão pacífica e fácil com meus três filhos (de 14, 8 e 6 anos)! Meus filhos reagiram maravilhosamente. E eu mudei também. Não só estou estabelecendo limites para eles, mas fazendo-o com compaixão. Não gritei, e para mim isso é tão maravilhoso que precisava contar a você.

Encantada na Geórgia

Adoro ouvi-lo — especialmente por seu senso de humor e histórias pessoais (como aquela sobre cuspir da janela e seu filho imitá-lo). Dei muita risada. Mas também ajudou minha esposa e eu a tomarmos uma decisão muito importante. Eu tinha acabado de perder o emprego e não via nada no horizonte. Minha esposa tinha um emprego de muitos anos do qual sempre gostou. Então, agora eu sou o pai que fica em casa com nosso filho... e adoro cada minuto. É a melhor decisão que tomamos, e também temos economizado o dinheiro que gastaríamos com creches.

Stephen, Michigan

Gritei, orei, lavei as mãos, mas nada funcionou... até agora. Seu "B não acontece até que A esteja concluído" transformou minha relação com meus filhos. Nos primeiros três dias que usei o princípio me senti terrível, porque não estava acostumada a ser consistente. Mas, quando vi as mudanças em apenas três dias, isso me estimulou a terminar o trabalho. Agora consigo levar minhas duas crianças pequenas para a casa das amigas sem sentir vergonha ou ter de ouvi-los gritar. Minha filha de 3 anos ontem veio até mim e perguntou: "Mãe, posso comer um lanche?" Isso vindo de uma garota que até uma semana mandava: "Me dá um lanche!" *Funciona!* É a resposta às minhas preces.

Kendra, Texas

Desarmando o cara com "aquele" comportamento

Um filho com personalidade, mas que não seja um personagem? Eis aqui.

Minha esposa, Sande, sempre orou para encontrar um homem de personalidade. E conseguiu um personagem. Eu.

É isso que muitas crianças são atualmente — personagens. Talvez seja por isso que numerosos estudos mostram que as três maiores preocupações de longo prazo dos pais têm a ver com o novo ABC:

- Atitude
- Bom comportamento
- Caráter

Na hora do "vamos ver", essas são as coisas que mais importam. Essas são as características que vão persistir até a idade adulta e tornar a criança alguém digno de confiança... ou não. Alguém que age com gentileza e respeito em relação aos outros... ou não. Alguém honesto... ou não.

TUDO ESTÁ NA ATITUDE

A atitude é a porta de entrada para a mente e o coração da criança. O que seu filho pensa de si mesmo — como ele se vê e o que acontece com ele — se reflete muito em seu comportamento.

Vocês sabiam, papai e mamãe, que uma criança apenas *olha* para seu irmão e isso se transforma em crime inafiançável? Considerem esses crimes familiares:

- "Ele *olhou* para mim!"
- "Ela vestiu minha jaqueta e a rasgou — de propósito!"
- "Você nunca grita com ele. Ele sempre *se dá bem*."
- "Por que ela pode ir? Você nunca me deixa ir."
- "Ei! Por que o pedaço dela é maior?"

A atitude fala muito — mesmo que seu filho não diga nada. A atitude se expressa na "greve do silêncio". Você sabe do que estou falando.

Uma atitude negativa é demonstrada em diversos comportamentos: revirar os olhos, falar pelas costas, ser teimoso, ter mau comportamento, ser sabetudo, resmungar, sofrer da síndrome do "eu, eu, eu", desafiar, ter chiliques, não cooperar com a família, ser desrespeitoso, etc.

Mas de onde vem essa atitude?

COM QUEM VOCÊ ENTRA EM CHOQUE?

Se você tem mais de um filho, sabe que cada uma das ferinhas pode ser completamente diferente. Algumas crianças são calmas por natureza; outras são ligadas na tomada.

Com quem você mais entra em choque em sua família? É com a criança mais parecida com você ou com a menos parecida?

A resposta, muito provavelmente, é a criança que *mais* se parece com você. Filhos que demonstram certas atitudes têm pais que demonstram certas atitudes. Atitudes são adquiridas, não são ensinadas.

> Com quem você mais entra em choque em sua família? É com a criança mais parecida com você ou com a menos parecida?

Às vezes os pais nem sabem que estão ostentando tais atitudes. Mas, o que você pensa se revela em suas ações para com seu filho. Se você tem um atitude do tipo: "Isso é o melhor para você, é o que você fará — e Deus o ajude se não o fizer", então está pedindo para entrar em choque com a criança que tem um temperamento forte. Ela não vai se render mesmo aos 18 meses. Ele resistirá.

A chave para mudar a atitude de seu filho é mudar sua própria atitude.

Vamos dizer que você tenha feito um pedido simples a sua filha: "Por favor, coloque o lixo lá fora."

"Estou ocupada", devolve sua filha, e continua a ler a revista em quadrinhos.

Pergunte-se: *O que eu costumo fazer diante desse tipo de situação?*

Se a criança tem 6 anos de idade, você provavelmente pode obrigá-la fisicamente a levar o lixo. Se a criança tem 10 anos, você pode ser um pouco mais enfática. Você repete a ordem, um pouco mais alto. "Eu disse *leve* o lixo para fora. *Agora*."

"Não quero."

O que acontece então? Sua atitude de irritação aparece. *Afinal, quem essa pirralha pensa que é? Eu faço tudo por ela, como se atreve?*

Você levanta a voz ainda mais. "Mocinha, eu disse AGORA, e você vai fazer isso AGORA! Senão..."

Sua filha sequer levanta os olhos da revista. Por quê?

Porque ela já ouviu suas ameaças antes, e elas não deram em nada.

Contudo, e se sua atitude mudasse? E se você permanecesse calma? E se você não a incomodasse mais depois de pedir uma vez? E se você simplesmente desse as costas e esperasse ela fazer? Sem lembretes, sem alteração na voz, sem irritação de sua parte.

> A chave para mudar a atitude de seu filho é mudar sua própria atitude.

"Mas dr. Leman, e se ela não tirasse o lixo? Quer dizer, minha filha não tiraria mesmo."

É muito simples. Peça a outro filho que faça a tarefa, pague-o e desconte o dinheiro da mesada de sua filha. Se você mesmo fizer, remunere-se descontando da mesada dela. O ponto é: alguém está realizando a tarefa.

E então? Sua atitude permanece calma. Você continua no comando. Um tempo depois ela diz: "Então, já estou pronta para ir à loja comprar sapatos."

Sua resposta básica? "Nós não vamos."

"Mas, mãe, você disse que ia me levar."

"Não estou com vontade." Então você vira as costas e vai embora.

Sem culpa. Sem raiva. Sem explicações. Você está calma e mantém o controle.

É SÓ UMA FASE?

Como você sabe o que é normal, ou "só uma fase", e o que é uma atitude que tem de ser enfrentada?

Quase 100% das vezes os pais *sabem a diferença* entre respeito e desrespeito, mas preferem ignorar. Por que alguém faria isso? Porque a maioria dos pais atualmente quer ser amiga dos filhos. Mas isso não funciona no longo prazo.

Se sua filha adolescente lhe diz: "Mãe, essa roupa não tem nada a ver. Você vai mesmo usar isso?", sua atitude está implícita na forma como diz.

Se seu filho de 2 anos olha para você e grita: "Eu não quero!" não é o caso de pensar: "Ah, essa fase dos 2 anos é terrível...". É a atitude, ele está testando você para ver até onde aceita a situação.

Então, não caia na idéia de "é só uma fase". Você conhece seu filho. Você sabe quando ele está sendo grosseiro e desrespeitoso e quando está simplesmente querendo uma resposta. Tudo fica muito claro na linguagem corporal e no tom de voz.

Quando você lançar esse novo método de "dizer uma vez, virar as costas, ir embora", deixe seu filho correr atrás da resposta. Não vá logo dizendo por que você está mudando de comportamento. Deixe-o compreender, cedo ou tarde, que seu novo e consistente comportamento tem a ver com suas atitudes.

> Quase 100% das vezes os pais *sabem a diferença* entre respeito e desrespeito, mas preferem ignorar.

Nesse meio tempo, examine sua própria atitude. Você está deixando-a escapar, mesmo quando usa palavras agradáveis? É mais ou menos como o que a esposa costuma dizer ao marido: "Oh, querido, você pode ir jogar futebol, que eu fico aqui com a sua *mãezinha*." As palavras podem ser agradáveis na superfície, mas qual a atitude por trás delas? Tradução: "Espero que dê tudo errado. Como você tem coragem de me deixar aqui com a sua mãe! Você é um idiota! Tomara que perca um pênalti!".

Sua atitude tem tudo a ver com a forma de você levar a vida. Tem tudo a ver com seu comportamento. E tem tudo a ver com o caráter que desenvolve.

Qual o tom de voz de sua atitude?

NÃO É O QUE SE DIZ, MAS COMO SE AGE... OU O CONTRÁRIO?

Você sabe. Já aconteceu em sua casa. Brigas. Cuspidas. Interrupções quando você está ao telefone. Rivalidade entre irmãos. Furos na parede. Pulos no quarto. Portas batendo. Gritaria. Xixi na cama. Brigas no carro. Brigas na hora de dormir. Brigas sobre a desarrumação do quarto. Insolência. Faniquitos. Batalha na hora de levantar para ir à escola. Batalhas na hora de comer. Crianças que não ficam na cama e pulam como o coelhinho da pilha Duracell. Descuido com o dinheiro. Mentiras. Tarefas inacabadas.

Você sabe que esse comportamento é aprendido? E que as crianças baseiam seu comportamento nas coisas que veem você dizer ou fazer? Pense em quantas vezes você disse: "Nunca vou fazer o que meu pai fez comigo. Nunca vou falar com meus filhos da forma que minha mãe falava." Então você se vê usando as mesmas palavras *e* a mesma inflexão de seus pais.

Pense naquela "mentirinha leve" que você contou a seu chefe: "Não estou me sentindo muito bem hoje. Acho que preciso descansar." E então levou as crianças à praia.

Ou naquela vez que você prometeu às crianças levá-las para tomar sorvete... mas se atrapalhou no trabalho e, quando chegou em casa elas já estavam na cama.

É disso que estou falando. Sua atitude se revela em seu comportamento, e as crianças estão sempre observando. Isso significa que se quiser ver seu filho mudar, você também tem de mudar. Se você grita quando fica nervoso, por que se surpreende quando seu filho de 7 anos grita também? Se você "gela" as pessoas, por que se surpreende quando seu filho de 13 anos faz greve de silêncio? Você quebra promessas? Se sim, você precisa começar a honrá-las — ou a não fazê-las de uma vez por todas. Minha visão pessoal é que não se deve prometer nada a uma criança. Prometer é garantir que seu carro nunca vai quebrar, que tudo vai acontecer exatamente como foi planejado, que você é perfeito e não vai chover.

O mau comportamento vai acontecer. Crianças são crianças. Apenas aceite o fato de que elas vão dizer e fazer as coisas mais idiotas e embaraçosas que se possa imaginar. Nunca vou me esquecer do que nosso pediatra falou quando tivemos Holly, nossa primogênita. "Vocês precisam blindar sua casa, porque as crianças são realmente estúpidas quando se trata de colocar as coisas na boca." Crianças vão puxar o rabo do cachorro e ganhar uma mordida, vão colocar alguma coisa na tomada, vão correr para a rua, vão enfiar o dedo no olho da irmã, vão vomitar por toda a casa quando sentirem enjoo — bem na hora em que você estiver pronto para sair.

Crianças são crianças. Apenas aceite o fato de que elas vão dizer e fazer as coisas mais idiotas e embaraçosas que se possa imaginar.

O problema aparece quando nós, como pais, *pedimos* determinado comportamento. Esperamos por ele. Veja o que acontece pouco antes de você ir a um lugar público. Vamos dizer que esteja indo ao supermercado. Você diz às crianças: "Lembrem-se, sem brigas. Se brigarem, não compro nada para vocês. A mamãe só precisa pegar algumas coisas e já voltamos para casa".

O que você está dizendo? "Crianças, acho que vocês vão aprontar, mas é melhor não". Na verdade, você está ensinando seus filhos a criarem problemas.

É por isso que tantas crianças são perfeitas com a vovó e se transformam em ferinhas com a mamãe. Por que elas não se comportam ao seu lado? Porque você espera isso delas, e a única forma de conseguir sua atenção é aprontando!

Como poderia ser diferente? Volte um pouco no tempo. Lembra-se de quando você descobriu que teria esse anjinho em sua vida? Talvez você tenha sido abençoada com dois partos em 18 meses. Isso é que é interessante. Apesar de os norte-americanos supostamente serem as pessoas com o maior nível de educação do mundo, a maioria segue o instinto quando se trata de paternidade. Repetimos o exemplo de nossos pais.

Então, se você cresceu em uma casa do tipo "não toque nisso, você vai se machucar", será excessivamente cauteloso com seus filhos. Dirá não para as crianças o tempo todo. Se cresceu em uma casa com pais violentos, pode se surpreender gritando e levantando a mão para seu filho. Se cresceu com pais que lançavam apenas aquele olhar silencioso para disciplinar, vai se surpreender lançando o mesmo olhar para seu filho.

Pergunte-se

1. Qual a intenção por trás do comportamento?
2. Como você, sendo o pai, se sente diante dessa situação?
3. É uma montanha ou um grão de areia?

Porém, depois de um tempo, as palavras e olhares não funcionam mais se não houver consistência, acompanhamento ou consequências. Logo um abismo cresce entre pais e filhos — abismo que pode acompanhá-los pelos próximos anos.

Quando seus filhos o desafiam, é sempre importante fazer a si mesmo três perguntas que ajudam a observar o comportamento sob uma luz mais favorável:

1. Qual é a intenção por trás do comportamento que você está enfrentando? (Em outras palavras, por que seu filho está fazendo isso?)
2. Como você, sendo pai, se sente nessa situação? (O que pensa a respeito e as emoções que sente têm tudo a ver com a forma de responder à situação.)
3. Isso é uma montanha (algo que terá importância no longo prazo) ou um grão de areia (a situação se resolverá sozinha ou é uma preocupação menor dentro do grande plano que você está propondo para a vida de seu filho)?

Para encontrar ajuda sobre tópicos específicos, procure o comportamento e o que fazer na seção "Pergunte ao dr. Leman".

Nós, pais, queremos tanto que nossos filhos sejam perfeitos (como nós, é claro) que somos mestres em transformar grãos de areia em montanhas. "Mas dr. Leman", você pergunta, "como posso ter certeza de que algo é uma montanha e não um grão de areia?".

Teste seus conhecimentos com o teste "Montanha ou Grão de Areia?".

Todo filho desapontará, cometerá erros e causará constrangimento. Mas você não precisa manter essas falhas sobre os ombros de seus filhos pela vida toda. Corrija o comportamento e vá em frente. O que é mais importante, no longo prazo, é o caráter de seu filho.

Montanha ou Grão de areia?

A situação é uma montanha ou um grão de areia? Circule sua resposta e então escreva suas razões:

• **Randy tem 17 anos.** Suas calças folgadas, brinco e cabelos desgrenhados quase fazem sua mãe subir pelas paredes. Mas ele a ajuda a carregar as compras, tira notas boas na escola e toca guitarra na banda da igreja. Montanha ou grão de areia?	• **Sam tem quase 13.** Ele é um garoto calado e tímido, que sempre passou bastante tempo sozinho em seu quarto, lendo. Mas ultimamente suas notas despencaram, e ele passou a responder com grosseria. São só os hormônios da adolescência ou é algo mais? Montanha ou grão de areia?
• **Jennifer tem 3 anos.** Seus pais se perguntam como é que ela sobrevive com o pouco que come. Eles já tentaram de tudo, mas não conseguem persuadi-la a comer nada além de sucrilhos e nuggets do McDonald's. Montanha ou grão de areia?	• **Mandy tem 9 anos.** Quando seus pais se divorciaram no ano passado, ela começou a passar os dias da semana com a mãe e os fins de semana com o pai. Agora, toda vez que volta da casa do pai, ela responde grosseiramente à mãe, vai para o quarto e bate a porta. Montanha ou grão de areia?

[1]Veja as respostas do dr. Leman na página 229.

CARÁTER EM PRIMEIRO LUGAR

O que realmente importa é o caráter. É quem você é quando ninguém está olhando.

O caráter é adquirido das pessoas com quem você cresce, especialmente os pais. Também é ensinado pelas lições de vida. A disciplina orientada à ação que estou prescrevendo neste livro vai ajudar muito a formação do caráter de seu filho. O bom caráter pode ser reforçado de uma maneira muito natural e positiva: "Que bom que você ajudou aquela menina. Você viu que ela precisava de ajuda e ajudou". Traços negativos de caráter precisam ser enfrentados: "Ouvi o que você disse a seu irmão. Foi muito indelicado. Você está provocando. Isso não é aceitável em nossa casa. Precisa pedir desculpas a seu irmão imediatamente".

Parte do fato de sermos humanos inclui perceber como somos imperfeitos. Ter caráter não significa ser perfeito. Significa ter um padrão interior que leva em conta os outros mais do que a si mesmo. Infelizmente, o caráter anda escasso no mundo contemporâneo. Pesquisas revelam que a maioria das pessoas admite que trapacearia para subir na vida, e que não necessariamente se sentiria mal com isso. Estudantes de nível médio e de graduação estão colando mais e mais a cada ano.

Quando eu era assistente da seção de alunos da reitoria da Universidade do Arizona, um estudante chinês foi surpreendido em uma situação imoral. Era minha atribuição lidar com o caso. Francamente, me senti mal pelo garoto. As circunstâncias reveladas me fizeram ter quase certeza de que o garoto estava no lugar errado, na hora errada, e que ele realmente não era alguém que ficasse espiando pelo buraco da fechadura, mas tinha sido incriminado por isso. Então dei a ele o nome de um advogado que a universidade contratava para ajudar alunos, e o encorajei a ligar para ele. O estudante estava tão envergonhado que ligou para o advogado de um telefone público às 8 horas da manhã seguinte. Quando o advogado finalmente conseguiu retornar a ligação, às 5 horas da tarde, o aluno ainda estava esperando junto ao telefone. A temperatura do lado de fora estava perto dos 38ºC.

Aquele estudante aguentou o desconforto físico porque a pior coisa que poderia fazer era envergonhar sua família. Ele era um garoto inteligente, um ótimo aluno. Uma pessoa de caráter surpreendida em uma situação difícil. E no final seu caráter triunfou.

> Caráter não é tudo: é a única coisa no longo prazo. É a base da atitude e do bom comportamento.

O que acontece atualmente quando uma estrela de cinema se mete em encrenca? Quando artistas são pegos dirigindo bêbados ou espancando alguém? Seus agentes de relações públicas divulgam desculpas esfarrapadas: "Oh, ele sente muito. Ele vai procurar uma clínica de reabilitação...". Mas seu comportamento realmente muda?

Se alguém é uma pessoa verdadeiramente de caráter, se dirige à pessoa ofendida, pede desculpas sinceras e pergunta o que pode fazer para reparar a situação.

Seu filho é respeitoso com você, com outros membros da família e com pessoas de fora — incluindo os professores — e pessoas que professam outra religião? Ele tem boas maneiras ao telefone? Diz a verdade? Tem iniciativa para fazer tarefas domésticas (ou sempre espera que você dê o empurrão inicial)? Ele se preocupa com a pontualidade? Fica incomodado se colegas colam na prova, ou isso parece "normal" para ele? É uma criança que quer tudo, com uma lista de presentes de natal do tamanho de uma rodovia? Seu filho é gentil? Defende as crianças menores ou mais fracas do que ele no parquinho, ou é o que atormenta os outros? Respeita as necessidades especiais de sua irmã mais velha? Seu filho aceita um não como resposta ou insiste até conseguir o que quer? Sua mãe aprovaria a linguagem que ele usa? Ele é o tipo de jovem que você contrataria para trabalhar em sua empresa?

Caráter não é tudo: é a única coisa no longo prazo. É a base da atitude e do bom comportamento.

TRÊS ESTRATÉGIAS SIMPLES DE SUCESSO

Se você quiser que seu filho tenha uma Atitude respeitosa e gentil, que tenha um Bom comportamento elogiado pela avó e um Caráter que seja autêntico mesmo quando não haja ninguém olhando, siga essas três estratégias simples:

1. Deixe a realidade ensinar.

Disciplina da realidade é um termo que cunhei em 1984. Significa, basicamente, deixar a natureza seguir seu curso. E quando a natureza não cuida do problema, você ajuda a natureza. Não salve seus filhos das consequências da falta de responsabilidade deles.

Se seu filho recebe a tarefa de realizar um projeto de química e não o conclui, não fique até a meia-noite fazendo por ele. Na verdade, não faça nada a respeito. Tampouco mencione. Espere a realidade atingi-lo quando ele estiver diante da severa professora de química, que lhe falará diretamente o que pensa sobre projetos incompletos.

Se sua filhinha vai ao quarto da irmã mais velha e usa a maquiagem dela, não intervenha na situação ajudando-a a se limpar antes que a irmã chegue em casa. A menos que ela queira se limpar sozinha, não se preocupe. Espere para ver o que a mais velha vai dizer, e deixe que as duas resolvam o problema.

Os pais tendem a ficar apontando os erros de seus filhos. Na maior parte das vezes, deixar a realidade ensinar é disciplina suficiente.

Há também a tendência a ficar escavando os ossos, ou seja, voltar à situação muito tempo depois que terminou e ficar batendo com o "osso" no seu filho. Lembre-se apenas de que você já fez coisas erradas e foi perdoado. Como você se sentiria se alguém sempre ficasse lembrando-o de seus erros?

2. Aprenda a responder e não a reagir.

Os pais são bons em dar tiros no pé. Geralmente reagimos em vez de responder. Nossas emoções levam a melhor, e falamos ou agimos antes de pensar.

Qual a diferença entre responder e reagir? Se o médico diz: "Você respondeu à medicação", isso é bom. Se ele diz: "Você reagiu à medicação", isso é ruim. Enquanto você está dirigindo, sua filhinha diz, do nada: "Mamãe, quero um pônei."

"O quê?" você diz. "Que ideia mais idiota! Como é que nós vamos ter um pônei? Moramos em um apartamento de dois quartos. O que ganhamos quase nem chega ao final do mês. Como é que vamos sustentar um pônei? Você está louca?"

Isso é reagir. Falar sem pensar na situação.

Responder é:

"Ah, um pônei". (Pausa, para mostrar que você está sonhando e pensando nisso também.) "Você já pensou em como seria ter um pônei? Levantar-se pela manhã, colocar a sela nele e ir cavalgando para a escola, enquanto as outras crianças vão a pé? Já pensou, você dando tchauzinho para as crianças enquanto passa? Estou até vendo o pônei. Ele é preto e branco. Nossa, não seria legal? Na hora do almoço, enquanto as crianças estão indo tomar lanche, você vai primeiro lá fora para dar uma olhadinha nele..."

Se o médico diz: "Você respondeu à medicação", isso é bom. Se ele diz: "Você reagiu à medicação", isso é ruim.

Sim, você mora em um apartamento de dois quartos. Mas por que destruir sonhos? No final, sua filha vai perceber que um pônei não cabe em sua casa.

Existe uma maneira de manter sua posição sem dar um tiro no pé, ou nas crianças. Em vez de reagir, responda dizendo: "Conte mais a respeito".

3. B não acontece até A estar concluído.

Você nunca vai precisar mudar essa estratégia. Funciona sempre, em todas as idades. Se você pediu para seu filho fazer alguma coisa e não foi feita, não passe para a etapa seguinte — independente de qual seja.

Existe uma maneira de manter sua posição sem dar um tiro no pé, ou nas crianças.

Vamos dizer que você pediu para seu filho de 8 anos aparar a grama do jardim, e ela claramente não está aparada. Duas horas depois seu filho quer ir à loja de animais comprar o peixe que você prometeu. Se seu filho tem 16, ele provavelmente quer ir à casa do amigo jogar bilhar. Ele não se importaria com o peixinho. Mas, independentemente de qual seja a atividade, diga simplesmente: "Não vamos". Em seguida, volte aos seus afazeres.

Se seu filho a seguir, não anuncie sua estratégia. Funciona melhor se a criança descobrir por conta própria. Em resumo, é o seguinte: perceber as mudanças que você quer implantar tem mais a ver com *você* do que com seu filho. Tem mais a ver com mudar *sua* Atitude, seu Bom comportamento e Caráter do que os dele.

Aqui vai um aviso: quando você começa a aplicar essas técnicas, geralmente as Atitudes e o Bom comportamento pioram por um tempo. Mas isso na verdade é uma boa notícia — significa que você está no caminho certo!

O mais importante é usar uma ação consistente, não palavras. Você não envergonha seu filho de propósito; você corrige o comportamento. Você mantém a bola da responsabilidade em seu campo, não no dele. Sem coerção, ameaças ou avisos. Sem lembretes nem convencimento. Sem humilhação, porque ninguém ganha com isso. Na atual sociedade democrática, se você tem o direito de me humilhar, adivinha que direito eu tenho? Ninguém vence nessa situação. As relações se destroem. Mas, se você trabalhar ao mesmo tempo Atitude, Bom comportamento e Caráter, pode construir uma relação mutuamente satisfatória.

O que fazer na terça-feira?

1. Qual é a sua atitude em relação às crianças?
2. Como seu comportamento revela sua atitude?
3. Que mudanças você precisa fazer em seu comportamento em relação às crianças?
4. Por qual tipo de caráter você quer ser conhecido? Como se consegue isso?

> Seu princípio de "deixar a realidade ensinar" realmente teve um impacto sobre mim. Tenho resgatado meu filho adolescente por muito tempo, me envergonho de dizer. Chega de covardia. Começo hoje.
>
> Hank, New Hampshire

> Senti-me um fracasso como mãe por cerca de 7 anos. Muitas vezes, à noite, me perguntava se deveria ter-me tornado mãe. Por que era tão frustrada o tempo todo? Então meu marido e eu começamos a ensinar nossos filhos em casa no ano passado (um plano não muito inteligente quando se está sempre frustrada com os filhos), e assim tive certeza de meu fracasso. Nossa casa era completamente caótica. Foi quando descobri seus princípios. Eles transformaram minha casa. Nunca vou conseguir expressar quão agradecida estou por suas instruções sábias, seu humor e seu pé no chão. Meus dois filhos ainda estão longe de serem anjos; na verdade, alguns dias eles ainda lembram os

"pequenos hedonistas de chupeta", para citá-lo, mas o batalhão dos mordedores de calcanhares se foi há muito tempo. Obrigada, obrigada.

Laura, Nova Scotia

Há uma semana comecei a aplicar seus princípios de paternidade, e minha casa se tornou um lugar completamente diferente. Meus quatro filhos, que não davam a menor atenção ao que eu dizia, exceto quando estavam respondendo mal, agora me respeitam. Eles costumavam me usar como motorista particular. Agora, quando querem ir a algum lugar, se aproximam e dizem: "Mamãe, será que posso ir à casa da Hannah amanhã? Se você puder me deixar lá entre 6h e 7h, posso pegar uma carona na volta". Esse pequeno exemplo, em si, mostra a diferença em nossa casa. Agora sou uma mulher livre e estimada.

Maryann, Tennessee

Mostre-me uma professora má e eu lhe mostrarei uma boa (Colocando as coisas em perspectiva)

Olhe adiante na estrada.
Como você quer que sua família seja no futuro?

Nunca vou me esquecer de certo dia em que nossa filha mais velha, Holly, chegou em casa depois da aula. Ela estava na oitava série e comentou como dona fulana era má. Holly me fez pensar no típico estereótipo da bibliotecária (a senhora austera com os cabelos presos em coque, que mandava fazer silêncio com o dedo em frente à boca se você sussurrasse) ou a antiga professora primária que batia nas juntas dos dedos com a régua se você não seguisse as regras. Imaginei-a usando sapatos pretos de amarrar com saltos baixos — do tipo que minha professora costumava usar.

> O que seus filhos pensam de você em um momento específico não é necessariamente o que vão pensar por toda a vida.

Então, me encontrei com a professora de Holly. Era uma bonitona de 24 anos, graduada havia dois anos. Não pude evitar de pensar *Essa é a senhora de quem a Holly falou? Deve ser brincadeira!*

Veja só, é tudo uma questão de perspectiva. E a perspectiva muda em função da idade e da maturidade emocional. O que não muda é o fato de que você tem um grande trabalho a fazer e pouco tempo para isso. Como diz a famosa citação, "o tempo não para". As crianças crescem rápido demais! Com que frequência você disse para sua esposa ou um amigo: "Não acredito que a Anna já tem 15 anos! Como é que pode?"

A vida se esvai como a areia passa pelo orifício da ampulheta. Você não pode se dar ao luxo de perder o tempo que tem. Às vezes seu trabalho é tedioso e chato (como lavar e passar sempre as mesmas roupas). Outras vezes o ritmo é vertiginoso, especialmente quando seus filhos são pequenos, tendem a correr riscos ou estão envolvidos em muitas atividades.

No entanto, aqui está o ponto importante a ser lembrado: o que seus filhos pensam de você em um momento específico não é necessariamente o que vão pensar por toda a vida. Se você é calmo, consistente e sempre faz o que diz que vai fazer, terá respeito e confiança. Mas isso não acontece com um estalar de dedos.

VISÃO DE LONGO PRAZO

Olhe adiante na estrada para daqui a 5, 10, 15, 20 anos. Quem você quer que seu filho seja? Qual você quer que seja a visão de ética dele? E quanto à maneira de ele se enxergar? Seus relacionamentos com os outros? Sua relação com ele?

O autor de *best-sellers* e consultor Stephen Covey tem um ótimo ponto de vista a respeito. Se você quer alguma coisa, comece tendo o final em mente, ele diz.

Em outras palavras, se você quer que seu filho seja gentil, ensine-o a ser assim já. Se quer que seu filho seja um adulto responsável, ensine-o a ter responsabilidade agora. Se quer que seu filho passe tempo com você, comece agora a separar um tempo sem pressa para passar com ele, em vez de se deixar levar pela corrida maluca da atividade constante.

Você acha que esses pais queriam ou planejaram essas situações?

- Henry tem 17 anos e acabou de ser internado em uma clínica de reabilitação.
- Miranda foi presa por roubar em uma loja e passou a noite na cadeia.
- Tony mordeu outra criança e foi expulso do jardim de infância.
- Amanda saiu para um passeio emocionante de motocicleta com um amigo, e os dois acabaram no necrotério. Tentaram passar correndo entre dois carros e perderam o controle.
- Keri tem 15 anos e pesa apenas 40 quilos. Ela vem lutando contra a anorexia nos últimos dois anos.
- Jason, de 21 anos, perdeu o emprego ao responder mal para o supervisor.

Essas coisas simplesmente "acontecem"? Ou pequenas coisas acontecem ao longo do caminho e levam a coisas maiores? Aqui está o que os pais dizem quando olham para trás:

Henry era o tipo de garoto que sempre exagerou em tudo. Nós o surpreendemos fumando um baseado com um amigo aos 11 anos, mas ele ignorou nossa preocupação. Deu aquela velha desculpa: "Mas pai, era só curiosidade. Não vou fumar de novo". Eu, idiota, acreditei. Deveria tê-lo seguido. Agora sei que ele continuou fumando maconha, depois mudou para metanfetamina. Achei que ele estivesse guardando dinheiro para comprar um carro. Mas ele estava usando o salário para comprar drogas.

Nunca confrontamos Miranda quando ela pegava coisas do quarto da irmã. Quando descobri que ela tinha tirado 20 dólares de minha bolsa, deixei para lá porque ela disse que precisava para comprar algumas coisas. Mas eu deveria ter sido dura.

Tony era incontrolável aos 2 anos, mas achei que era coisa da idade. Sabe como é, os terríveis 2 anos. Achei que melhoraria ao crescer. Mas então ele avançou para os independentes 3 anos e ficou ainda mais descontrolado. Duas babás pediram demissão. Eu deveria ter imaginado que algo estava errado. Mas achei que era coisa de criança. Agora percebo que eu é que era infantil. Dava tudo o que ele queria. Quando ele deparava com alguém que dizia não, mordia. Mordia até as babás.

O que é importante para você?

Cite três qualidades que você deseja que seu filho tenha. Que passos você pode tomar para estimular essas qualidades em seu filho?

Amanda sempre teve um espírito livre e muito sociável. Todo mundo gostava dela. Ela tinha muitos amigos. Mas, pouco antes de entrar no ensino médio, seus amigos mudaram. Eram muito mais do tipo que vai a festas e gosta de aventuras. Achei que fosse só uma fase e que Amanda superaria isso.

Keri sempre se preocupou com sua aparência. Aos 9 anos, era meio cheinha. Um tio de quem ela gostava muito comentou que tinha visto "sua barrigona gorda'" sob o maiô, certo dia em que ela estava na piscina. Depois disso, ela começou a fazer muitos comentários sobre como estava gorda. Começou a comer menos nas refeições e a comer mais vegetais. Achei que fosse uma boa mudança — comer vegetais faz bem, não é? Então, ela completou 11 anos e realmente emagreceu. Ficou ótima. Quando começou a emagrecer ainda mais, achei que estivesse em fase de crescimento (sabe como é — as crianças têm um estirão e ficam altas e magras, depois ganham peso e crescem ainda mais).

> Só quando uma amiga mencionou que achava que Keri tinha um problema é que toquei no assunto. Há dois anos ela está em terapia e em um programa para anoréxicos, mas é uma batalha árdua. Mesmo sendo terrivelmente magra, ela sempre vê uma pessoa gorda no espelho. Gostaria de ter prestado mais atenção às pequenas coisas durante o processo.

Seu filho precisa não só de sua atenção, mas de um relacionamento com você.

> Jason era um garoto falante. Tinha opinião sobre tudo. Seu pai e eu revirávamos os olhos e dizíamos: "Um dia ele aprende". Acho que ainda não aprendeu... ele voltou a morar conosco porque perdeu o emprego.

Se você quer que seu filho seja um adulto saudável e bem ajustado, precisa perceber a importância de seu papel. Seu filho precisa não só de sua atenção, mas de um relacionamento com você.

QUE TIPO DE PAI VOCÊ É?

Frequentemente ouço as pessoas dizerem: "Nunca quis ser como meus pais. Odiava a forma como agiam. Mas hoje abro a boca e parece que estou ouvindo-os falar. E agir também". Isso é só para mostrar que os exemplos paternos aderem — e aderem firme. Isso acontece porque toda criança quer agradar aos pais. Toda criança anseia pela aprovação dos pais e não suporta quando não a tem. Não há nada pior do que saber que desapontou os pais. Se a desaprovação é contínua, a criança se rebela — a velha síndrome do "Ah, é? Então esqueça".

Há três tipos de pais, e quem você é como pai tem muito a ver com a maneira de seu filho responder a você. Conversei profundamente sobre isso em outros livros (*Faça a cabeça de seus filhos sem perder a sua* é um ótimo recurso para esse tópico), então simplesmente vou resumir aqui.

"Buford, você já resolveu ir para a cama?"

Você quer ter certeza de que seu filho nunca falhará? Continua fazendo as coisas que ele poderia fazer sozinho? Você é o melhor amigo de seu filho o tempo todo? Acha difícil ou impossível dizer não para ele? Você tem sempre de persuadi-lo a fazer as coisas? Sempre promete alguma coisa em troca?

Um pai permissivo:

- É escravo da criança.
- Prioriza o filho e não a si mesmo ou o cônjuge.

- Rouba o autorrespeito e a autoestima da criança ao fazer por ela as coisas que ela poderia fazer sozinha.
- Oferece a experiência "Disneylândia" à criança, tornando as coisas o mais fácil possíveis — fazendo sua lição, respondendo por ela e assim por diante.
- Convida à rebeldia diante de sua atitude inconsistente.

Isso lhe soa familiar?

"Já para a cama!"

Você sempre tem razão? Grita ordens e ameaça seu filho com advertências se ele não fizer imediatamente o que manda? Você diz a ele o que e como fazer o tempo todo, muito claramente?

Um pai autoritário:

- Toma todas as decisões pela criança.
- Usa recompensa e punição para *controlar* o comportamento da criança.
- Sempre se vê como *melhor do que* a criança.
- Controla a casa com mão de ferro; dá pouca liberdade à criança.

Isso lhe soa familiar?

"Me avise quando tiver escovado os dentes, e eu venho colocá-lo na cama"

Você pergunta à criança os fatos sobre uma situação e o que ela pensa disso antes de tirar conclusões? Você lhe dá opções apropriadas para sua idade? Você se preocupa com o bem-estar dela, mas permite que vivencie as consequências de seu comportamento?

Um pai com autoridade ou responsável:

- Dá opções à criança e estabelece diretrizes com ela.
- Oferece à criança oportunidades de tomar decisões.
- Desenvolve uma disciplina consistente e afetuosa.
- Confia responsabilidade à criança.
- Deixa a realidade ensinar.
- Transmite respeito, amor-próprio e carinho à criança e ainda aumenta a autoestima dela.[1]

Como pai, você vai deixar uma marca indelével em seu filho. E, em geral, isso é feito inconscientemente. A verdade é que os dois extremos (permissivo e autoritário) vão provocar rebeldia nas crianças. Um pai permissivo não estabelece diretrizes e as crianças hesitam. Com um pai autoritário tudo se torna opressivo. Pais sábios encontram um meio-termo.

Vamos dizer que você esteja sentado para jantar e seu filho não esteja adorando sua opção por costeleta de porco.

O pai permissivo diria: "Oh, querido, você quer que eu prepare um sanduíche? Faço isso agora mesmo". (Enquanto seu cônjuge olha para as iscas de porco e se pergunta o que há de errado com elas.)

O pai autoritário diria: "Coma. Isso faz bem. E é melhor você limpar o prato".

O pai responsável diria: "Sei que não é sua comida preferida, mas é o que preparei para o jantar hoje. Se depois você quiser fazer outra coisa para comer, tudo bem. Mas, agradeço por se sentar conosco durante o jantar. Jantar em família é importante".

Autoavaliação dos pais

Seu estilo de paternidade é:

- ☐ permissivo
- ☐ autoritário
- ☐ com autoridade ou responsável

- Por que você se rotulou dessa forma?

____

____

____

- Que tipo de pais você teve?

____

____

____

- Você segue o estilo de seus pais, reage a ele ou responde a ele? Qual a diferença?

____

____

____

Qual é a diferença? O pai responsável enfatiza o relacionamento e tira o foco de tudo o mais.

É SÓ UMA QUESTÃO DE LIGAÇÃO

Se você não tem uma ligação com seu filho, por que ele deveria se importar com o que você pensa? Se seu filho não sente seu amor e sua aceitação — independente do que faça — não haverá relacionamento.

Não é possível administrar uma família por meio de regras se não há ligação entre os membros da família. Se você tentar, sempre terá uma relação de antagonismo. Seus filhos saberão que independentemente do que disserem, fizerem ou parecerem, você será sempre o juiz e o júri. Se é assim que a sua casa é administrada, não é de admirar que você tenha reações instintivas toda vez que tenta conversar com seus filhos.

Observe que eu disse, "conversar com seus filhos" não "perguntar algo a seus filhos". Existe uma grande diferença. Fazer perguntas coloca seu filho na defensiva. Em vez disso, faça afirmações abertas (mesmo em resposta a comentários idiotas ou inesperados), por exemplo: "Nunca pensei nisso dessa forma. Fale mais a respeito". Vamos dizer que seu filho queira ouvir músicas de que gosta no carro, como fazem todos os adolescentes. Já posso adiantar: você não vai gostar da música dele (assim como seus pais não gostavam da sua.) Em vez de reagir, diga: "Tem uma batida interessante. Gosto desse ritmo".

Esses comentários são respeitosos aos seus filhos, e estabelecem um paradigma de que você está aberto para conversar com eles sobre qualquer assunto. Conversar com seus filhos sobre pequenas coisas significa que haverá maior probabilidade de eles conversarem com você sobre grandes coisas.

Seus filhos precisam saber que você joga no time deles — que independente do que fizerem, você os ama. Você pode não gostar do que fazem, mas isso não muda seu amor por eles. Muitas crianças não vivenciam a ligação, mas, sim, a pressão. Elas são intimidadas a ser submissas, recebem apelidos e xingamentos, ordens, ouvem que precisam sair-se melhor na escola — e no dia seguinte os pais agem como se nada tivesse acontecido.

É por isso que os pais precisam analisar seu próprio comportamento antes de esperar que os filhos mudem. Muitos pais criam um ambiente doméstico que não é divertido. Seus filhos agem como robôs sem escolha (até optarem por agir com rebeldia). Mesmo assim você deu duro para ter esse filho. Algumas pessoas foram a clínicas de fertilização, ou enfrentaram uma papelada enorme para adotar. É pedir demais que você demonstre um pouco de atenção e apreço por seu filho depois de 3 ou 15 anos? Pedir que você dedique um tempo para encontrar um meio-termo em seu estilo de paternidade? Regras não funcionam sem relacionamento.

VOCÊ PODE NÃO TER MUITO, MAMÃE, MAS É TUDO DE QUE PRECISO

Você não precisa ter pós-graduação. Não precisa ter um monte de dinheiro. Você tem tudo o que é necessário. E sabe o maior segredo de todos: seu filho quer agradar-lhe. Ele não consegue suportar saber que você não é feliz com ele. Seu filho quer saber que vocês formam um time. Sim, tudo isso é verdade, mesmo se ele, às vezes, revira os olhos e quer que você caminhe dez passos atrás porque lhe causa vergonha.

> De vez em quando, deixe escapar uma propaganda de seu filho.

O que é mais importante é seu relacionamento, e isso se baseia em respeito e amor incondicional. Muito está relacionado a você e à maneira de tratar seu filho.

De vez em quando, deixe escapar uma propaganda de seu filho. Adoro fazer isso. Outro dia, minha caçula, Lauren, estava no banco de trás do carro enquanto eu falava para a Holly, sua irmã de 35 anos: "Não vejo a hora de ver o que a Lauren vai ser. Sei que será algo especial". Que Lauren ouvisse o em que eu estava dizendo. Quis que ela soubesse que gosto da pessoa que ela se tornou e que anseio por nosso futuro juntos. A maioria dos pais conversa muito pouco com os filhos. Quero conversar *com* meus filhos e também fazer comentários bons *sobre* eles.

Pai, você tem todas as cartas na mão. Você tem a conta bancária, o carro, a casa, os alimentos, o poder. As crianças não têm nada, exceto o que recebem de você e o que algum dia herdarão.

> Ser feliz o tempo todo não faz parte da vida real, e você não estará sendo justo com seu filho se proporcionar uma experiência de Disneylândia constante.

Que tipo de herança você deixará para eles? Se quiser que sejam saudáveis, tenham suas próprias ideias e sejam gentis e generosos com os outros, *agora* é a hora de começar. E você pode começar mudando a si mesmo.

Se você tende a ser autoritário, trabalhe para oferecer opções adequadas à idade de seus filhos. As crianças precisam desenvolver a capacidade de tomar boas decisões na vida. Afinal, você não estará na mesma casa que ele, tomando decisões, quando ele tiver 32 anos, estará? Não é provável. Quando você solta seu filho no mundo, quer saber que ele estará bem sozinho. Que terá uma base firme de amor, aceitação e compreensão.

Então, ofereça escolhas adequadas para a idade dele. Não há nada errado em dizer para seu filho: "O que você quer tomar no café da manhã? Torradas ou ovos mexidos?"

Porém, você também precisa entender em que idade e estágio seu filho está. Se você disser para uma criança de 4 a 6 anos "Oh, querido! Seu aniversário será daqui a seis semanas. Por que não vamos à loja de brinquedos para termos uma ideia de seu presente?", terá criado um cenário no qual sairá perdendo. Crianças dessa idade vivem o momento. Amanhã é longe demais. Seis semanas é uma vida. Elas não têm maturidade emocional suficiente para esperar. Então, pais, usem a cabeça.

Ofereçam escolhas apropriadas à idade que não frustrem seus filhos.

Se você é do tipo permissivo, precisa assumir sua posição de pai em vez de tentar ser amigo de seu filho e fazê-lo feliz. Ser feliz o tempo todo não faz parte da vida real, e você não estará sendo justo com seu filho se proporcionar uma experiência de Disneylândia constante. Sem responsabilidade por suas ações, seu pequeno hedonista de chupeta vai crescer e se tornar um adolescente malcriado e um adulto respondão que não consegue permanecer no emprego. Seus filhos sempre vão gostar de você? Não. Mas, você se tornou pai com a finalidade de subir na escala da apreciação? Se foi por isso, é você quem está precisando de um choque de realidade.

O que fazer na quarta-feira?

1. Que tipo de estilo de paternidade você tem?
2. Como seus filhos respondem a esse estilo?
3. Como você pode adaptar seu estilo para ser mais equilibrado?
4. De que maneira você pode enfatizar o relacionamento em sua casa?

As apostas são altas demais. Não dá para voltar para trás.

O objetivo de todo pai deve ser criar pessoas independentes com ideias próprias, que tenham um respeito saudável por si mesmas e pelos outros. Isso é extremamente importante na atual sociedade permissiva, como mostramos no seguinte discurso de formatura. O discurso foi feito por J. Neusner, na Brown University, em 1981, mas se aplica ainda mais atualmente:

> Nós, do corpo docente, não temos orgulho de nossas conquistas educacionais em relação a vocês... Conosco vocês puderam debater sobre por que seus erros não foram seus erros, por que um trabalho medíocre estava realmente excelente, por que vocês podiam se orgulhar de apresentações rotineiras e preguiçosas. Durante 4 anos, criamos um mundo totalmente complacente, no qual qualquer pequeno esforço feito por vocês era tudo o que se demandava. Quando vocês não compareceram a compromissos marcados, marcamos outros. Quando seu trabalho foi entregue fora do prazo, fingimos não nos importar.

Por quê? Apesar de suas fantasias, não foi sequer porque queríamos que vocês gostassem de nós. Foi porque não queríamos ser incomodados, e a maneira mais fácil foi fingir: sorrisos e notas B para todos.

Poucos professores realmente se importam se são apreciados por adolescentes igualmente inválidos, bobocas tão fúteis, a ponto de imaginar que os professores não se preocupam com a educação, mas com a popularidade. Foi, mais uma vez, para se livrar de vocês. Então vão, desaprendam as mentiras que ensinamos.[2]

Pai, quanto você se importa? Quanto você quer se dar ao trabalho? Que tipo de alicerce você está construindo para seus filhos? Que tipo de mentiras você está ensinando com base em seu estilo de paternidade? Como os está preparando para o futuro?

Comece tendo em mente o fim, e mantenha o foco em seus relacionamentos, e não em regras.

Tenho amigos em todos os lados da questão — do permissivo ao autoritário — e você está certo! Agir com autoridade é o único caminho. Vejo os frutos dos dois outros métodos em meu trabalho, em uma agência de assistência social há vinte anos. Estou satisfeito de ter escolhido a perspectiva equilibrada com meus filhos. Orgulho-me deles. Agora estão crescidos e têm sua própria família. Sou próxima de meus netos. Realmente, *tudo* se resume ao relacionamento.

Belle, Texas

Você está certo quanto à visão de longo prazo. Não acredito como o tempo voa. Parece que foi ontem que meus três filhos eram bebês, e logo meu mais velho vai terminar o ensino médio. Agora que tenho adolescentes em casa, achei seu conselho sobre não fazer perguntas muito útil. Tenho recebido alguns resmungos, mas, agora que fechei minha boca, eles estão abrindo a deles. Obrigada!

Sharon, Nebraska

Meu caro, eu realmente precisava de um lembrete sobre a visão de longo prazo. Minha esposa engravidou muito antes do planejado, e agora temos gêmeos com menos de 2 anos. Nossa casa passou dos passeios silenciosos à noite para o caos das crianças pequenas. Eu era, admito, um "pai fujão". Um mês atrás me dei conta, depois de ouvir sua palestra, de que meu pai era exatamente isso — um fujão. E quando estava em casa, sempre me dava ordens. Não queria ser como ele, então não fiz nada. Agora pedi desculpas à minha esposa e disse que quero que nosso relacionamento familiar seja a prioridade. E tenho tido sua ajuda para isso. Obrigado por ser o choque de realidade de que eu precisava.

Jay, Illinois

Tenho sido informada de que criar seis crianças (onde estávamos com a cabeça?) é como colecionar gatos que uivam. Mas, depois de ouvir seus princípios, acho que nossa casa pode se tornar um caos administrável. Esta foi a primeira vez que meu marido e eu concordamos sobre os princípios da paternidade, e isso já é uma conquista e tanto. Sua abordagem direta e categórica e os exemplos pessoais o cativaram, uma vez que ele pensa que a maioria dos especialistas é, para citá-lo, "um ferro-velho". Sou uma mãe permissiva; ele é autoritário. Nenhuma de nossas abordagens estava funcionando. Agora tenho estrutura e determinação, e os objetivos de meu marido estão sendo adotados de uma forma menos severa.

Susan, Kansas

Meu marido me deixou há um ano por outra mulher, depois de 13 anos de casamento, e fiquei com a custódia total de dois meninos. De vez em quando, entro em depressão, sentindo que não faço o suficiente por meus filhos (agora trabalho em período integral) ou que sou muito rígida com eles (eles vêm da casa do pai depois de comer um monte de açúcar e exaustos, por dormirem tarde). Sua palestra sobre "Você pode não ter muito, mamãe, mas é tudo de que preciso" era exatamente o que eu precisava para me lembrar do que tenho e de quão importante sou para as crianças. Obrigada. Era o encorajamento de que precisava para criar meus meninos.

Tamara, Novo México

Já li tantas estatísticas sobre como crianças criadas por uma mãe solteira estão condenadas, que me sentia condenada. Então, ouvi seus princípios de paternidade e pensei: *Ora, posso fazer isso, com ou sem marido.* Você aliviou minha carga ao ressaltar que minha relação com meus filhos é o mais importante. Não lhes posso dar tudo, mas posso oferecer tempo e atenção. Era exatamente isso o que eu precisava ouvir (e também amei as três estratégias simples de sucesso). Sinto como se você estivesse torcendo por mim.

Lily, Iowa

Mas e se eu traumatizar sua psique? (Oh, o que é psique?)

Existe enaltecimento e existe encorajamento. Seu filho é suficientemente inteligente para saber a diferença.

Conheci um garoto que era um verdadeiro azougue e muito engraçadinho. Ele foi expulso da quarta série porque colocou a mão por dentro da calça, enfiou o dedo na braguilha e ficou balançando para as meninas. Foi convidado a se retirar do clube de escotismo aos 11 anos por "comportamento imprevisível". Foi expulso da aula de matemática para consumidores (a matemática básica para que se possa pelo menos ir ao supermercado) quando já estava no final do ensino médio. Era o tipo de cara de quem todos riam, mas apenas sua mãe acreditava de verdade que ele se tornaria alguém quando adulto.

Até que Vincent Stearns, professor de inglês do ensino médio, interveio. Ele não tolerava bobagens e deixou suas expectativas muito claras. Bem, o tal garoto passou todos os anos da escola mal fazendo as lições de casa — mas agora fazia as lições do sr. Stearns. Pela primeira vez, o garoto enfrentou o desafio. Adivinhe por quê? Porque o sr. Stearns tinha uma expectativa tão positiva da capacidade daquele jovem que até um puxa-saco repararia.

O que fez a diferença?

1. As expectativas eram claras. Não havia a menor chance de incompreensão.
2. O adulto esperava o melhor... e obteve.

Não importava que as notas da criança estivessem no nível mais baixo da escala. Não importava que o garoto fosse conhecido por adorar bancar o palhaço e chamar a atenção. O professor lhe deu uma segunda chance.

ESPERE O MELHOR, OBTENHA O MELHOR

Ultimamente, os pais têm se preocupado demais com a autoestima dos seus filhos. "Quero que o Johnny se sinta bem consigo mesmo", diz a mãe. Então o que ela faz? Tudo para limpar as estradas da vida de seu filho, faz por ele o que ele mesmo deveria fazer.

Muitas crianças parecem surdas — e por uma boa razão. Quando as regras mudam conforme os hormônios da mamãe, por que deveriam se preocupar em segui-las?

Ela acha que isso ajuda sua autoestima, mas o que ela está fazendo na verdade? Enviando uma mensagem negativa: "Acho que você é tão idiota que não consegue fazer sozinho, então faço por você".

É como dizer as coisas uma vez só. Se você lembrar a criança mais de uma vez, está dizendo: "Você é tão estúpido que acho que não entende, então vou dizer de novo". Na verdade, dizer uma vez só, consistentemente, aumenta a chance de você ser ouvido e ter suas instruções seguidas. Muitas crianças parecem surdas — e por uma boa razão. Quando as regras mudam conforme os hormônios da mamãe, por que deveriam se preocupar em segui-las?

Fazer as coisas por seus filhos é desrespeitá-los. Esperar o melhor deles — percebendo que "o melhor" difere em termos de atividade, idade e talentos específicos — é respeitoso. Toda criança está à altura da expectativa que lhe é colocada.

Como respeitar seus filhos

- Nunca faça por eles o que eles podem e devem fazer sozinhos.
- Não repita as instruções.
- Não os enalteça.
- Encoraje-os.

Não tenha medo de estabelecer um padrão alto (muitas crianças conseguem fazer muito mais do que você poderia sonhar), mas não espere o mundo. Se seu filho que só tira notas D volta para casa cheio de Cs e Bs porque está se esforçando de verdade, é motivo para comemoração! Se sua filha de 4 anos decide limpar o quarto sozinha, apesar de as coisas não estarem tão limpas quanto você gostaria, diga que apreciou sua consideração em limpar o quarto (e não vá atrás dela, limpando melhor).

Isso significa que você nunca deve ajudar seu filho? Não. Você é o capitão do *Navio da Boa Família* em sua viagem pelos mares da vida. Como todos os bons capitães, você precisa estar no comando do barco e atento aos locais onde as rochas se escondem, além de ter um porto de destino a fim de saber para onde está indo. Haverá ocasiões em que alguns de seus passageiros cairão do barco, mas você não pode deixá-los afogar. Eles vão precisar de um colete salva-vidas e de seu resgate.

> Toda criança está à altura da expectativa que lhe é colocada.

AUTOESTIMA OU AUTOVALOR?

Existe uma grande diferença entre fazer as crianças "se sentirem bem" em relação a si mesmas (autoestima) e o verdadeiro autovalor.

Muitos pais hoje em dia se preocupam tanto com a autoestima de seus filhos que estão criando crianças que precisam se sentir bem em relação a si mesmas e a tudo o que fazem. Você não gostaria de que houvesse onda alguma no oceano deles, não é? Nada que obrigasse seus queridinhos a ter de nadar.

Fazer uma criança se sentir bem, é fácil. É só lhe dar tudo o que ela quer, na hora em que quer. Mas se você fizer isso, o pequeno hedonista de chupeta assumirá o controle e se tornará um adolescente parasita. Ele vai dar muito trabalho com tantas exigências. E esse trabalho muitas vezes pode durar até que ele tenha seus 20 ou 30 anos. Veja que interessante: duas em cada dez mães que comentam seus problemas em meus seminários são mais velhas e têm filhos na faculdade ou adultos que ainda vivem em casa. "Filhos bumerangue", é como eu os chamo. O tipo de filhos que se sente bem consigo mesmo porque mamãe e papai sempre cuidaram de tudo para eles. Agora, mamãe e papai parecem estar condenados a esse papel mesmo quando a criança se tornou adulto e deveria estar ganhando sua vida.

Parte da arte da paternidade é saber quando estabelecer limites e quando seus filhos precisam de estímulo. Adultos crianças que ainda vivem na casa dos pais definitivamente precisam de um empurrão para o mundo real.

Você sabia que sua função, como pai, não é fazer seu filho feliz? Na verdade, uma criança "infeliz" é uma criança saudável. Pense dessa maneira. Se você está feliz e tudo vai bem, você se motiva a mudar? Quando as coisas não vão bem é que você começa a avaliar: "Puxa, isso não funcionou muito bem. Talvez eu tenha de fazer de outro jeito da próxima vez". Esse mesmo pensamento vale para seu filho. Quando uma criança está infeliz (pode ser por alguma coisa que ela tenha feito errado ou simplesmente pelo fato de você não atender a seus desejos), ela se motiva a fazer diferente. É por isso, novamente, que o princípio "B não acontece até que A esteja concluído" funciona tão bem. O que ele consegue... ou não consegue... depende da firmeza com que você adere aos princípios deste livro.

Sentir-se bem é temporário. Baseia-se em sentimentos, e isso muda a cada momento. Uma criança pode se sentir bem ao ganhar o brinquedo que queria, mas o verdadeiro autovalor é estabelecido quando a criança batalha pelo brinquedo, recebe e realmente pode chamá-lo de seu, pensando: *Eu consegui sozinho. Uau. É assim que funciona.* Ao oferecer experiências para as quais as crianças precisam se esforçar, aprender a ter responsabilidade e responder pelo que fazem, você está estabelecendo um autovalor saudável.

> Fazer uma criança se sentir bem, é fácil. É só lhe dar tudo o que ela quer, na hora em que quer.

OS PILARES DO AUTOVALOR

Já falamos sobre o ABC de Atitude, Bom comportamento e Caráter e da importância disso na vida de seu filho. Mas há um segundo grupo de ABC:

- Aceitação
- Bem-querer
- Competência

Esse ABC compreende os três pilares do autovalor de qualquer pessoa.

Aceitação

Lembre-se, as crianças anseiam por sua aprovação. Sua aceitação incondicional de seu filho significa tudo no desenvolvimento dele. Uma criança corresponde às expectativas que você tem dela. Se, em suas palavras e ações, você exprime o pensamento: *Você é a criança mais idiota que já vi*, seu filho terá um autovalor muito baixo e achará que não consegue realizar nada. Se, em suas palavras e ações, exprime o pensamento: *Vamos, garoto, eu sei que você consegue*, você está estabelecendo um autovalor saudável. As crianças vão às alturas por um longo tempo apenas com um elogio. Mas, observe que o elogio tem de ser verdadeiro — não artificial, apenas para a criança se sentir melhor (mais sobre isso adiante, neste cap.). Do contrário, toda criança no planeta vai sacar na hora: *Ah, entendi. Sou um fracasso. E meus pais também acham isso. Papai não consegue dizer uma coisa boa sobre mim que seja verdadeira.* E então, a criança corresponderá a suas expectativas tácitas.

> Seu filho é muito mais indefeso do que parece.

Se a criança não encontra aceitação incondicional em casa, ela vai falar menos (ou nada) com você, vai ouvir música o tempo todo, vai usar o iPod no jantar em vez de conversar e trocar histórias com os amigos pelo celular sobre como as regras da casa são injustas e os pais são péssimos. Pois é, as crianças aceitam outras crianças como são. Elas não criam caso por causa de cabelos azuis (até acham bem legal), sobre o *piercing* no nariz (elas também tem um) ou sobre calças folgadas (por favor, comprem cintos para elas!).

Contudo, o xis da questão é que, por mais que os colegas sejam uma influência sobre seu filho, o grupo de amigos não contribui com um tostão. Pense nisso. Se seu filho de 11 anos tem alguma coisa, foi você quem comprou — isso inclui desde o sabonete até a pasta de dente. Seu filho é muito mais indefeso do que parece. É por isso que o método de "B não acontece até A estar concluído" funciona tão bem.

Aceitar seu filho significa aceitar tudo o que ele faz? Não, porque, como dissemos antes, crianças conseguem fazer coisas realmente estúpidas. Haverá ocasiões, francamente, em que você não vai gostar muito de seu filho. Mas você sempre pode oferecer amor incondicional e aceitação. Se fizer isso, haverá menos probabilidade de ele ir buscar aceitação no grupo.

Bem-querer

Toda criança precisa saber que é querida e que pertence a algum lugar. Será a família ou o grupo de amigos? As gangues do centro sul de Los Angeles florescem porque oferecem a sensação de pertencimento. Há uma identidade compartilhada ali, algo que aquelas crianças não encontram em casa.

Para começar, estabeleça sua casa como um local de bem-querer. Conceda o poder de voto para os membros da família. Ouça o que os outros pensam e dizem. Deem apoio uns aos outros em todas as atividades que fizerem. Em vez de amontoar uma série de atividades extracurriculares, escolha-as com sabedoria para garantir o tempo de reunião da família. Não perca os jantares ou as férias em família. Os amigos mudam, mas a família permanece. Diga entre suas ações: "Somos uma família. Pertencemos a ela".

> Seus filhos sabem a que família pertencem?

Quando um novo conhecido se aproximou de Melanie, de 15 anos, para perguntar se queria um cigarro, ela simplesmente disse: "Não, obrigada. Nós, os Crayburn, não fumamos". Como Melanie tinha um sentimento forte de pertencer à sua família, ela não precisava do cigarro. Ela gostava de si mesma exatamente como era. Os pilares de aceitação e bem-querer estavam implantados profundamente em seu caráter, pois sua família tinha investido no tempo juntos e reduzido as atividades fora de casa. Ela sabia quem era: um membro da família Crayburn.

Seus filhos sabem a que família pertencem? Se não houver a noção de bem-querer e pertencimento em sua casa, não haverá relacionamento. Sem um relacionamento, suas regras, palavras e ações não têm significado. A lacuna entre você e seus filhos vai conduzi-los em direção à aceitação e bem-querer de um grupo fora de casa.

Competência

Quer fortalecer seus filhos? Dê-lhes responsabilidade. Quando seu filho toma a iniciativa de realizar uma tarefa — seja alimentar o cachorro, consertar a bicicleta, fazer o jantar — diga: "Bom trabalho. Aposto como isso fez você se sentir bem". (Se usado corretamente, o temporário "sentir-se bem" pode ser uma inspiração para a criança fazer alguma coisa novamente.) E fez, porque seu filho fez alguma coisa sozinho, e deve sentir orgulho dessa realização.

Quando nós, como pais, estabelecemos parâmetros para as crianças atingirem, criarem e se sobressaírem, e então recuamos e dizemos: "Bom trabalho", isso é fortalecer, dar autonomia. O que essa criança pensa? *Oba, eu consigo fazer isso. Meus pais acreditam que eu consigo. Eles estão pensando o melhor de mim. Vamos ver o que mais consigo fazer.*

Seu filho não amadurece quando você faz tudo para ele. Ele desenvolve o verdadeiro autovalor quando contribui para um projeto ou, melhor ainda, faz sozinho. Esses "projetos" podem ser algo como uma criança pequena pegando seu próprio suco na geladeira ou preparando um sanduíche, uma criança de 7 anos ajudando nas compras. Quando você permite que seus filhos sejam competentes, eles serão. E se falharem? Aprenderão a fazer as coisas de outra forma da próxima vez. Conforme suas responsabilidades aumentam, a confiança na própria competência aumenta. É assim que as crianças se preparam para entrar no mundo adulto como membros saudáveis e funcionais da sociedade.

Quer fortalecer seus filhos? Dê-lhes responsabilidade.

Seus filhos anseiam por sua aceitação. Eles desejam pertencer a uma família. E eles querem ter competência. Se não tiverem isso de você, vão procurar com os colegas. Você tem muito mais importância no mundo de seu filho do que pensa — é por isso que sua atuação como pai é mais importante do que pensa.

MEU FILHO É TÃO PRIVILEGIADO, ELE SABE CONTAR DE TRÁS PARA A FRENTE

Já ouviu uma dessas mães que transborda enaltecimentos para o próprio filho?

- "Oh, Ethan, você é um menino ótimo! Tirou 10 em matemática. Oh, que maravilha! Mal posso esperar para contar a seu pai. Tenho certeza de que ele vai levá-lo para tomar um sorvete."
- "Você é tão inteligente. Construiu aquela torre de Lego sozinho!"
- "Você fica tão fofo quando faz isso. Não vejo a hora de mostrar para todas as vizinhas."
- "Você fica linda com essa saia."

Se você sair por aí e perguntar a qualquer pai: "É bom que os pais enalteçam os filhos?" aposto que todos eles diriam sim. Mas eles estão errados.

Enaltecimentos não são bons para as crianças. Isso porque, na maioria das vezes, são falsos e ditos para fazê-las se sentir bem, e elas são espertas o suficiente para saber a diferença. Nunca é uma boa ideia associar "bondade" ou "fofura" com a maneira de uma criança desempenhar uma tarefa. Se a criança realizou mal uma tarefa, isso a torna má ou feia?

Percebeu aonde estou querendo chegar?

O enaltecimento associa o valor de uma criança ao que ela faz. O encorajamento enfatiza a ação. Na cabeça de uma criança, isso significa: *Oh, se eu não fizer algo "bom" o tempo todo, então não valho nada. E mamãe e papai não vão me amar.*

> O enaltecimento associa o valor de uma criança ao que ela faz. O encorajamento enfatiza a ação.

Tudo isso nos leva de volta aos pilares do autovalor: aceitação, bem-querer e competência. As crianças precisam sentir aceitação incondicional, independentemente do que fazem, para saber que sempre vão pertencer à sua família, e para aprender a ser competentes. Esses três pilares serão derrubados pela falsidade do enaltecimento.

Em vez disso, *encoraje* seu filho. Encorajamento enfatiza a ação, e não a pessoa. Aqui vai um *replay* dos comentários anteriores, no contexto do encorajamento:

- "Oh, Ethan, você tirou A em matemática. Sei que você estudou bastante para isso, e seu esforço realmente foi compensado. Vou contar a seu pai. Ele também vai ficar feliz."

- "Adoro o que você construiu com seus blocos Lego. É muito criativo e divertido, e você fez tudo sozinho. O que vai fazer agora?"
- "Essa cara é muito engraçada. Onde você aprendeu?"
- "Quando você foi fazer compras ontem, fez um bom trabalho. Essa saia fica ótima em você. Boa escolha."

Viu a diferença? Pode parecer sutil, mas significa o mundo para seu filho. Quando você encoraja a ação, encoraja a criança a ser competente e tentar algo mais porque foi bem-sucedida naquele quesito. Aos poucos, seu encorajamento constrói uma base de autovalor sólido que vai se estender por qualquer situação na vida e até combater a pressão negativa dos colegas.

O que fazer na quinta-feira

1. Como mostrar aceitação incondicional a seu filho?
2. Como enfatizar o bem-querer em sua família?
3. De que maneira(s) você pode estimular seu filho para a competência?
4. Pense na diferença entre enaltecimento e encorajamento. O que você pode dizer hoje de realmente encorajador a seu filho?

Então, da próxima vez que sua filha tocar bem o piano, em um festival, diga: "Oh, querida, você deve ter ficado muito feliz com seu desempenho. Você se esforçou para preparar essa peça. Foi muito bonito!". E da próxima vez que seu filho marcar um gol no futebol, diga: "Estou vendo que você está treinando muito. O esforço compensou, hein?"

Não elogie seu filho dizendo: "Você é a melhor criança que já pisou na face da terra". O que acontecerá no momento em que ele não for? Além disso, ele pode olhar em volta e ver que não é o maioral, de modo que vai saber que você está mentindo para fazê-lo sentir-se bem. Isso estabelece uma desconexão no relacionamento: "Hum... será que eu posso confiar no que papai está dizendo? Ele está querendo me impressionar".

Em vez disso, encoraje-o no que ele faz: "Percebi ontem que você ajudou seu irmãozinho quando ele estava com dificuldade para amarrar os sapatos. Em vez de fazer por ele, você ensinou e o encorajou, dizendo que seria mais fácil da próxima vez. Isso foi ótimo, querido. Gostei muito. Você tem um bom coração".

Esse encorajamento não só incentiva seus filho, mas também solidifica os três pilares do autovalor. Lembra-se do garoto no começo do capítulo — o espoleta engraçadinho em quem só a mãe acreditava? O garoto que ninguém acreditava que seria alguma coisa na vida? Apesar de aquele garoto ser um preguiçoso, seus pais forneceram uma base firme de autovalor por meio dos pilares da aceitação incondicional (mesmo que ele tenha colocado isso à prova conforme cresceu e sua mãe tenha aumentado sua cota de cabelos brancos no processo) e bem-querer (esse caçula da família sempre soube que era parte da família e que tinha um papel importante ali). Sua mãe suspiraria cada vez que ele fosse mal na escola, então o encorajaria na área de competência mais uma vez. Mas, só depois que o garoto encontrou professores como o sr. Stears, porém, é que ele evoluiu na área de competência. Para sua mãe, foi uma longa espera, mas ela nunca desistiu.

Como eu sei?

Porque esse garoto era eu.

> Sou professora do jardim de infância há três anos, então quando o ouço falar sobre seus princípios, fico empolgada como mãe e professora. Mal posso esperar para colocar seus livros na carta de boas-vindas para os pais, no item de "Leituras recomendadas". Também vou explicar sobre os três pilares da aceitação, bem-querer e competência e sobre a diferença entre enaltecer e encorajar. Seus livros vão facilitar minha conversa com os pais sobre temas difíceis durante o ano letivo — especialmente porque já sei que duas de minhas vinte crianças eram conhecidas como "difíceis" na pré-escola do bairro. Tenho a leve impressão de que sei de onde o termo "difícil" saiu.
>
> Tricia, Geórgia

> Minha filha me ligou ontem. Ela estava tão estressada com seus cinco filhos (de 10, 6, 4 e 3 anos, e de 3 meses) que precisava de encorajamento. Com base em seus princípios, lembrei-a todas as coisas certas que ela vem fazendo e a encorajei a ter uma visão de longo prazo... e a tomar um longo e agradável banho quando seu marido voltasse para casa.
>
> Harriet, Califórnia

> Divorciei-me há um ano e meio e tenho duas crianças pequenas. Como me sentia muito mal por eles não terem pai, estava abusando dos elogios por tudo o que faziam. Obrigada por me mostrar a diferença entre enaltecimento e encorajamento. De agora em diante, vou encorajar meus meninos, não enaltecê-los. E vou trabalhar com afinco no ABC em vez de me sentir culpada por não poder dar tudo a eles.
>
> Janna, Arizona

> Suas palavras sobre aceitação, bem-querer e competência me tocaram. Sempre internalizei a autoimagem sustentada por outras pessoas durante minha infância. Não percebi quanto minha permissividade tinha a ver com o fato de não

me sentir bem comigo mesma. As poucas vezes que pude me lembrar de meus pais sendo agradáveis comigo era para me enaltecer. Mas nunca fui encorajada. Agora que sei a diferença, vou fazer de tudo para encorajar minha filha. Tenho feito tudo errado, mas agora vou acertar. Ouvir você falar foi um grande passo de cura para minha própria vida... e o encorajamento de que eu precisava para olhar adiante!

Marta, Alabama

O médico está de plantão... e é você mesmo

É hora de engendrar seu plano de ação.
Seu lema: "Mal posso esperar por meu filho aprontar, porque estou pronto para a guerra".

Nos últimos quatro dias, estabelecemos os estágios da mudança em sua casa. A cada dia, você avaliou o que pode fazer para dar início à mudança. Hoje é o dia em que você cria seu plano de ação. O Dia de lazer está logo adiante!

Contudo, primeiro vamos revisar os princípios-chave, porque conhecê-los é a chave do sucesso nessa empreitada.

Segunda-feira
Para que seu filho saiba que você não está para brincadeira (e para se manter calmo e racional):

1. Diga uma vez só.
2. Vire as costas.
3. Vá embora.

Terça-feira
É só uma questão de ABC:

1. Atitude
2. Bom comportamento
3. Caráter

Agora você sabe de onde vêm as atitudes de seu filho, e analisou sua própria atitude. Você entende por que é importante estar atento à natureza motivacional do comportamento de seu filho. Você está determinado a manter-se firme na supervisão do caráter de seu filho.

Você também tem as três estratégias simples de sucesso em mente:

1. Deixe a realidade ensinar.
2. Aprenda a responder, e não a reagir.
3. B não acontece sem que A esteja concluído.

Quarta-feira

Você está adotando a visão de longo prazo na jornada da paternidade. E já avaliou que tipo de pai é:

1. Permissivo
2. Autoritário
3. Com autoridade ou responsável

Você analisou as influências de sua maneira de ser na forma de seu filho responder. Você está pensando ativamente em como sua Atitude, Bom comportamento e Caráter podem ser mais bem equilibrados em relação a seus filhos.

Você decidiu focar no relacionamento com seu filho em primeiro lugar, pois percebeu que, se não houver uma relação, nenhuma regra será efetiva.

Você também decidiu não transformar grãos de areias em montanhas, e está pensando estrategicamente nas áreas que realmente precisam ser abordadas (você vai encontrar ajuda nesse aspecto na seção "Pergunte ao dr. Leman").

Quinta-feira

Você entende a diferença entre autoestima ("sentir-se bem" consigo mesmo) e o verdadeiro autovalor. Você está avaliando como pode ajudar seu filho a desenvolver os três pilares do autovalor:

1. Aceitação
2. Bem-querer
3. Competência

Você está determinado a sair do enaltecimento (que enfatiza quão "boa" a pessoa é) para o encorajamento (que foca a ação).

Tudo bem? Captou a mensagem?

QUAL É O SEU PLANO DE AÇÃO?

Hoje é o dia em que você decide partir para a ação. Você vai lançar seu plano de ação sobre seus filhos, que não desconfiam de nada. Lembre-se, nada de avisos, ameaças, explicações — apenas ação e continuidade. E acima de tudo, sem voltar, nem perder o pé. Seu filho precisa saber que você está falando sério, ou você não vai conseguir nada. Se for necessário mais de uma semana para mudar a Atitude, o Comportamento e o Caráter de seu filho, então você precisa revisar esses princípios básicos. Crianças que tiveram liberdade de agir à sua própria maneira por um tempo podem ser extremamente poderosas. Mas, encare a situação assim: se seu adolescente não mudar, ele terá a adolescência mais tediosa de todos os tempos, porque não poderá fazer nada. Lembre-se, B não acontece até que A esteja concluído. Nem mesmo uma criança poderosa consegue resistir por muito tempo a esse princípio. A família está acima de tudo. Então, se houver um problema em casa, não olhe para a vida fora de casa até que o problema esteja resolvido.

Crianças que tiveram liberdade de agir à sua própria maneira por um tempo podem ser extremamente poderosas.

Agora não é hora de recuar, não seja uma água-viva invertebrada. Levante a cabeça e seja pai.

Vai ser fácil? Não. Há dias e *dias*. Você sabe do que estou falando. Quando começar a aplicar esses princípios, o comportamento de seu filho provavelmente vai piorar... por um tempo. É mais ou menos como pescar num riacho. Quando você fisga um peixe valente, ele vai tentar soltar o anzol da boca saindo da água e balançando para a frente e para trás. Você pode esperar a síndrome do "peixe fora d'água" com seus filhos também. Eles vão se debater loucamente fora da água e ficar muito irritados.

Entretanto, se você conversar com um pescador, ele lhe dirá que, para pegar o peixe, precisa manter a tensão na linha. Você não pode dar folga ao peixe. Se você deixá-lo frouxo, não só ele vai pular para fora da água como vai bater a mandíbula contra o fundo do riacho para tentar se livrar do anzol. Para pegar esse peixe, você tem de manter a linha consistentemente tensa. Se você repentinamente derrubar a vara na água, você afrouxou a linha e o peixe terá a oportunidade de escapar. Vai ser bem difícil pegar esse peixe novamente.

Se seu filho se debater enquanto é puxado para fora da água, você saberá que está no caminho certo.

A boa notícia é que se seu filho se debater enquanto é puxado para fora da água, você saberá que está no caminho certo.

CONSISTÊNCIA É TUDO

Lembre-se de que o comportamento de seu filho serve a um propósito dele. Essa forma de agir atrai sua atenção e oferece a ele uma base de poder ("Eu vou te mostrar"). Conforme seu filho se torna mais poderoso, o desrespeito aumenta. Afinal, se ele consegue controlá-lo, por que vai respeitá-lo? Você não é mais um símbolo de autoridade.

É por isso que é tão importante perceber que seu filho não está se comportando por alguma razão. Acima de tudo, ele precisa ter um relacionamento com você. Consistência em sua Atitude, Comportamento e Caráter desperta satisfação em seu fiho, tenha ele 3, 13 ou 23 anos. Ele sabe que as regras não vão mudar de acordo com seu humor ou as circunstâncias da vida.

Quando você entende os princípios básicos deste livro, não precisa de psicólogo, porque o psicólogo será você. Na verdade, em vez de pagar um psicólogo para "resolver seus problemas familiares", faça uma viagem com toda a família. Muitos pais pagam psiquiatras para prescrever uma fórmula e então medicar seus filhos quando tudo de que os filhos precisam é do tempo e da atenção dos pais.

E aí, doutor?

Agora você começa a bancar o psiquiatra. Pense em uma situação que está acontecendo atualmente em sua casa. Pergunte e responda as seguintes questões, como se você fosse o médico da casa.

1. Qual é a situação?

____

____

2. Qual seria o diagnóstico?

____

____

3. Qual a natureza motivacional do comportamento?

____

____

4. Como você se sente em relação ao comportamento?

____

____

5. O que você faria normalmente? Reflita sobre isso.

____

____

6. O que você faria diferente agora? De quem é o problema? Você jogou a bola para o campo do seu filho, ou está tentando dominá-la sozinho?

____

____

PREPARANDO-SE PARA O DIA DE LAZER

Quer um filho novo na sexta-feira? Aqui está a lista dos Dez Itens Mais Necessários (v. um resumo na pág. 283).

10. Seja 100% consistente em seu comportamento.

Você pode seguir esses princípios nove vezes e estragar tudo na décima, e ter de voltar para o início do jogo. Pense nisso dessa forma: você está tentando criar um caminho novo e diferente na vida. Você está retreinando seu filho — e a si mesmo — a se comportar de outra maneira. Seu filho precisa saber que você está falando sério.

9. Sempre faça o que diz que vai fazer.

Independentemente das circunstâncias, o que você diz é o que faz. Nunca, jamais volte atrás. Não seja mole. Isso não traz nenhum bem para você ou seu filho. Na verdade, isso vai colocá-lo em uma posição antagônica com seu filho. Ele vai se perguntar: "Ué, quando ela está falando sério e quando não está?".

8. Responda, não reaja.

Use ações, não palavras. Soltar palavras ao vento só traz problemas. Então feche a boca, pense e responda à situação, mas não reaja.

7. Conte até dez e pergunte-se: "O que meu velho 'eu' faria nessa situação? O que meu novo 'eu' deve fazer?"

Vamos dizer que seus filhos tenham corrido um atrás do outro há nove anos. O que você costuma dizer e fazer? O que seu novo eu faria diferente?

6. Nunca ameace seus filhos.

O problema das ameaças é que nossos filhos sabem que não estamos falando sério, porque raramente cumprimos as ameaças. Mais ainda, nossas ameaças geralmente não fazem sentido: "Então tá, você nunca mais vai comer doces na vida!", "Se você não sair dessa cadeira, vai quebrar o pescoço!" Até mesmo uma criança bem pequena consegue perceber quando há ação ou verdade por trás das ameaças.

5. Nunca se zangue.

Assim que você se zanga, volta para a primeira casa do jogo. Entendo que há gatilhos — coisas que seus filhos fazem que deixam você furioso. Mas você é o adulto, no caso. Você é aquele que, no final das contas, decide quando ficar bravo. Não deixe seus filhos controlarem seu humor. Se você se zanga, uma explosão de raiva é como vomitar tudo sobre seu filho. A liberação da tensão pode fazer você se sentir bem temporariamente, mas olhe para o que fez com seu filho. Tudo bem!, você é humano. Se e quando você se zangar, peça desculpas rapidamente. Por exemplo: "Querido, me desculpe. Eu não deveria ter dito isso".

4. Não faça advertências.

Se você avisa a criança, você está dizendo: "Você é tão burro que tenho de dizer duas vezes". Seu objetivo é fazer com que a criança escute, uma vez só, entenda o que você tem a dizer e aja a partir disso.

3. Pergunte-se: "De quem é esse problema?"

Não assuma o que não é seu, e também não force sobre um irmão. Você precisa manter a bola no campo de seu filho. Não assuma o que ele deveria fazer.

2. Não pense que o mau comportamento vai passar.

Tenho notícias para você. As crianças não param de se comportar mal por conta própria. Elas têm muitas vantagens com isso. Você tem de intervir e administrar disciplina consistente e amorosa.

Um velho presidente de uma grande companhia aérea me disse que uma vez a empresa deu liberdade total ao empregado do balcão para tomar decisões sobre os passageiros. "Kevin", ele me disse, "como muitos vendedores de passagens tomaram liberdades, perdemos milhões". Aquela companhia aérea aprendeu da maneira mais difícil que não podia dar carta branca a um vendedor de passagens. Um pai também não pode dar carta branca a seu filho. Você é responsável por uma orientação inteligente.

Vamos dizer que você esteja indo comprar roupas de outono. Você diz a seu filho: "Esta é a quantia que temos para gastar em roupas para você neste outono. Você pode gastar da maneira que quiser, mas não pode ultrapassar esse valor". Isso deixa seu filho com liberdade para decidir que tipo de roupa ele vai comprar com o dinheiro. Mas, se você o vir comprando doze camisetas, pode dizer: "Essas camisetas são muito legais, mas você vai precisar de um suéter e de calças *jeans* também". Você está dando a seu filho uma orientação inteligente. Se ele optar por não segui-la, pode acabar tendo de lavar o mesmo par de *jeans* toda noite ao longo do próximo ano letivo. Se seu filho insistir em comprar roupas que não atendem a seus padrões (muito justas ou muito curtas, por exemplo), então sua orientação inteligente deve ser um não firme.

Se a orientação inteligente pode poupar seu filho de muita tristeza em pequenas coisas, como a escolha das roupas, então por que você, como pai, não ofereceria orientação inteligente no aspecto mais importante do mau comportamento?

Falando de uma forma simples, você não pode deixar os prisioneiros administrarem o presídio. Eles vão se meter em apuros. Nesse caso, é melhor forçar uma explosão do que enfrentar um vazamento lento, à espera do dia em que seu filho vai tomar consciência.

1. Mantenha um rosto alegre, mesmo quando você quiser... fazer outra coisa.

ESTEJA A POSTOS

Uma mulher veio ao meu seminário e me disse: "Estou tão cansada da forma em que as coisas são feitas em minha casa. As crianças me tratam como escrava e cozinheira de *fast food*. Ninguém gosta do que faço, e eles reclamam o tempo todo. Tem sido assim há anos, mas estou farta disso".

> "A senhora precisa entrar em greve."

A pobre mulher estava em um campo de treinamento do exército e passou anos limpando e lambendo botas. Era o que sua família esperava. Mas não mais.

Eis o que eu disse a ela: "A senhora precisa entrar em greve. Não faça mais o jantar. Por uma semana. Saia para comer fora, sozinha. Se seus filhos perguntarem aonde a senhora está indo, diga apenas: 'Estou saindo'. Quando voltar para casa, não lave as roupas, não os acorde para a escola, não prepare o café da manhã ou o almoço. Chame a atenção deles. A senhora não é escrava deles, é a mãe. Quando eles perguntarem, diga apenas: 'Estou cheia de fazer as coisas para vocês. Enquanto eu não vir algum esforço de vocês, desisto'. E apenas assista ao choque no rosto de seus filhos".

Veja bem, muitas vezes você é uma mãe boa demais. Você faz muitas coisas por seus filhos. No Dia de lazer, você precisa equilibrar o tabuleiro do jogo usando o princípio "B não acontece até que A esteja concluído".

Não é ciência espacial. Qualquer pai pode fazer. Seus filhos precisam ver você assumir seu posto para que a casa possa ser o que deve ser — um lugar de amor, respeito e responsabilidade pelos atos.

O que fazer na sexta-feira

1. Reveja os princípios-chave.
2. Identifique as montanhas que você quer derrubar.
3. Pense em como você geralmente responde e como vai responder agora.
4. Esteja a postos... e vá!

Agora coloque seu plano em ação. Mantenha-se firme. Seu lema deve ser: "Mal posso esperar por meu filho aprontar, porque estou pronto para a guerra". É só agir!

> Tenho me esforçado em relação a minhas filhas, de 7 e 4 anos, por algum tempo, e vinha sentindo muita frustração. Sentia-me um fracasso total, porque gritava constantemente com elas, e depois sentia uma imensa culpa. A quantidade de *junk food* em nossa casa mostra quão culpada eu estava. Você me ofereceu princípios práticos e fáceis de seguir que posso realmente pôr em prática. Sei que nem sempre é fácil, mas estou determinado a me dedicar.
>
> Robin, Ontário

> Estou colocando meu plano em ação hoje. Mal posso esperar pelo Dia de lazer. Já decidi que vou me levar — e não meus filhos — para tomar um sorvete quando acabar. Seu conselho não tem preço e é exatamente o que eu precisava. Senti uma conexão e uma compreensão que não senti com nenhum outro especialista em paternidade. Seu humor e testemunhos pessoais são reconfortantes para um cara mediano como eu.
>
> Mark, Ohio

> Minha vida mudou completamente. Minha relação com meus filhos mudou. E, admito que meu relacionamento com meu marido também mudou desde que eu não me estressei mais por causa das crianças. Muito obrigada! Meu marido também agradece.
>
> Melissa, Illinois

> Pela primeira vez em dois anos, desde que Elizabeth fez 13 anos, eu tenho esperanças e um plano de ação.
>
> Kara, Nova York

> Temos três filhos — de 4, 3 e 2 anos. Não conseguíamos imaginar nossa vida da forma como as coisas estavam acontecendo. Não conseguíamos encontrar uma babá, e as pessoas nos encaravam em lugares públicos (e com razão). Para sermos diretos, nossos filhos eram monstros. Seus princípios mudaram *tudo* em nossa vida. Espero que todos pais do planeta ouçam você falar ou leiam seus livros. Eles *precisam* dessa visão. Nós realmente precisávamos.
>
> Família Nesbit, Montana

PERGUNTE AO DR. LEMAN

Planos de ação de A a Z que realmente funcionam

Conselhos diretos e planos de ação corajosos sobre mais de 100 temas essenciais da paternidade

Psiu! É segredo!

Uma abordagem direta e sensata para ter um grande filho e ser um grande pai. Vá direto ao tópico, mas não adiante o assunto.

Se tivéssemos dez minutos para um encontro pessoal, em um lugar em que ninguém mais pudesse nos escutar, o que você mais gostaria de saber sobre paternidade? Por quê?

Ao longo de quase quatro décadas, minha alegria tem sido ajudar famílias a ter sucesso. Quero ver *sua* família ter sucesso também. Nesta seção, deixe-me ser seu psicólogo pessoal. Vou me apoiar aqui no braço de sua poltrona enquanto você dá uma olhada nos tópicos que está enfrentando atualmente para obter conselhos oportunos e comprovados pelo tempo.

Pense, então, em sua própria situação. Pergunte-se:

1. Qual é a natureza motivacional do comportamento?
2. Como eu, sendo pai ou mãe, me sinto nessa situação?
3. Trata-se de uma montanha ou de um grão de areia?

As respostas a essas perguntas vão ajudá-lo a formular um plano de ação para sua família. Se o assunto é um grão de areia, uma lata de inseticida pode ajudar. Se é uma montanha, as apostas ficam muito mais altas. Você deve lidar bem com a situação, porque ela vai afetar a dinâmica de sua família, seu bem-estar e o de seu filho.

Então, selecione o tópico mais importante para sua família no momento. Os itens estão organizados de A a Z para que você possa encontrá-los facilmente.

Se você quer um curso intensivo de paternidade, leia a seção do começo ao fim. Incluí mais de 100 assuntos questionados pelos pais.

Acima de tudo, lembre-se do segredo: não coloque seu filho a par do que você vai fazer. A estratégia deve permanecer em segredo até o Dia de lazer. Não há aviso prévio nesse sistema — e nele, os molengas não têm vez. Voltar atrás depois de colocar o plano em ação só vai levá-lo de volta à posição de origem.

Você *pode* ser um grande pai. E *pode* ter um grande filho.

Então, vá em frente — com tudo. O Dia de lazer está esperando.

ACESSOS DE RAIVA

> Mike volta para casa da escola, entra em seu quarto, bate a porta e começa a socar o travesseiro. Tentei falar com ele, mas ele sempre me diz para ir embora — que estou me metendo onde não sou chamada.

> Shawnee dava um *show* — um verdadeiro espetáculo de gritaria — todo dia na hora de tirar o cochilo da tarde. Fiquei cheia disso. *Eu* é que deveria tirar uma soneca enquanto ela perambulava livremente pela casa.

> Não é preciso muito para Tim explodir, e quando ele explode, afeta a casa toda. Todo mundo fica realmente quieto, sai e se esconde em seu próprio quarto. É como se, para ele, só ele contasse.

> Monica não grita; ela *ferve por dentro*. Preferiria que ela gritasse a que fizesse greve de silêncio.

Como é o clima de sua casa? Há uma pessoa irada no comando? É interessante: uma pessoa pode ficar com raiva aos gritos ou em silêncio. De qualquer forma, você conhece bem a situação. Quando é conveniente, a raiva é uma escolha ativa no sentido de controlar o outro. É uma projeção de seus pensamentos e suas emoções sobre outra pessoa, na tentativa de mudar o comportamento do outro.

As crianças citadas aprenderam que ganham alguma coisa ficando com raiva. Elas atraem a atenção, conseguem o que querem, as pessoas têm pena delas, etc. Elas ficam com raiva porque aquele comportamento proposital as coloca no assento do motorista em sua casa. Sem isso, elas não têm o controle que desejam. Então criam, na verdade, ataques de raiva que dizem: "Prestem atenção em mim!"

Adivinhem como elas aprenderam esse comportamento? Provavelmente de um dos pais (geralmente da mãe), que gosta de agradar e prefere que o mar da vida não tenha ondas. A fim de que tudo continue assim, ela fará qualquer coisa para evitar palavras duras. A criança é esperta o suficiente para saber que, independentemente da idade, ter um ataque de nervos vai render-lhe exatamente o que deseja — tudo, de compreensão depois de um dia difícil até dinheiro para o cinema ou as chaves do carro à noite. Seu filho é um manipulador talentoso.

Como é que ele vai por esse caminho? Esses males não aparecem do nada. Supuram com o tempo. Começam com um bebê de 18 meses que acha que perdeu seu espaço quando a irmãzinha chega do hospital, então tem um faniquito para garantir que seu lugar ainda está seguro. O que nós, como pais, fazemos? Tentamos sufocar o comportamento rapidamente, quando, na verdade, tudo o que a criança está dizendo é: "Oi, estou me sentindo um pouco esquecida aqui. Alguém pode prestar atenção em mim?".

O que a maioria dos pais diria em uma situação como essa? "Pare, Buford! Você tem de aprender a se dar bem com sua irmãzinha. As coisas não serão mais as mesmas aqui e você vai ter de se acostumar". Esse tipo de afirmação apenas aumenta o sentimento de medo e desajuste que a criança está sentindo. Mas e se o pai dissesse: "Venha cá, Buford. Você está se sentindo excluído? Sei que as coisas mudaram com a chegada da sua irmãzinha. Mas quero que você saiba que é tão importante para mim como sempre foi. Você não precisa dar um chilique para atrair minha atenção. É só me pedir um abraço, e eu vou ficar muito feliz em fazer isso".

> A raiva é uma escolha ativa no sentido de controlar o outro. É uma projeção de seus pensamentos e suas emoções sobre outra pessoa, na tentativa de mudar o comportamento do outro.

A raiva, porém, nem sempre é ruim. Você sabia que pode ser *bom* e nervoso? Coisas ruins acontecem na vida, e é natural ficar com raiva diante de injustiças. Como quando a professora não acredita que sua filha não colou no exame e lhe dá um E. Ou o técnico que acha que seu filho era o brincalhão que esvaziou os pneus de seu carro e o deixa de fora do grande jogo. Se seus filhos inocentes forem punidos injustamente, eles têm todo o direito de ficar com raiva.

Então, ficar com raiva em si não é certo ou errado; a maneira *com que* se lida com a raiva é que é certa ou errada. O que você deve fazer quando seu filho explode?

Imagine que você tenha um balão diante de si. Cada vez que você fica com raiva, assopra os maus sentimentos no balão. Se a pressão não for aliviada depois de um tempo, o balão vai estourar. Mas se você deixar sair o ar, aos pouquinhos, o balão continua maleável, sem o risco de estourar.

O mesmo vale para as crianças: é preciso ensiná-las a lidar com a raiva. Se as crianças falam sobre o que as incomoda, é como liberar o ar do balão. Então dê a seu filho oportunidades de conversar sobre o que o está incomodando. Comece com afirmações abertas: "Parece que você está nervoso"; "Posso ver em seu rosto que alguma coisa o está incomodando"; "Estou pronto para ouvi-lo, se você quiser conversar".

Quando a criança finalmente fala, pode ser um barulho horrível, como o som agudo que o ar faz quando sai do balão. Mas, lembre-se de seu objetivo final: manter a criança maleável e menos sensível.

Ensine seu filho a usar afirmações com "eu", e não com "você". Por exemplo: "Acho que você não me respeita quando faz isso" em vez de "Você me desrespeita o tempo todo". Ou "Fico com raiva quando minha irmã entra no meu quarto e brinca com as minhas coisas mesmo sabendo que não quero" em vez de "Ela é uma idiota. Ela sabe que não quero que brinque com minhas coisas, mas faz mesmo assim". Falar na primeira pessoa coloca o foco sobre como seu filho se sente em relação ao que está acontecendo, em vez de apontar um dedo acusativo para outra pessoa. Esse método estabelece como pôr para fora sem atacar. Isso também funciona muito bem para resolver a disputa entre irmãos. (V. tb. "Rivalidade entre irmãos".)

AGRADECER

Dizer obrigado faz parte da cortesia básica. Todos devem dizer obrigado. Isso inclui pais e filhos. Mas agradecer não surge naturalmente. Crianças de 2 ou 3 anos não dão a menor importância para os outros, a menos que os pais os ensinem a fazê-lo. E se crianças dessa idade não são ensinadas a dizer obrigado, elas não vão aprender automaticamente. Adolescentes também não.

> Dizer obrigado faz parte da cortesia básica. Todos devem dizer obrigado.

Sempre me aborrece, por ser um pai que dá carona, quando as crianças que levo em meu carro não dizem obrigado pela carona ou pelas pequenas surpresas que às vezes lhes trago.

Compare isso à garotinha que foi escolhida entre dez crianças para se apresentar como violinista convidada com a orquestra da faculdade local. Depois da apresentação, a pequena de 6 anos, por conta própria (sem que a mãe mandasse), foi até o maestro e disse: "Obrigada por ter me dado a oportunidade de tocar com vocês. Adorei. Espero que vocês tenham gostado também". O maestro ficou deslumbrado. Ele acenou pedindo que a mãe se aproximasse e perguntou: "A senhora sabe o que ela acabou de dizer?" Depois de repetir para a mãe, ele continuou: "Estou à frente desta orquestra há 12 anos, e convidamos uma multidão de crianças para tocar conosco em eventos especiais. Mas nenhuma tinha agradecido... antes de sua filha". Viu o impacto que um simples "muito obrigado" pode ter?

Não seja negligente ao ensinar seus filhos as boas maneiras básicas, incluindo dizer obrigado. Isso significa que até que seu filho agradeça você por um presente, a vida não continua e ele não usa o presente. Se seu filho se esquece de dizer obrigado ao ir brincar na casa de um amigo, a resposta da próxima vez que ele pedir para ir lá, será não. Insista para que seu filho diga muito obrigado, e torne-o responsável por isso.

AMAMENTAÇÃO

Cada mulher e cada especialista com quem você conversar terá opiniões diferentes sobre esse assunto. Mas, neste livro, estou compartilhando opiniões. Você não precisa concordar.

Eu encorajo as mães a amamentar seus bebês. Uma mãe que amamenta seu filho contribui com todos os tipos possíveis de proteção à saúde. (La Leche League[1] tem muitas informações sobre isso e vale a pena conferir. Quando meu netinho nasceu há 3 anos, Krissy recebeu deles um formulário informativo e outro sobre imunização.) Então, se você tiver escolha, eu encorajo a amamentação. Mesmo algumas mães adotivas tentaram amamentar, com a ajuda da La Leche League. Amamentar é natural? Sim, mas muitas mães travam uma batalha com isso no início, porque tanto o bebê como a mãe têm de aprender como fazê-lo. (É por isso que há consultoras de lactação nos hospitais.)

Meu princípio básico tem sido sempre incentivar a amamentação da criança por um ano. Esse período arbitrário vem de sugestões de muitos amigos pediatras que tenho — um consenso na comunidade médica.

Algumas de vocês, só de ouvir isso, se preparam para voar na minha garganta. Uma vez que muitas necessidades maternas (psicológicas e emocionais) são atendidas com a amamentação, não é incomum ver crianças mamando até 3, 4 ou até 5 anos. Mas, eu acho que quando uma criança é capaz de dizer a você: "Já acabei!" ela passou da idade de mamar no peito. Um ano é o suficiente!

ANIMAIS DE ESTIMAÇÃO (E O CUIDADO COM ELES)

De quem é o animal?

Se você é um desses pais que compra um animal de estimação para o filho porque achou que seria bom para a criança ter um animalzinho ou porque seu filho realmente queria aquele filhotinho fofo, então devo lembrar que o animal pertence a você. Se você comprou um animal para uma criança abaixo de 5 anos, definitivamente o animal é seu. Entre os 5 e os 10 anos, é principalmente seu. Depois dos 10, é mais provável que seja o animal de seu filho.

As crianças devem tomar conta de seus bichinhos? Sim. Se elas quiserem reclamar a posse — "esse cachorro é *meu*" — então, escovar e levar para passear, alimentar e recolher o cocô do cachorro precisam ser atribuições delas. Até uma criança de 5 anos consegue usar uma pazinha para pegar o cocô do cachorro e jogá-lo no jardim do vizinho. Se seu filho mais velho — digamos, uma criança acima dos 8 anos — fez uma campanha incansável por um cachorro, esgote esses pontos com seu filho: "O cachorro não vai ser meu. Será seu. E é você quem tem de alimentar e limpar depois! Também não pode haver nenhum xixi ou cocô no chão".

De quem é o animal?

O problema é que, assim que você assume um animal de estimação, todos na família terão alguma responsabilidade por ele. No começo tudo são flores. Aquele filhotinho fofo vai receber muita atenção. Logo, porém, vai se tornar mais e mais evidente que seu filho não está planejando ter o menor trabalho. Se isso acontecer, aqui vai minha sugestão: prenda o cachorro no jardim com uma placa escrito *Vende-se,* ou coloque um anúncio no jornal ou na internet. Isso deve chamar a atenção de seu filho.

Em outras palavras, não dê a seu filho o menor espaço ou qualquer tipo de dúvida. Ou ele assume a responsabilidade e cuida do cachorro, gato ou porquinho-da-índia ou não — e a criatura vai para alguém que assuma. Gosto de peixinhos dourados porque ensinam às crianças lições sobre tomar conta de animais, mas não permanecem com você por muitos anos. Peixinhos certamente ensinam as crianças sobre morte e enterro no mar. Esse sempre foi trabalho meu: acionar a grande descarga do cânion de porcelana. Recentemente, porém, fiquei espantando com um peixe negro que não morria. Toda vez que viajávamos de Tucson a Nova York no verão, esperávamos voltar a Tucson e encontrá-lo morto. Mas o peixe devia ter nove vidas...

Adoro animais de estimação. Tivemos nossos momentos de risos e lágrimas com eles (e muitos enterros no quintal). Adoro nossa cadela, a Rosie. Ela tem personalidade forte. Até dorme em nossa cama. Ela faz parte da família.

Meus cinco filhos, porém, enquanto estavam crescendo, sabiam que animal era uma responsabilidade. Que uma vez que você o tem, não devolve... até que tenha de ser levado pelo cânion de porcelana ou para baixo da árvore do jardim.

Não pegue um animal só porque é fofo ou porque acha que vai ajudar seu filho a ser responsável — a menos, é claro, que seus filhos não lhe deem trabalho suficiente e você esteja procurando o que fazer. Se você comprar para seu filho um pintinho na Páscoa, você é louco. (Se você vive em uma fazenda, retiro o que disse.)

ATITUDE DE SABE-TUDO

Crianças sabem tudo. Elas nasceram sabendo e você não vai conseguir fazê-las pensar diferente.

"O *show* começa às 6 horas", você diz.

"Não começa, não", retruca sua filha. "Começa às 8".

"O programa está dizendo que é às 6", você diz.

E assim a discussão esquenta.

Não se pode dizer nada para um sabe-tudo. Então, por que não deixar a realidade ensinar? Se você sabe que uma coisa começa às 18h00 e seu filho insiste que é às 20h00, vá por ele. Apareça às 20h00, quando tudo acabou, e deixe-o vivenciar a realidade da informação errada. Sim, você foi a um evento que sabia já ter acabado. Mas também deixou seu filho vivenciar uma lição muito importante: talvez, apenas talvez, ele não esteja sempre certo!

> A realidade pode ser um professor maravilhoso.

Geralmente pensamos demais por nossos filhos. Fazemos coisas demais por eles. Somos pais bons demais. Tentamos protegê-los deles mesmos. Mas, às vezes, eles precisam experimentar as consequências de suas decisões. Precisam perder alguma coisa que queriam fazer. A realidade pode ser um professor maravilhoso.

ATIVIDADES ESPORTIVAS

> Ele disse que queria jogar futebol. Fomos duas vezes, e ele já quer desistir. Ele diz que não é bom. Mas gastamos tanto dinheiro no equipamento, que não queremos que ele desista. O que devemos fazer?

Minha regra para atividades esportivas é a mesma das aulas de música. Se seu filho insistir em experimentar um esporte, ele continua praticando por pelo menos um trimestre, um semestre escolar ou seis meses (em outras palavras, uma temporada completa para aquela atividade). Nada é fácil quando se começa. É como diz o velho ditado: "Quem não arrisca não petisca".

Não deixe seu filho ser um desistente. Não permita que ele fique pulando de uma atividade para outra. Se ele quer tentar alguma coisa, deixe a regra bem clara desde o início: "Experimentar qualquer coisa é bem-vindo, mas você precisa continuar por pelo menos seis meses".

Sugiro também que as crianças façam *uma* atividade extracurricular por vez. Atualmente, as famílias gastam tanto tempo correndo de uma atividade para outra que nunca têm tempo de ficar em casa, como uma família. O jantar em família praticamente foi abolido... a menos que seja um lanche do McDonald's, no carro.

Nada é fácil quando se começa.

Se você tem três filhos e cada um escolhe uma atividade esportiva, você já estará mais do que ocupada, especialmente se houver várias aulas por semana. Se isso está enlouquecendo sua família e não deixa tempo para a reunião familiar, então todos precisam fazer alguns sacrifícios. Talvez sua filha que está no ensino médio jogue vôlei no inverno, seu filho jogue beisebol no verão e a caçula faça balé no outono. Você pode precisar estabelecer limites a si mesmo, saia com seus amigos a cada duas semanas ou uma vez por mês, em vez de uma vez por semana. Parte de ser uma família é se sacrificar pelo bem comum.

O que vai restar ao longo do caminho? Seu filho muito provavelmente vai mudar de interesses várias vezes. Os amigos dele vão mudar. Seus amigos vão mudar. Mas, as relações familiares são para sempre. Não as deixe na prateleira por excesso de ocupações.

ATIVIDADES JUVENIS/ATIVIDADES JUVENIS NA IGREJA

Vamos a uma igreja, mas meu filho quer ir a um grupo de jovens em outra igreja. O que fazer?

Muitas crianças (especialmente adolescentes) querem ir a grupos de jovens em outras igrejas. Geralmente, há boas razões para isso. Algumas igrejas realmente têm ótimos grupos de jovens; outras são chatas, antiquadas e bem desinteressantes. Ou talvez, simplesmente, haja alguma garota ou garoto bonitinhos no outro grupo que pareçam incrivelmente interessantes.

Se você vai começar uma briga porque seu filho quer ir a outra igreja, há um termo clínico para descrevê-lo: louco!

Pai, se você vai começar uma briga porque seu filho quer ir a outra igreja, há um termo clínico para descrevê-lo: louco! Fique satisfeito por seu filho pelo menos querer ir à igreja! Outra opção — sentar na esquina para fumar crack — seria melhor?

Encoraje seu filho a fazer esse tipo de coisa, se ele estiver interessado. Pode representar um transporte extra, mas concorde com alegria em levá-lo até lá.

Pergunte se os pais do amigo podem trazê-lo para casa, a fim de que você possa colocar os irmãos mais novos, na cama, no horário. Assim haverá reciprocidade na relação e você não terá de fazer todos os movimentos.

Parte de desenvolver Atitude, Bom Comportamento e Caráter em seu filho é que ele esteja associado a outras crianças que sigam as mesmas diretrizes — crianças que não são clones umas das outras, mas cujas famílias têm interesse no lado espiritual da vida. Algumas crianças que frequentam grupos de jovens terão um relacionamento pessoal com o Criador; outras irão só pela diversão do momento.

Só porque não é sua igreja não significa que não seja uma boa igreja — e um local acolhedor para ser filho estar com colegas de pensamento semelhante.

ATRAPALHAR A AULA

> Jake é o tipo de garoto que sempre se mete em confusão. Ele foi pego atirando na bibliotecária com uma pistola de água. Soltou um rato do laboratório de biologia no banheiro das meninas, todas elas saíram correndo e gritando. Todo ano, Jake passa horas na sala do diretor, e os professores reclamam no ano seguinte quando descobrem que ele está em sua lista de chamada.

Você conhece esse garoto. Seu objetivo parece ser atrapalhar as aulas. É ele quem solta bombas de fumaça no latão de lixo, sob a mesa do professor. É ele quem sai da carteira no meio da aula e começa a rastejar em direção à porta como uma cobra. É ele quem sempre levanta a mão, pronto para contribuir com algo brilhante para fazer as outras crianças rirem. É ele quem simplesmente não consegue ficar quieto. É para ele que os outros alunos reviram os olhos, mas sempre consegue ser o humorista.

Ele também é aquele que deixa qualquer professor do planeta louco. Sei do que crianças como Jake precisam, porque já fui assim. Toda essa interrupção tem um motivo: chamar a atenção. Então pare e lhe dê atenção.

Toda essa interrupção tem um motivo: chamar a atenção. Então pare e lhe dê atenção.

"Leman, você está *louco*?", diz você. "Se eu lhe der atenção, ele vai fazer mais. Isso vai encorajá-lo".

Ah, vejam o final da história. O comportamento de Jake não mudou até que eu sugeri essa estratégia para seus pais e professores. (Para aqueles pais que estão perplexos com esse item, lembrem-se de que este livro se chama *Transforme seu filho até sexta*. Temos muito a fazer em pouco tempo, então medidas drásticas, às vezes, são necessárias.)

Toda vez que Jake atrapalhasse, o professor deveria parar a aula e afirmar o comportamento. "Classe, vejo que hoje o Jake quer nos divertir. Vá em frente, Jake, faça o que quiser que nós vamos assistir". Essa afirmação tiraria toda a graça e a surpresa do comportamento. Depois que Jake (agora nem tão confiante assim) fizesse seu *showzinho*, o professor diria: "Classe, muito obrigada por assistir ao *show* de Jake. Espero que tenham gostado. E, como precisamos de tempo para assistir ao *show*, agora vamos terminar a aula de matemática.

Um coro de reclamações viria da classe. "Mas é hora do intervalo!" diria um.

"Sim, é verdade", diria o professor. "E o intervalo será 10 minutos mais curto devido à apresentação de Jake."

Eu garanti que a pressão dos colegas — revoltados por terem ficado com um intervalo menor — se encarregaria de encerrar o assunto.

E assim foi.

ATRASOS

> Independentemente da hora em que começamos, ela sempre está atrasada para a escola.

> Sempre que planejamos um jantar em família, ele aparece atrasado... bem na hora da sobremesa.

Pergunte a qualquer empresário que contrata pessoas e ele lhe dirá o que procura em seus funcionários. Uma das qualidades-chaves é a pontualidade. Por que isso? Porque empresários sabem bem que a pessoa que sempre chega atrasada vai, a longo prazo, colocar-se em uma situação na qual acabará sendo um perdedor e não um vencedor. E isso não vai ser bom para os negócios.

> Se uma criança se atrasa sempre, é porque está se autossabotando. Ela sente que não tem valor algum.

Por que alguém sempre chega atrasado?

Não é preciso de psicólogo para descobrir. Se uma criança se atrasa sempre, é porque está se autossabotando. Ela sente que não tem valor algum. Ela não pensa bem o suficiente de si mesma ou não acredita que consiga realizar o que lhe foi pedido. É sua maneira de tornar a vida difícil para si mesma.

Se você tem um filho que sempre se atrasa, leia também o item "Procrastinação". A criança sempre atrasada é, muito provavelmente, aquela que vive sob um pai com olho crítico, que consegue vislumbrar uma falha a 50 metros. Estar atrasado é a desculpa de seu filho. Ele se atrasa para que não tenha de tocar piano solo e ouvir sua crítica sobre um acorde errado, porque o programa já tinha avançado. Ele se atrasa para que não tenha de colocar a mesa (porque da última vez que fez isso, você bateu na tecla de sua arrumação de talheres).

Há uma maneira prática de lidar com atrasos. Você pode dizer a seu filho que tem de sair às 7h30 quando na verdade precisa sair às 7h45 ou às 8h00. Mas não vai demorar para seu filho perceber o truque. É uma solução de curto prazo.

Se seu filho está sempre atrasado, faça um exame radical de si mesmo. Você é um daqueles pais que só veem defeito? Se for, seu filho vai preferir estar atrasado e não fazer a atividade do que correr o risco de falhar diante de você. Tudo se resume ao fato de seu filho precisar de amor e aceitação incondicionais. E a pessoa que mais precisa demonstrar isso é você, pai ou mãe.

Isso não significa, entretanto, que você vá deixar para lá o atraso de seu filho. Se quiser conter o atraso em cinco dias ou menos, diga a seus filhos a que horas precisa sair: "Preciso estar na porta às 7h45 para ir a uma reunião. Se estiverem prontos, deixo vocês na casa da Hannah no caminho". Se seu filho não estiver na porta às 7h45, deixe-o para trás sem advertências, nem alarde. (Isso só funciona, é claro, se houver um irmão mais velho ou outro adulto em casa para ficar com a criança menor.) Deixe que ele fique para trás e sofra as consequências de não estar pronto.

Se seu filho está continuamente atrasado ao sair para a escola, vá em frente e saia na hora certa com seus outros filhos. Deixe aquele para trás. Isso vai significar, é claro, sacrifício de sua parte porque terá de fazer duas viagens para a escola. Mas bem-vindo ao mundo da paternidade! Ele às vezes é bem inconveniente.

Se uma criança se atrasa e é responsabilizada por uma pessoa estranha (talvez ela tenha de ir à sala do diretor ou receba uma advertência da professora), melhor ainda.

Se seu filho tem um histórico de atrasos, você também pode querer conversar com a professora ou o diretor e dizer: "Estamos trabalhando para Sarah chegar na hora. Tudo o que vocês puderem fazer para nos ajudar será bem-vindo". Em outras palavras, casa e escola podem trabalhar juntas.

Vamos dizer que seu filho da oitava série perde o ônibus e você tem de levá-lo para a escola. O que você faria normalmente? Sairia correndo pela porta, vestindo roupão, sem tomar o café da manhã, para fazê-lo chegar na hora, certo?

Sugiro algo diferente. Faça as coisas em seu tempo. Tome um banho, seque o cabelo, sirva-se de uma xícara de café. Discretamente, dê um telefonema para a escola sem seu filho saber e diga-lhes que ele vai se atrasar. Encoraje a administração a dar-lhe uma advertência rigorosa em relação ao atraso. Peça ao professor que o repreenda sobre o atraso diante da classe.

Por que você escolheria fazer isso a seu filho? Porque o objetivo no longo prazo é que seu filho se torne um adulto responsável. Algumas crianças precisam de um pequeno empurrão nessa direção, e seu filho pode ser um deles.

AULAS DE MÚSICA

> Minha filha tinha certeza absoluta de que queria tocar clarinete. Então compramos um clarinete para ela ingressar na banda da sexta série. Então, depois de cerca de duas semanas, quando tudo o que tínhamos ouvido eram guinchos, ela parou de praticar. Ela disse que não queria mais tocar clarinete. E nós gastamos todo aquele dinheiro...

> Rob tem 12 anos. Ele toca piano muito bem e pratica há 6 anos. Mas ultimamente sua prática está em declínio. Quando perguntei a ele a respeito, ele disse: "Mãe, não é mais legal tocar piano". Mas eu detesto ver todo esse talento desperdiçado. Como posso encorajá-lo a continuar?

Toda aula de música deve ser contratada em períodos mínimos de um semestre. Em outras palavras, não é justo que seu filho diga que quer experimentar uma coisa e desista depois de duas semanas, quando as coisas se mostram mais difíceis do que pareciam. Todo professor de música com quem conversei diz que são necessários pelo menos de quatro a seis meses para começar a entender um instrumento (e para que ele não soe como um ruído de filme de terror). Mas, as crianças de *fast food* e micro-ondas atuais querem que as coisas aconteçam rápida e automaticamente. Elas se desencorajam quando não acontece (e, você tem de admitir, você também).

No entanto, se você quer ensinar perseverança a seus filhos, insista para que eles continuem as aulas por pelo menos um semestre, independentemente de quanto eles odeiem (isso também vale para esportes, aliás). Se você começar a ter pena de seu filho, tenha em mente que foi ele que pediu as aulas. Se foi você quem insistiu para que a criança começasse a ter aulas, o mesmo princípio de perseverar por um semestre é válido. Você tem apenas de combater a culpa e o desapontamento que todos os pais têm quando descobrem que o pequeno Buford não vai se tornar um Franz Liszt.

E quanto à criança que realmente tem talento, que estuda violino há 4 anos e quer parar? Eu diria a essa criança: "Ouça, querido, entendo o que você está dizendo. Mas conversei com sua professora e ela diz que você realmente tem um dom de tocar violino. Ela diz que o que você está fazendo nesse estágio de sua vida com o instrumento é muito raro. Investimos 4 anos nesse instrumento e em todas as aulas, e não vamos desistir agora. Você merece mais. Seu talento merece ser afinado. Portanto, vamos continuar com as aulas até o final do ano escolar, e então revemos a questão novamente."

Esperar até o final do ano dá a você a oportunidade de ajudar seu filho a se envolver com algum grupo de alunos com ideias afins (por exemplo, um grupo de estudos, um conjunto de jazz para piano, a orquestra jovem local), para ver se tendo amigos com afinidades musicais o interesse de seu filho seja ampliado.

> Toda aula de música deve ser contratada em períodos mínimos de um semestre.

Muitas crianças que têm talento decidem, entre as idades de 10 e 13 anos, que não querem mais tocar o instrumento. Geralmente é porque seus amigos não estão interessados. Ashley tocou flauta por 7 anos. Ela ganhou muitos prêmios por seu trabalho solo em festivais estaduais de música. Mas quando fez 13 anos, todos os amigos dela começaram a se interessar por futebol. Dar apoio a Ashley em concertos para ouvi-la tocar músicas de Haendel e Bach não estava mais na escala de prioridades deles. Suas horas de treino começaram a minguar e finalmente ela disse ao pai que queria parar.

Ashley tinha um pai ponderado. Ele a encorajou a perseverar naquilo, assistiu a todos os seus eventos e vinha com surpresas especiais de pai para filha depois de cada apresentação. Nos bastidores, ele fez uma extensa pesquisa de oportunidades musicais para flautistas. Naquele verão, em vez de desistir, Ashley se envolveu com um novo grupo de jazz — formado apenas por estudantes do final do ensino fundamental e começo do médio — em uma cidade próxima. Eles tocavam em vários festivais de verão e o interesse de Ashley pela música aumentou. Na última apresentação do verão, o grupo tocou uma peça incomum, tendo Ashley como solista. Era uma música escrita pela própria Ashley e adaptada pelos outros músicos de jazz que tocavam com ela.

Adivinhe de quem era o maior sorriso e as palmas mais altas da plateia? Do pai de Ashley.

BAGUNÇA NO QUARTO

> Acho que deveria colocar um cartaz do lado de fora do quarto do meu filho: *Área tóxica. Não entre se você teme por sua vida.*

Não sou um cara com padrões muito altos. Sou do tipo "faxina duas vezes por semana está ótimo". Mas até mesmo eu tenho limites. (Minha esposa,

Sande, sendo a filha mais velha, tem muito menos tolerância com bagunça do que eu, que sou o caçula de minha família.) Os quartos de muitos adolescentes são realmente tóxicos.

Jovens são bagunceiros e geralmente não têm os mesmos padrões que você quanto a manter seus quartos em ordem. E, afinal, eles têm um monte de coisas importantes ali (como maquiagem, iPods, etc) e só têm um quarto totalmente deles no qual estocar seus preciosos pertences. Se você espera que eles mantenham seu quarto tão limpo quanto o resto da casa, ficará profundamente desapontado.

Entretanto, quartos devem ser arrumados pelo menos duas vezes por semana para que não comecem a cheirar como armários de vestiário e nem se pareçam com um aterro sanitário. Isso significa que tudo o que estiver jogado no chão será colocado de volta em seu lugar, incluindo embalagens de alimentos, roupas e objetos emprestados dos irmãos. É completamente razoável que o pai espere essa arrumação duas vezes por semana.

> Quartos devem ser arrumados pelo menos duas vezes por semana para que não comecem a cheirar como armários de vestiário e nem se pareçam com um aterro sanitário.

Os pais devem decidir quais são os dois dias da semana de arrumação. E os filhos precisam saber qual é a definição de "arrumado". Assim, quando mamãe ou papai entrarem no quarto, também estará claro para a criança se o quarto está apresentável ou não. Se a criança não fez um bom trabalho e parece não querer encarar um segundo *round* (se ela sequer experimentou o primeiro), você pode encarregar outra pessoa de terminar a arrumação (um irmão, um vizinho...) e descontar o valor da próxima mesada de seu filho. Afinal, a vida é assim, não é? Você paga pelas coisas que os outros fazem para você? Por que a arrumação do quarto de seu filho não seria assim?

Pagar a outra pessoa para realizar uma tarefa que seu filho não concluiu e descontar o pagamento de sua mesada é uma boa forma de ensinar responsabilidade. Sem contar que a maioria das crianças ficará mais incomodada em descobrir que uma irmã, irmão ou vizinho estão em seu espaço, mexendo em suas coisas.

BATER PORTAS

Bang! Lá vai ela de novo — outra porta batendo no corredor.

Portas batendo causam envelhecimento precoce. Pior ainda é a atitude envolvida nesse comportamento.

A atitude diz: *Eu não gosto de você. Não quero falar com você. Não quero fazer parte desta família.*

Se isso acontece em sua casa constantemente (não estou falando de um fato isolado — quem já não deixou uma porta bater um pouco mais alto do que o necessário quando nervoso?), você tem um filho desafiador com D maiúsculo. Ele vai jogando você de uma crise para outra. O humor dele controla o humor do resto da família, inclusive o seu.

Essa criança precisa ser tratada a pão e água. Falei sobre isso em "Falta de cooperação com a Família" mais longamente, mas vou resumir aqui. Tudo para. Isso significa que você não faz nada que ele queira, até que ele pare de bater portas. Quando ele quiser saber qual o problema, você responde calmamente: "Rob, você parece não querer se comunicar mais conosco; ao contrário, você diz que está bravo com alguma coisa batendo portas. Parte de pertencer à nossa família é se comunicar conosco. Então já que você está escolhendo não se comunicar, você está perdendo os benefícios de fazer parte da família. O papai não vai levá-lo aos jogos de beisebol; na verdade, você não vai mais. E também não vai mais à casa de Jason para jogar no computador à noite como planejou. Nada acontecerá até que esse problema de bater portas esteja resolvido".

A atitude diz: *Eu não gosto de você. Não quero falar com você. Não quero fazer parte desta família.*

Mais uma vez é, isso "B não acontece até que A esteja concluído".

É incrível como sua casa pode ficar em silêncio quando se adota essa tática. E como seu filho pode se tornar respeitoso rapidamente.

BOAS MANEIRAS

Boas maneiras nunca saem de moda. Elas devem ser ensinadas desde o primeiro dia. Se você não ensinou ainda, nunca é tarde. As crianças aprendem com qualquer idade.

Quando meu neto Conner sai de nossa casa, com sua mochila de patinho sobre rodas, ele diz (sem que minha filha precise lembrá-lo): "Obrigado, vovô. Obrigado, vovó". Por que ele, aos 3 anos, faz o que muitos adolescentes não fazem? E sem que ninguém precise pedir? Porque minha filha se preocupou em treiná-lo para ser cortês.

Boas maneiras nunca saem de moda.

Com todo o respeito, treinar um bigle e treinar uma criança têm muitas similaridades. Você tem de dizer a eles para fazer a mesma coisa várias vezes até que entre na cabeça.

Sou um pai que dá carona e realmente detesto quando estou levando crianças para algum lugar e elas se esquecem de me agradecer. *O que acontece com as crianças hoje*, eu penso. *E o que está havendo com os pais delas?*

A cortesia básica deve ser ensinada obrigatoriamente aos filhos. É inaceitável qualquer coisa senão dizer "por favor", "muito obrigado" e "de nada".

Uma garotinha que conheço leva as coisas um passo adiante. Quando seus amigos vêm brincar em sua casa e ela e a mãe os leva para casa, a menina acompanha o amigo até a porta da casa deles e agradece não só o amigo por ter vindo brincar, mas a mãe, por tê-lo deixado ir. "Você precisava ver os olhares espantados das mães da primeira vez que ouviram Mei lhes dizer obrigada", disse-me a mãe de Mei, rindo. "Depois elas me disseram o quanto gostaram disso, como era incomum e que adorariam receber a Mei a qualquer momento."

Boas maneiras levam seu filho mais longe na vida. Não deixe de ensinar o básico.

BRIGAS NO CARRO

Eu disse para você parar... *já!*

Se você não parar de cutucar seu irmão, eu vou...

Espere só até a gente chegar em casa...

Então, surge o braço do pai ou da mãe diretamente do assento do motorista ou do passageiro, em direção ao banco de trás...

Por que as crianças brigam com mais frequência no carro? É porque estão em um espaço restrito, e disputam posições para ver quem é o mais dominante da matilha — e até mesmo para ver quanto conseguem dominar *você*. É fascinante como os filhos que são mais poderosos escolhem certas áreas para tentar dominá-lo. Geralmente são lugares em que você é um peixe no aquário (como ao dirigir o carro) e não há como escapar.

O que você faz? Quando irmãos se atracam no banco de trás do carro e você está dirigindo, isso realmente pode distraí-lo. Gritar com eles e olhar pelo espelho podem ser distrações ainda maiores. Ameaçá-los não leva a lugar algum. Eles sabem que:

1. Você não está falando sério.
2. Você não vai levar a ameaça adiante. Muitos pais dizem: "Se você não sossegar, não vamos fazer isso ou aquilo". Mas geralmente são apenas

ameaças vazias. Se houver um histórico desse tipo de ameaças e advertências, nenhuma criança vai prestar atenção no que você diz.
3. Você não consegue alcançá-los (além do ridículo braço esticado que só faz você ficar mais irritado).

Então, tente isto: ligue o rádio nos alto-falantes traseiros. Parte da graça é saber que você está escutando a briga. Eles estão esperando que você interfira e estabeleça um acordo. Isso faz parte do plano sindical.

Se aumentar o som não funcionar e eles continuarem a discutir, calmamente encoste o carro e pare. Saia do carro, estique-se um pouco, confira os pneus, abra o porta-malas. Se você estiver indo a algum lugar que seus filhos querem ir e isso for atrasá-los, melhor ainda. Passe um tempo fora do carro.

> Saia do carro, estique-se um pouco, confira os pneus, abra o porta-malas.

Ao voltar, diga alguma coisa como: "É seguro para a mamãe dirigir agora?".

Tente isso uma vez e geralmente é o suficiente para acabar com a peleja. Mas, se até agora você foi o tipo de pai que latiu muito, mas não mordeu, talvez outra dose seja necessária.

E adivinhe. Seus batimentos cardíacos também não se elevaram. Você usou o princípio "B não acontece até que A esteja concluído". Essas crianças não chegarão ao seu destino até que a briga esteja resolvida.

BRINCOS

> Minha filha de 8 anos está louca para furar as orelhas. Mas não acho que ela esteja preparada para isso... tanto para a dor como para a responsabilidade.

> Meu filho apareceu para jantar com uma surpresa — ele tinha furado a orelha. Minha esposa quase derrubou a vasilha de purê de batatas quando viu. Ele e os amigos fizeram isso juntos como um desafio, no *shopping*.

Deixar ou não o filho furar as orelhas é um assunto sobre o qual os pais precisam apenas de bom senso. Você gostaria que seu filho de 9 anos furasse as orelhas? Provavelmente não. Mas, se meu filho de 15 ou 16 anos quiser fazer isso, acho que deixaria. Seria um grão de areia na vida. É claro, gostaria de conversar com ele a respeito, já que geralmente a razão para crianças ou adolescentes quererem furar as orelhas é porque os amigos estão fazendo o mesmo.

"Mas você realmente quer ser como todo mundo?" é uma boa pergunta a fazer.

Francamente, eu não, porque, quando olho para "todo mundo", nem sempre gosto do que vejo. Uma vez, fui a um jogo de basquete onde todo mundo estava usando vermelho. Sabe o que eu estava usando? Uma camiseta branca. Já fiz grandes apresentações em eventos *black-tie* e para levantamento de fundos — usando uma camisa havaiana. Imagine — a única pessoa no local sem *smoking* e era o palestrante!

> Deixar ou não o filho furar as orelhas é um assunto sobre o qual os pais precisam apenas de bom senso.

Quando nosso filho adolescente, Kevin, começou a falar sobre colocar um brinco, decidi verificar quanto ele estava disposto a isso. Então, vasculhei a coleção de brincos de minha esposa e apareci com um brinco na hora do jantar. O desejo de Kevin pelo brinco acabou bem rápido quando declarei que eu também gostaria de usar um.

Tudo se resume a isso: você vai se graduar em grãos de areia ou prefere guardar a munição para as montanhas? Se seu filho adolescente vai fazer uma entrevista de trabalho em um lugar mais conservador e descobrir que não vai conseguir o emprego porque usa brinco, o adorno que você detesta pode simplesmente desaparecer na próxima entrevista de emprego (idem para sua filha que decidiu que tem de ter três furos em cada orelha).

CELULARES

Mas, pai, todos os meus amigos têm!

Quando Jason começou a jogar futebol na oitava série, demos a ele um telefone celular. Dessa forma eu sabia que podia trabalhar no escritório até que ele me ligasse do vestiário para dizer que estava pronto. Enquanto ele tomava uma ducha, eu chegava para buscá-lo.

Celular ou não? Em que idade você deve dar um celular para seu filho?

Você vê em todo lugar ultimamente: crianças andando na rua e até na escola, falando em seu celular. Outro dia levei minha filha a pé à escola e vi uma criança da primeira série falando ao celular... ou ela fingia que falava.

> Um celular deve ser um bônus, não uma obrigação.

Quando nossa filha Lauren tinha 14 anos, ela realmente queria um celular. Todos os seus amigos tinham. Então Sande propôs um acordo: ela ganharia um em seu aniversário no verão se continuasse a se sair bem na escola.

Não sou louco pela ideia de crianças pequenas terem celular. Crianças não precisam dele e não podem usá-lo na escola (pelo menos na maioria delas).

Até mesmo crianças de 6 ou 8 anos o têm. Isso é insano! Na maioria dos casos é apenas uma questão de vaidade ("ei, olhe para mim"). Em meu livro, crianças deveriam ter pelo menos 15 anos — perto de ter uma carteira de motorista — antes de se considerar dar-lhe um telefone celular. Por outro lado, se meu filho ou filha estivessem dirigindo ou sozinhos em algum lugar, eu seria o primeiro a comprar-lhes um celular por questões de segurança. Se seu filho implorar por um celular, considere os seguintes itens:

1. Ele realmente precisa de um celular para entrar em contato com você? Ou é só para ser "descolado"?
2. Seu filho é responsável o suficiente? Ele vai tomar conta do aparelho ou deixá-lo jogado por aí?
3. Quem vai pagar a conta do celular? Se for seu filho, ele deve pagar não só o aparelho (o que vai demonstrar quanto ele realmente quer, se tiver de ser com seu próprio dinheiro), mas também a conta mensal quando vierem as cobranças por causa do excesso de ligações e torpedos. Se ele precisar ligar para você, você pode pagar uma tarifa mínima, mas nunca o que exceder a isso. Se ele não pagar a conta, o celular é desligado.
4. Ter um telefone celular encoraja passar mais tempo ao telefone com os amigos. Seu filho vai bem na escola? Faz as lições de casa? É um membro responsável da família, ajudando a fazer as coisas?

Um celular deve ser um bônus, não uma obrigação, que vem com responsabilidade extra.

CHAMAR A ATENÇÃO

Na semana passada, meu novo chefe e sua esposa vieram jantar em casa. Colocamos nosso filho de 8 anos, Charlie, na cama e fomos para a cozinha preparar a sobremesa. Cinco minutos depois, ouvi um estrondo assustador vindo da sala. Charlie tinha escorregado pelo corrimão da escada — coisa que ele sabia que nunca deveria fazer — e caiu com tudo no meio de uma mesa na qual estava nossa luminária da Tiffany. A luminária quebrou em mil pedaços, e Charlie cortou a mão. Em vez de servir a sobremesa, acabamos levando Charlie ao pronto-socorro para tomar pontos na mão. O que aconteceu para ele fazer isso, coisa que ele nunca tinha feito antes? Fiquei chocada.

Nossas gêmeas de 3 anos, Kylie e Kari, sempre fazem palhaçadas demais e não param de falar quando minhas amigas vêm a nossa casa. Não consigo manter uma conversa com meus amigos adultos. É como se fosse a hora do *show* de Kylie e Kari.

Fiquei tão nervoso ontem. Aconteceu de eu estar na porta da cozinha quando vi Isaiah, de 7 anos, empurrar sua irmã de 2 anos *de propósito*.

Minha filha Annie usa minissaias e suas camisetas são apertadas demais. Juro que ela faz isso só para me deixar louca, porque ela sempre lança "aquele" olhar e espera minha reação antes de sair pela porta. É como se ela tentasse provar que é crescida e pode escolher as próprias roupas. Não entendo. Nunca discutimos sobre roupas, sobre o que pode ou não usar. Mas durante o ano passado, desde que voltei a trabalhar, parece que ela está sempre tentando arrumar briga. Quero minha filha antiga de volta.

Todas as crianças anseiam por atenção e fazem praticamente qualquer coisa para consegui-la. Se elas não têm reforço positivo suficiente dos pais, vão buscar atenção por meio de comportamentos negativos, fazendo coisas que sabem que vão deixar os pais loucos.

Charlie odiava não ser incluído e queria a atenção de seus pais, então escorregou diretamente para o meio da festa. Kylie e Kari não saíam da festa; elas simplesmente decidiram permanecer no centro das atenções e deixar o mundo girar em torno delas. Annie atraiu a atenção comprando brigas — usando roupas que ela sabia que a mãe iria detestar.

> Algumas crianças exigem que os pais prestem atenção nelas. Elas são as comediantes, as artistas, as criadoras de caso. Saem da linha para serem notadas.

Algumas crianças exigem que os pais prestem atenção nelas. Elas são as comediantes, as artistas, as criadoras de caso. Saem da linha para serem notadas. Eu era esse tipo de criança, então compreendo perfeitamente. (Oh, as coisas que aprontei para minha mãe!)

Como você, sendo pai, consegue responder a esse filho? Quando crianças mais novas usam comportamento negativo para atrair sua atenção, diga: "Estou vendo que você precisa de mais atenção hoje, não é?". Esse tipo de comentário geralmente tira a graça do comportamento, o que significa que a criança provavelmente não o repetirá. Então, diga à criança: "Querido, vou ficar mais do que feliz em lhe dar atenção. Você quer que eu me sente e olhe para você? É suficiente? Ou deseja que eu leia uma história e brinque um pouquinho com você? Eu o amo e sei que você precisa de mais atenção agora. Mas agora mesmo vi você empurrar sua irmãzinha. Isso faz parte de sua necessidade de atenção? Se for, você não precisa empurrar sua irmã para atrair minha atenção. Se você precisa de um abraço ou um beijo, é só se aproximar e me dizer isso, que vou ficar contente de atender."

Quando uma criança mais velha usa comportamento negativo para chamar sua atenção, o problema é maior. Vamos dizer que sua filha adolescente desça as escadas usando uma saia tão curta que você se assusta. Na verdade, você nunca viu essa saia antes. Ela tomou emprestado de uma amiga? Você se pergunta...

Você sabe que ela está agindo assim para chamar sua atenção, mas não é só isso. Ela está testando suas habilidades no jogo de poder. *Eu FAÇO você prestar atenção em mim*, grita sua atitude. *Eu não vou ser o que você quer que eu seja.*

Então o que ela faz em seguida? Ela estende a mão e diz: "Onde estão as chaves?"

Sua resposta? "Que chaves?"

Diante de seu olhar incrédulo, você diz: "Posso ver pela maneira que está vestida que não está pronta para sair."

Você vai presenciar uma grande explosão? Provavelmente. Mas o fato permanece firme: ela não vai a lugar algum vestida assim.

Muitos pais recuam diante desse comportamento de avidez por atenção e disputa de poder. Deixam as coisas escorregarem, pensando: *Um dia ela recupera o juízo*. Não espere. É melhor forçar uma explosão do que sofrer ao longo de um vazamento vagaroso.

Ao dizer ou fazer essas coisas, você está comunicando à criança que sabe não só o que ela está fazendo, mas por que está fazendo. E está revelando o que sente e vê acontecer diante de seus olhos. Você está dizendo para a criança, sem usar palavras: *Ei, garoto, você não é tudo e não é o único que precisa de atenção*. Essas palavras nos levam de volta ao comportamento proposital. Todo comportamento serve para um propósito. Quando as crianças agem assim, estão procurando atenção. Dar nome aos bois vai ao cerne da questão da necessidade da criança e também a dissuade de repetir o comportamento para atrair a atenção.

Quando seu filho faz alguma coisa idiota para chamar a atenção, simplesmente diga calmamente: "Oh, querido, faça de novo! Você não faz isso há tanto tempo. Oh, você deve realmente estar precisando da atenção da mamãe. Venha cá. Vamos conversar sobre isso."

CHILIQUES E FANIQUITOS

Ouço esse tipo de coisas a toda hora, de pais frustrados:

> Ele explode toda vez que peço que ele faça alguma coisa que ele não quer.

> Não a levo mais ao *shopping center* porque ela dá chiliques se eu não a levo ao McDonald's. E às vezes eu não tenho tempo ou dinheiro para isso.

> Quando ele tem de dividir alguma coisa com o irmão, ele começa a gritar, chutar o chão e jogar coisas.

Deixe-me perguntar: quando seu filho está tendo um ataque de choro e gritos, qual a natureza motivacional do comportamento? Chamar sua atenção. Exercer autoridade sobre você. E se ter faniquitos funcionou no passado, seu filho vai continuar a tê-los no futuro.

> Se ter faniquitos funcionou no passado, seu filho vai continuar a tê-los no futuro.

Se sua família for crente, você se interessar pelo que Paulo disse aos Efésios 6:1: "Filhos, obedeçam a seus pais no Senhor, pois isso é justo", significa que vocês estão no comando em casa, não seus filhos.

Crianças de 2 anos têm ataques e precisam ser contidas. Minha sugestão favorita para lidar com faniquitos é ignorar completamente o comportamento da criança e continuar o que estiver fazendo. Se isso acontece no *shopping*, simplesmente ignore-a e prossiga. (Para quem fica preocupado com isso, eu garanto a vocês que qualquer criança de 2 anos que vir mamãe ou papai indo embora na multidão vai parar o ataque e *correr* para seguir o pai. Ela não vai perder o pai de vista porque não tem tanta confiança.) E sem plateia, realmente não há necessidade de continuar tendo chilique.

Se você lidar com os ataques quando seu filho tiver 2 anos, você mudará o comportamento, com certeza, usando meu método testado e aprovado:

1. Diga uma vez.
2. Vire as costas.
3. Vá embora.

Você não terá de lidar com esse comportamento mais tarde. Mas esse método exige consistência, persistência e não olhar para trás para ver se a criança vem vindo. Do contrário, ela entende que: *Humm, a mamãe está nervosa sobre isso. Ela está verificando para ver se funciona. Ahá! Isso significa que ela não quer me perder de vista. Então ela vai voltar. Vou continuar dando chilique mais um pouquinho.*

Se as crianças continuam a ter ataques de raiva aos 8 anos ou mais, entretanto, elas já sacaram tudo. Elas sabem do que precisam para ganhar a briga, porque elas sempre ganharam no passado. Elas vão mostrar a você em cores vivas como a vida delas é infeliz e miserável porque você não lhes deu um brinquedo ou uma guloseima, não os deixou ir a algum lugar, etc. Com crianças maiores, vale a mesma coisa (independente de onde você esteja):

1. Diga uma vez.
2. Vire as costas.
3. Vá embora.

Se você não estiver nas proximidades, é menos provável que seu filho continue tendo o ataque (especialmente em um lugar público). Qual a natureza motivacional do comportamento? Chamar sua atenção. O que perde o sentido se você não estiver lá!

Se você permitiu que faniquitos controlassem suas ações no passado, vai precisar se manter especialmente firme. Agora é a hora de acabar com os ataques de poder. (Na verdade tudo é uma questão de poder, não é mesmo?) Você realmente quer que seu filho cresça para ser um adolescente de13 anos que chuta a estante de revistas no supermercado ou um rapaz de 18 anos que não consegue controlar seus impulsos e o mau humor e tem ataques quando as coisas não saem como ele queria?

Depois que o ataque terminar, a criança deve pedir desculpas antes de a vida continuar. E isso não significa que você vai dizer: "Rapazinho, quero que você me peça desculpas". É como pedir um abraço. O abraço não significa muita coisa se você teve de pedi-lo. Pedir tira todo o sentido emocional da ação. Da mesma forma, fazer a criança dizer "Me desculpe" não tem o mesmo peso de uma resposta de coração sem estímulo.

Lembre-se que em tudo, "B não acontece até que A esteja concluído". Até que você receba um pedido de desculpas real (e você sabe a diferença!), a vida não continua.

CHUPAR O DEDO/COBERTORZINHOS

Quantos alunos do ensino médio você já viu chupando o dedo em público? Quantos levam seus cobertorzinhos em viagens de estudos?

Muitos pais exageram em relação a crianças que chupam o dedo depois de certa idade. Eles ouvem todos os tipos de histórias de horror sobre como isso vai destruir os dentes da criança, obrigando-a a usar aparelho. Eles se preocupam que seus filhos pareçam infantis. Eles se perguntam por que uma criança de 4 anos ainda morde o cobertor durante a soneca da tarde.

Mas que mal há em morder um cobertor? Vai doer se o cobertor ficar molhado? Vai tornar o cobertor nojento? Coisas nojentas até hoje não incomodaram as crianças. Sei disso por experiência própria. Quando peguei meu telefone celular esta manhã, estava uma sujeira. Minha neta, Adeline, tinha colocado seus dedos melados nele todo, durante o almoço de ontem. Meleca e nojeira certamente não a incomodam.

> Quantos alunos do ensino médio você já viu chupando o dedo em público? Quantos levam seus cobertorzinhos em viagens de estudos?

O que estou tentando dizer, pai, é que se você der muita atenção a todas essas pequenas coisas que vão mudar de qualquer forma quando as crianças crescerem e amadurecerem, você vai ficar completamente louco.

Cada um tem uma visão diferente em relação a chupar o dedo, ou o cobertor, ou o bichinho de pelúcia como muletas psicológicas. Mas, alguma dessas coisas significa uma montanha para você ou seu filho nos próximos anos? A maioria não. Então, não transforme um grão de areia em uma montanha. Se seu filho ainda está chupando o dedo no jardim de infância, deixe a pressão dos amigos agir. No momento em que ele for chamado de bebê por fazer isso, ele pode parar de chupar o dedo sozinho (pelo menos na escola).

COLAR NA PROVA

> Fiquei chocada ao receber um bilhete da professora de Kent. Ela lhe tinha dado E em sua prova de biologia porque o pegou colando com seu celular. Quando lhe perguntei se era verdade, ele admitiu. Pelo menos, foi honesto sobre isso!

Bem, dizem que a confissão é boa para a alma, então aí vai ela. Eu ainda estaria em Latim 1 se não fosse um cara chamado Carl Maahs. Na hora da prova, eu simplesmente dizia: "Ei, Maahs, você poderia abaixar seu ombro esquerdo?". Se não fosse por essa gentileza, eu ainda estaria naquela sala de aula. Eu era segundoanista do ensino médio e já tinha sido reprovado duas vezes.

> Sejamos sinceros. Todo mundo já colou alguma vez.

E havia as aulas de sociologia, quando eu era calouro na faculdade. Uma mulher de quem não sei o nome, que Deus a abençoe, tinha uma moleza natural. Essa moleza me ajudou a passar no exame final. Tínhamos estudado naquela matéria os índios Dobu Zuni e Kwakiutl. Nosso professor era um daqueles grandes pensadores, profundos, que falava para riachos murmurantes. Ele poderia muito bem estar falando em árabe no que dizia respeito a mim.

Sejamos sinceros. Todo mundo já colou alguma vez. Então, quando uma criança é surpreendida colando, é bom chegar até ela e estabelecer o que chamo de congruência. Diga a seu filho: "Eu já estive em seu lugar. Já houve momentos em minha vida em que colei também. Tudo o que posso dizer é que a gente não se dá bem depois disso, e no final você acaba pagando o preço. Às vezes, o resultado disso é ser reprovado ou acusado de plágio. Simplesmente não vale a pena."

Também é importante se abrir em relação a seus próprios sentimentos sobre o assunto: "Querido, estou desapontado com o que você fez. Gostaria que não tivesse feito".

Observe aqui que há uma grande diferença entre dizer que você está desapontado sobre *o que ele fez* e dizer que está desapontado sobre *quem ele é*. Seu filho precisa saber que você o ama independentemente de tudo — mas, às vezes, você não gosta do que ele faz.

Se uma criança cola constantemente, o mais sábio é devolver a bola para a administração da escola. Deixe-a proferir uma sentença justa sobre seu filho. Minha experiência mostra que, quando um estranho ou alguém fora da família administra disciplina, em geral traz um pouco mais de peso... e de medo.

Colar é um grão de areia, não uma montanha — a menos que seja um comportamento repetitivo. O pai sábio não faz uma tempestade a respeito de um evento isolado como colar. Enfrente a questão e siga em frente.

COMER FORA (NO CADEIRÃO OU EM RESTAURANTES)

Acabei de voltar de um almoço com meu neto de 3 anos, Conner, e minha neta de 18 meses, Adeline. Deixe-me dizer sinceramente que é praticamente impossível desfrutar de um almoço ou falar sobre qualquer assunto quando se leva duas crianças dessa idade para comer em um restaurante. Foi o que me disse minha filha Krissy: "Papai, você fez sua boa ação da semana".

"Gostei tanto disso", falei, "que vou ter de fazer de novo... *daqui a um ano*". E ambos rimos.

Já que tive cinco filhos e agora tenho netos, me identifico com mães em sua faina de cuidar dos pequenos. Quando se é mãe, o objetivo, às vezes, é simplesmente chegar ao final do dia. Pedir para uma criança pequena se sentar por algum tempo, ou para sentar, é uma tarefa bastante árdua (especialmente para certos tipos de personalidade). Toda mãe precisa saber quais são os limites de seu filho no quesito sentar-se. Ir além desses limites (por exemplo, em um almoço de uma hora com amigas no restaurante) muito provavelmente é querer arrumar encrenca. Pedir comida para viagem e ir a um parque onde seus filhos possam correr talvez seja uma opção melhor. E suas amigas vão agradecer.

Crianças pequenas, principalmente, levam muito pouco tempo para comer (a menos que isso tenha se tornado uma batalha e o plano estratégico seja manter a atenção de mamãe ou papai pela enrolação). Quando eles terminam, terminam. Então, se você não interpretar rapidamente a mensagem de "Oi, já acabei" nos olhos de seu filho, ele fará duas coisas muito naturais:

1. Entornar rapidamente toda a comida restante no chão. (Assistir à comida cair e se espalhar é uma diversão incrível. Assim como assistir à mamãe ou ao papai virem correndo! Não importa se for em casa ou no restaurante. Seu filho não se envergonha desse tipo de comportamento. Ele acha divertido.)
2. Retirar a bandeja com toda a sua habilidade e começar a subir no cadeirão.

O que você pode fazer? Em primeiro lugar, entenda que crianças são naturalmente barulhentas. Aqueles longos jantares nos quais vocês costumavam conversar sobre o futuro, segurar a mão um do outro e trocar olhares profundos já eram (exceto em saídas noturnas). A vida mudou.

Segundo, fazer o que é natural não é "traquinagem" para uma criança. *Ei,* pensa o bebê de 1 ano, *quando eu jogo meu cereal daqui do meu cadeirão, a mamãe vem correndo. Vamos ver quantas vezes ela faz isso.*

Terceiro, estamos pedindo demais das crianças, dependendo de sua idade, quando as fazemos sentar por longos períodos em cadeiras ou cadeirões. Muitos pais acabam grudando seus filhos pequenos em cadeirões e alimentando-os com salgadinhos antes do jantar, só para que consigam sentar-se à mesa com os demais. Isso não funciona. Na hora em que você tiver terminado de fazer o jantar, as crianças estarão cheias demais de salgadinhos para jantar propriamente e com comichão de sair daquele cadeirão desconfortável.

> Pedir para uma criança pequena sentar por algum tempo, ou para sequer sentar, é uma tarefa bastante árdua.

Portanto, qual a resposta? Alimente seus filhos, sempre que possível, enquanto você come ou pelo menos com a mesma comida que você come (mesmo que seja amassada e servida aos poucos, enquanto você cozinha). Ensine também a seu filho uma coisa muito importante: assim que ele desce do cadeirão, a refeição está encerrada. Isso significa não voltar à mesa para comer mais um pouquinho, e vale tanto para sua casa como para o restaurante.

Se você ensinar isso a seu filho, ele vai permanecer sentado durante o tempo que tiver fome e então desaparecer da mesa, permitindo que você troque algumas palavras com seu marido ou outros filhos. É claro, isso funciona muito bem em casa, onde seu filho tem brinquedos para brincar, mas é mais difícil no restaurante. É por isso que, quando as crianças são pequenas, durante um tempo você pode pensar em opções mais criativas do que simplesmente ir ao restaurante. Você ficará mais feliz, seu filho também, e os clientes do restaurante onde você não for vão agradecer.

COMER MUITO POUCO

Há uma grande diferença entre a maneira de rapazes e moças comerem. Não é incomum que um jovem de 14 anos chegue da escola, pegue uma vasilha (de servir), encha com meia caixa de cereal, corte duas bananas e coma tudo. Em duas horas ele está pronto para jantar. É o momento da vida em que ele está crescendo em grandes saltos e gastando muita energia, então não é de estranhar que tenha fome.

As moças se preocupam muito mais com o que põem na boca. Não é incomum que meninas de 8 a 11 anos digam a seus pais: "Estou muito gorda" ou "Não gosto do meu corpo". Se você está ouvindo isso de sua filha, é um sinal de que ela pode estar indo no caminho errado porque está ficando preocupada demais com a aparência.

> Deixe suas imperfeições aparecerem. Exponha-as de vez em quando. Isso dará ao seu filho a liberdade de que ele precisa para ser imperfeito — e saudável.

Dê uma olhada em anúncios, filmes e revistas e você verá em um segundo que nós, norte-americanos, valorizamos a aparência das pessoas a uma idade muito jovem.

Há alguns anos, Charlie Gibson, Joan Lunder e eu participamos de um programa *Good Morning America*[2] sobre as bonecas Barbie. Eles me pediram para comentar a respeito. "Observem como elas são perfeitas e magras", eu disse, e então comecei a falar sobre a explosão da anorexia, uma doença que afeta principalmente mulheres com menos de 20 anos (90% dos casos), quando a aparência se torna tão importante. Quando mulheres jovens são perfeccionistas e veem como as modelos magras na televisão, em revistas, anúncios e filmes são perfeitas, e querem ser iguais. Essa busca da perfeição dá início a uma espiral descendente rumo à anorexia (comer pouco ou não comer) e/ou bulimia (comer demais e então vomitar para limpar o organismo).

As anoréxicas acreditam que, para ser aceitas pelos outros, elas devem ficar magras como um varapau. Frequentemente, não se sentem apoiadas pelos pais em suas empreitadas, se sentem sozinhas. Sentindo-se fora de controle, secretamente encontram uma forma de controlar seu mundo — não comer ou comer muito pouco. Ao fazer isso, elas sentem que serão capazes de atingir a perfeição, e todo mundo gostará delas.

Se você suspeitar ou descobrir que isso está acontecendo com seu filho, procure ajuda profissional imediatamente. Alguns sintomas incluem ir furtivamente ao banheiro logo depois de comer para se livrar da comida que comeu, dizer "Não tenho fome" refeição após refeição, liberar-se da mesa e dizer que não se sente bem, e perder peso rapidamente, de forma artificial. Tanto a anorexia como a bulimia são problemas graves que precisam ser abordados por profissionais de saúde, devido ao impacto de longo prazo que podem causar sobre os padrões de crescimento, saúde geral, dentes, estômago, mente e emoções de seu filho.

Se seu filho fala muito sobre o próprio corpo e não gosta dele, mostre suas próprias imperfeições. (Crianças raramente percebem como as fotos das modelos são retocadas.) Gosto de tirar meu suéter e mostrar às pessoas uma vista lateral da minha barriga — isso é que é perfeição! E então, eu conto a história de como comi uma torta inteira de abóbora, pedaço a pedaço, da geladeira; e tive de esconder a forma da torta de minha esposa, para que ela não notasse que eu tinha comprado uma oferta de leve 2 e pague 1 na confeitaria, e comido uma torta inteira sozinho. Crianças adoram ouvir histórias sobre seus defeitos. Isso lhes dá liberdade para ser imperfeito também.

Diga a seus filhos (especialmente as meninas) como você tem fraquezas. Sobre a vez que tirou uma nota baixa. Sobre como se meteu em encrencas com seus pais por mentir. Sobre aquela vez em que você fez uma coisa realmente idiota. Acredite ou não, as crianças mesmo assim veem os pais como modelos. Para elas, os pais não fazem nada errado. Explicar que você já fez uma coisa realmente estúpida mostra à criança que todo mundo banca o idiota às vezes. Ninguém é perfeito. Ao mostrar suas imperfeições, você dá aos filhos a coragem de ser imperfeito em um mundo imperfeito. É por isso que aplaudi a modelo que insistiu: "Não apague minhas rugas. Conquistei cada uma delas. São parte de mim".

Deixe suas imperfeições aparecerem. Exponha-as de vez em quando. Isso dará ao seu filho a liberdade de que ele precisa para ser imperfeito — e saudável.

COMIDA EM EXCESSO

É só olhar para o lado e você verá crianças com sobrepeso nos Estados Unidos.

Estava ao lado da piscina em um hotel, e assisti uma família de quatro pessoas almoçar. O filho, que aparentava ter cerca de 10 anos, era terrivelmente obeso. Sua barriga avançava muito além da cintura de sua sunga. Muito tempo depois que os outros três membros da família tinham deixado a mesa e começado a nadar, ele permanecia na cadeira, devorando todos os restos dos outros pratos. O que havia na mesa? Cachorros quentes, batatinhas *chips* e *brownies*. Nem sinal de vegetais, a menos que você considere os picles dos cachorros quentes.

Finalmente o pai pareceu perceber que o filho não estava nadando. "Saia daí", ele ordenou e voltou a imergir na banheira de água quente. Quando o filho ignorou as ordens do pai e comeu mais algumas batatinhas do prato da irmã, o pai saiu da banheira, marchou em direção à mesa e agarrou o braço do filho. "Eu disse para sair daí! E já que você parece não escutar", disse o pai, claramente zangado e com o rosto vermelho, "você pode dar 20 voltas em torno da piscina".

Cada vez que o menino completava uma volta, ele notadamente começava a respirar com mais dificuldade assim que se aproximava do pai na banheira. Depois de dar três voltas em torno da piscina, o pai disse: "Tudo bem, agora que você se acalmou pode parar". (Obviamente eu me perguntei: *Quem dos dois precisava se acalmar?*)

O que o menino fez? Deu um sorriso forçado, sentou-se de volta à mesa e começou a comer os três *brownies* restantes. Não pude deixar de pensar: *Mas esse pai é idiota?*

O que o menino realmente aprendeu? Muito mais do que seu pai, com certeza. *Ah, se eu prestar atenção ao meu pai e fizer o que ele diz por um minuto, ele vai me deixar fazer o que eu quiser.*

Às vezes os pais são mais estúpidos do que uma porta.

Quando crianças lutam contra o peso e a comida em excesso, *junk food* é a causa número 1. Conheço pais que realmente colocaram grandes correntes em volta da geladeira para evitar ataques noturnos. Mas, a verdadeira solução é ter refeições menores e balanceadas, sem *junk food* e refrigerantes. O peso perdido gradualmente pode ser mantido à distância por um longo tempo. O mais importante é mudar o estilo de vida, não fazer dieta ou jejum.

Se uma criança come uma refeição balanceada no jantar, pode continuar comendo bastante. Mas a comida extra não vai prejudicar muito, porque a criança está ingerindo carboidratos complexos e proteínas.

O problema real é a *junk food* — comer doces em excesso. E quem traz esse lixo para casa? Geralmente são os pais! Parte do problema é que cada vez menos famílias fazem refeições em casa. Todos estão com pressa, logo a comida tem de ser rápida — mas poucos *fast foods* são saudáveis. Muitas famílias comem no caminho, mas há uma quantidade muito maior de gordura nessas comidas. Lanches embalados podem ser rápidos e fáceis, mas são compostos principalmente de gordura e sódio.

Para prevenir a comida em excesso e oferecer refeições balanceadas às crianças é preciso voltar às refeições em família. Sirva comida saudável, sem fritura, e reduza a quantidade preparada para o jantar. Então, depois do jantar, feche a cozinha para lanchinhos e ataques noturnos.

Pela manhã antes da escola, certifique-se de que seu filho tenha um café da manhã saudável. Com frequência as crianças arrancam porta afora sem tomar café, porque o ônibus ou a carona estão esperando. Ou pegam qualquer porcaria que seja fácil de comer no caminho. O que acontece? Ao chegar à escola, elas estão com fome e encontram máquinas de comidas cheias de biscoitos recheados! Acrescente a isso o fato de que as aulas de educação física estão sendo eliminadas do currículo escolar (são a primeira coisa a desaparecer quando há cortes no orçamento) e a pequena atenção dada à forma física, e você tem um problema de obesidade na juventude atual. Até mesmo crianças de dezoito meses sentam-se à mesa e tomam o café com um DVD ligado à sua frente para evitar que joguem a comida e tenham chiliques. Elas realmente sabem o que — e quanto — estão comendo? Estamos preparando nossos filhos para comer muito, desde a mais tenra idade?

Para mudar os hábitos de seu filho comer demais, você precisa mudar seu estilo de vida. Sentem-se juntos para jantar, como uma família (isso geralmente exige uma grande mudança nos horários dos pais). Não há nada como uma refeição feita em casa para garantir satisfação, baixo nível de gordura e bom nível de conversa. Portanto, não passe por cima disso.

> Para mudar os hábitos de seu filho comer demais, você precisa mudar seu estilo de vida.

Há outro aspecto do excesso de comida: a bulimia. 90% das crianças que lutam contra a bulimia (comer demais e vomitar para eliminar a comida do organismo) são garotas adolescentes. A razão oculta é o perfeccionismo. Garotas adolescentes veem corpos "perfeitos" à sua volta na televisão, em anúncios, nos filmes e até no grupo de "garotas populares". A fim de serem aceitas, elas assumem que têm de se manter magras. Se essas garotas não se sentem apoiadas por seus pais, elas podem encontrar outra forma de controlar seu mundo — refestelando-se com uma assadeira inteira de *brownies* e depois enfiando o dedo na garganta no banheiro para vomitar. Se você suspeitar ou descobrir que isso está acontecendo com sua filha, por favor procure ajuda profissional imediatamente. Bulimia é uma doença grave que precisa ser tratada por profissionais de saúde, devido ao impacto em longo prazo que ela pode causar na saúde geral de seu filho — física, mental e emocional.

COMPARTILHAR

Crianças não entendem a questão do compartilhamento. Elas não têm sequer a capacidade de considerar essa possibilidade aos catorze meses. Se estiverem segurando uma coisa, o compartilhamento não existe. Elas possuem o objeto. É delas. E ninguém consegue dizer o contrário. Não importa se o objeto é quebrável, se vale 5 mil ou 50 centavos.

Entretanto, a cada mês que passa depois dessa idade, as crianças se tornam mais conscientes dos outros, então precisam aprender a dividir. Porém, crianças pequenas não compartilham: precisam que alguém lhes dê o exemplo. Representar o compartilhamento é importante. "Ok, é sua vez... agora é minha vez." Ou "Você dá uma mordida. Agora eu dou uma mordida".

Quando crianças pequenas dividem com os outros de bom grado, os pais precisam reforçar esse comportamento dizendo: "Você é uma grande menina! Dividiu com seu irmão!"

Crianças de 3 ou 4 anos podem ser extremamente territorialistas. Elas têm dificuldade em dividir porque tudo é "meu". Mas, isso significa que não podem aprender? Absolutamente não. Digamos que crianças de 4 anos estejam brincando e discutindo por causa de uma bola. A melhor maneira de ensinar a dividir é tirar a bola de cena. "Se vocês não conseguem dividir esta bola, ninguém vai jogar. Vou guardá-la por enquanto". Ao guardar o objeto, você transfere às crianças a responsabilidade de aprender a dividir. Você também pode acrescentar: "Quando estiverem prontos, me chamem".

> Crianças pequenas não compartilham: precisam que alguém lhes dê o exemplo.

Com essas palavras, crianças pequenas rapidamente se darão conta de que compartilhar pode ser uma vantagem. Do contrário, a brincadeira desaparece com a bola!

Para reforçar o conceito, mais tarde, no mesmo dia você pode se sentar com uma vasilha de pipocas bem cheirosa. Quando seu filho vier pedir um pouco, diga simplesmente: "Não. Hoje não estou a fim de dividir minha pipoca".

Você não está sendo malvada. Você manteve o tom de voz. Então, explica a importância de dividir e diz como se sentiu sobre o que aconteceu mais cedo. "Somos parte de uma família e compartilhamos as coisas. Mas se você preferir não dividir, posso escolher não dividir também."

Vamos dizer que crianças maiores estejam brigando por causa de um último pedaço de bolo. Passe uma faca para uma criança e diga: "Vamos resolver isso — você corta". Para a outra criança, você diz: "E então você escolhe o pedaço que quer".

Isso mantém a bola no campo à qual pertence e não envolve você na discussão de quem comeu o pedaço maior ontem. Uma criança corta; a outra escolhe o pedaço. E você se afasta do papel de juíza implacável.

O mesmo vale para rusgas entre irmãs adolescentes sobre um suéter. Se sua filha comprou a roupa com o próprio dinheiro, é dela. Se você comprou com o seu dinheiro, compartilhar pode ser indicado. Se elas não conseguem dividir, simplesmente tire o suéter e guarde-o em seu próprio guarda-roupa até que as meninas cheguem em um acordo. As brigas por roupas podem continuar nos bastidores, mas há menos probabilidade de que elas a envolvam nisso.

Uma maneira que pode ajudar as crianças a entenderem a ideia de compartilhar e como cada membro da família contribui é ajudar você a pagar as contas pela internet ou preencher os cheques para pagar as contas. Crianças mais novas podem até colocar selos em envelopes e ver quantas contas vão e vêm. Quando as crianças entendem as despesas envolvidas no sustento da família, elas se tornam mais agradecidas pelos privilégios de ser um membro da família.

COMUNICAÇÃO/GREVE DE SILÊNCIO

"Como foi hoje na escola?"

"Tudo bem."

"Como você foi na prova?"

(Resmungo.)

"O que você fez hoje?"

"Nada."

"Onde você esteve?"

(Dar de ombros.)

"O que você fez com seus amigos hoje à noite?"

"Nada."

Todo pai já foi vítima da greve do silêncio. O "bem". O resmungo. O "nada". O dar de ombros. Não há nada mais exasperador que tentar se comunicar e ver o outro lado de uma conversa a dois não cooperar.

Como você está tentando se comunicar? Fazendo perguntas. Funciona na maioria das conversas, certo?

Errado. A maioria das perguntas que fazemos a nossos filhos são realmente improdutivas ("Então, como foi seu dia na escola?") e os filhos são inteligentes o suficiente para saber disso. Quando um adulto pergunta, as crianças sabem que respostas os adultos esperam. E isso as faz ficar mais determinadas a não responder.

"Mas dr. Leman, como vou saber qualquer coisa a respeito do que está se passando com meu filho se não fizer perguntas?"

Coloque-se no lugar de seu filho por um minuto. Se, assim que você abrisse a boca, seus pais se transformassem no Tribunal do Júri e decretassem não compartilhar suas ideias e colocassem você para baixo, você abriria a boca?

Por que não mudar o paradigma? Se deseja que seus filhos conversem com você sobre qualquer assunto, não faça perguntas. Em vez disso, envolva-se silenciosamente em seu mundo. Converse sobre assuntos nos quais eles estão interessados — mesmo que não sejam interessantes para você.

> Se você deseja que seus filhos conversem com você sobre qualquer assunto, não faça perguntas.

Por exemplo, se seu filho gosta de certa banda de *rock* pela qual você não morre de amores, diga: "Estava pensando sobre essa banda outro dia. Queria saber se os caras da banda se dão bem entre si, se aquele cara com aquele cabelo estranho inacreditável é tão esquisito quanto parece e quem é o líder da banda."

Se você se encontrar com seu filho no nível de interesse dele, ele terá muito mais predisposição para conversar. Vai se sentir menos distante se você mostrar interesse em participar de seu mundo. Ao encontrá-lo em seu nível de interesse, você está dizendo: "Eu o amo. Eu me importo com você. Seus interesses são importantes para mim também".

Se seu filho faz um comentário que você acha chocante ou ridículo, em vez de dizer: "Esta é a coisa mais idiota que já ouvi na vida", o que provavelmente deve ser seu primeiro impulso, diga "Interessante. Me explique melhor".

Ao não fazer perguntas, você aprenderá muito mais sobre seu filho e o mundo dele.

CUSPIR

Cuspir é um dos hábitos que muita gente acha repugnante. Meninos pequenos cospem e, às vezes, meninas também. Alguns adultos também fazem isso.

Eu mesmo sou um deles. Sou uma pessoa que simplesmente produz muita saliva. É um tipo de sinusite, que aumenta a produção de muco. Eu posso cuspir, por mais nojento que isso possa parecer, ou, pior, engolir. Durante anos, se eu precisasse cuspir para limpar minha garganta no carro, eu abria a janela e cuspia, gritando "*Fore*!" (como se faz no golfe) e, então, "Cuidado!". Certo dia, a sempre séria Lauren, com seus 3 anos, estava no carro comigo e eu comecei a cuspir para fora da janela. Sua voz calma veio do banco de trás: "Oh, papai, você se esqueceu de dizer 'Fore!'". Outra vez, quando Kevin II era pequeno, tive de cuspir pela janela. Ouvi um leve "ecaaa" atrás de mim. Kevin tinha tentado imitar o comportamento do pai e adivinhe onde foi parar? Bem no meu pescoço.

Durante anos, se eu precisasse cuspir para limpar minha garganta no carro, eu abria a janela e cuspia, gritando "*Fore*!"

Não ache que o hábito de cuspir surge do nada. A piada é que fazemos por merecer. Nossos filhos imitam nossos comportamentos. O que se pode fazer? Seu filho presta atenção ao que *você* faz e diz. Se você tem um filho que cospe, geralmente há um pai que cospe.

É uma montanha? Não. É um grão de areia. Há grandes chances de que seu filho não esteja dando grandes cusparadas em frente à namorada daqui a alguns anos, nem fará isso mais adiante diante do chefe. Algumas coisas são resolvidas com a maturidade. Cuspir é uma delas... a menos que você seja eu, é claro.

DEPENDÊNCIA

Não consigo fazer isso, mamãe.

Quando tinha 5 anos de idade, acreditava que meu sanduíche tinha um gosto melhor quando era feito por mamãe. Tendo Deus por testemunha, eu realmente acreditava nisso. Mas, olhando agora para trás, percebo algo diferente: que eu era uma pestinha manipuladora que queria que ela fizesse o sanduíche em vez de fazê-lo sozinho. Afinal, eu era o caçula e estava acostumado a que os outros fizessem as coisas para mim sem precisar levantar um dedo.

Ser dependente é uma técnica apurada de manipulação, e crianças menores (especialmente o caçula da família) são muito bons nisso. Muitas vezes, deixei meu irmão mais velho à mercê de todos os castigos de meu pai porque sabia o que dizer, como dizer e como colocá-lo em apuros por não me ajudar, já que eu era mais novo e menor.

O princípio geral básico é simples: não faça pelas crianças o que elas podem fazer sozinhas. Crianças pequenas são capazes de fazer seu próprio sanduíche, mesmo que isso signifique uma dose extra de bagunça no balcão da cozinha, que elas tenham de limpar. Se seu filho deve telefonar para alguém e sabe usar o telefone (ou consegue fazer isso com instruções simples), não há motivo para você fazer a ligação por ele.

Nós fazemos coisas por nossos filhos? Sim, o dia todo. É parte do papel de pai. Mas, o pai inteligente sabe quando está sendo explorado pelos filhos de 4, 10 ou 16 anos, que simplesmente não querem assumir responsabilidade.

> Não faça pelas crianças o que elas podem fazer sozinhas.

É mais fácil deixar as crianças não serem responsáveis. É mais fácil, como pai, fazer tudo sozinho. Mas, você sabia que até mesmo permitir que uma criança faça um simples sanduíche de pão com manteiga pode ser uma realização sobre a qual ela vai se sentir bem?

Você não é apenas pai; você é o professor de seu filho. Portanto, ensine-o a ser responsável. Não recolha a bagunça que ele fez e pela qual deve se responsabilizar.

DESAFIAR/DESOBEDECER PROPOSITALMENTE

Ele olhou diretamente em meus olhos e disse: "NÃO!" a plenos pulmões.

Eu disse a ela que não podia ir ao cinema com as amigas. Ela pulou a janela de seu quarto e foi mesmo assim.

Ele está sempre me confrontando quando o pai não está na cidade. Ele sabe que é melhor não fazer isso quando o pai está em casa.

Comportamento desafiador é uma montanha — uma grande montanha — se você não a derrubar. E quanto antes você abordá-la, melhor.

> O que funciona melhor com o desafio é — de repente, sem aviso prévio — dar à criança a vitamina N, de não, toda vez.

Vamos dizer que seu filho de 3 anos bata os pés desafiadoramente e diga: "Não!" O que ele está fazendo? Está desafiando-o em último grau. Ele se entrincheirou totalmente, e não vai fazer o que você pediu. Se bater é compatível com seus valores familiares, essa realmente é a hora de uma boa palmada no traseiro, combinada com um olhar duro que diz que você não está para brincadeira. Esse olhar precisa dizer: "É isso que eu espero que você faça, e espero que o faça agora". Com uma criança pequena, consistência entre expectativa e continuidade ganha o jogo. E um período de isolamento e reflexão sobre suas ações também é eficiente para mudar o comportamento desafiador.

Se seu filho mais velho (de 10 anos para cima) é propositadamente desafiador, então você tem um problema muito maior. Você tem um filho em quem não pode confiar.

Qual é a resposta? O que funciona melhor com o desafio é — de repente, sem aviso prévio — dar à criança a vitamina N, de não, toda vez.

> Filho: "Temos de ir. É hora do treino de basquete."
> Pai: "Não, você não vai. Não vou levá-lo."
>
> Filho: "Me dá dez pilas?"
> Pai: "Não."
>
> Filho: "Posso ir à casa de Jack?"
> Pai: "Não."

Eis a parte interessante e por que esse método funciona tão bem. Sempre houve coisas que você deixou a criança fazer no passado. Agora, de repente, você não está mais deixando-a fazer nada. Cedo ou tarde (e geralmente cedo), a criança quer saber por que não. "Qual é o problema? Você *sempre* me deixou fazer isso."

Como você deve responder? Confunda a criança. "Por que não?", você pergunta. "Por que você não passa alguns minutos em seu quarto pensando sobre isso? Quando você chegar a alguma conclusão, vai ser um prazer conversar com você."

Então, afaste-se da criança para que ela não tenha a oportunidade de argumentar e elevar sua pressão sanguínea.

A maioria das crianças, quando deixadas sozinhas, entende o motivo e diz: "Me desculpe".

Contudo, é nessa hora que você tem de manter-se firme, sem dar um tiro no próprio pé. Um pedido de desculpa da criança não muda o fato de que ela não vai a lugar algum naquele dia.

Agora, e amanhã? Amanhã será um novo dia, e deverá haver uma nova oportunidade.

Porém, para a lição fixar, a criança precisa sentir as consequências do comportamento desafiador. Às vezes significa que você também vai sofrer (não podendo ir a um evento ao qual queria ir). Entretanto, deixar uma criança fazer a atividade naquele dia, depois de pedir desculpa, significa que ela não aprendeu nada (além de continuar a manipulá-lo). E você também não.

DESATENÇÃO COM O DINHEIRO

Toda vez que Timothy ganha dinheiro, ele parece perdê-lo. Então ele está sempre pedindo mais.

Assim que Jan ganha dinheiro da avó, ela gasta. E geralmente em coisas que acho que são realmente — ai, de que outra forma poderia dizer? — idiotas. Como posso ensinar-lhe o valor do dinheiro?

Deixe-me fazer uma pergunta: de onde as crianças tiram seu dinheiro? Se você não leu o item "Mesadas", é hora de fazê-lo.

Se você começou a dar uma mesada a seu filho aos 5 anos e ele parece estar sempre perdendo o dinheiro, talvez seja muito novo para receber a mesada. Talvez você deva esperar até que ele tenha 7 e consiga cuidar melhor do dinheiro. Cada criança é única — e isso inclui a idade em que o nível de responsabilidade aumenta.

No entanto, vamos dizer que seu filho perca a mesada na primeira semana em que você a deu. O que você deve fazer? A regra número 1 é: Não reponha. Quando você estiver em uma loja de conveniência e ele quiser uma bala, diga: "Claro, você pode comprar com sua mesada se quiser."

> Se seu filho tende a gastar dinheiro sem cuidado, simplesmente, deixe a realidade ensinar.

"Ai, eu não sei onde coloquei meu dinheiro", diz ele.

Sua resposta? "Quando você encontrar sua mesada, traga com você da próxima vez que viermos e você pode comprar a bala."

Acha que a criança vai cuidar melhor de seu dinheiro?

Se seu filho tende a gastar dinheiro sem cuidado — sempre comprando o que quer que queira na hora, em vez de poupar para algo especial — simplesmente, deixe a realidade ensinar. Quando seu filho quiser uma bicicleta nova, diga: "Claro, Jeff, você pode comprar com seu próprio dinheiro." E quando ele se der conta de que já comeu, desperdiçou ou quebrou, não o resgate. Quando sua filha furar as orelhas e quiser brincos de brilhante para compor seu "novo *look*", não caia no conto do "Ah, mamãe, por favor!". Se você deixá-la economizar seu dinheiro, pode apostar que ela vai tomar muito cuidado com seus brincos de brilhante.

DESORIENTAÇÃO

Oh, ela sempre se esquece de fazer isso. Ela é meio perdida.

A maioria dos pais vive na Terra do Tra-la-la-la-la. Eles sempre têm uma resposta pronta para o filho. O que eles estão dizendo realmente? "Oh, meu filho não se responsabiliza por nada."

Bem, o que acontece mais tarde quando seu filho tiver 21 ou 22 anos de idade e ainda não for responsável por nada? O que o chefe dele (se ele tiver um) vai achar disso? O que acontece quando ele destrói seu carro e ainda assim não se responsabiliza?

Por que achamos que devemos projetar nossos filhos como vencedores toda vez? Que temos de remediar o que eles não fazem? Por que não conseguimos responsabilizar nossos filhos?

Estou convencido de que é porque muitos pais, hoje, são preguiçosos. Eles escolhem o caminho mais fácil. Eles também cresceram com a visão "eu, eu, eu", e a vida ainda é tudo sobre eles, logo as crianças ficam perdidas sem supervisão paterna. Os pais fazem tudo isso em nome de deixar a criança ser um "indivíduo", devo acrescentar.

Para toda ação há uma consequência, e quanto antes as crianças aprenderem isso, melhor.

Se seu filho deixa de fazer a lição de casa, deixe-o sofrer as consequências no dia seguinte. Se ele se esquece de tirar a bicicleta da calçada e alguém a rouba, não compre outra bicicleta. É uma boa lição tomar conta de suas posses, uma lição que será lembrada por um longo tempo — especialmente quando os amigos quiserem sair para andar de bicicleta e ele tiver de explicar por que não tem mais bicicleta. (Às vezes a pressão dos amigos pode ser muito útil na mudança de comportamento.)

É por meio dos erros que as crianças aprendem diligência e disciplina e, então, podem se tornar bem sucedidas na vida. Desculpas para seu jeito aéreo de ser, apenas enfraquecerão seu desenvolvimento.

Crianças são aéreas. Elas vão sonhar acordadas às vezes e não vão ouvir suas instruções. Outras vezes, simplesmente vão se esquecer. Mas para toda ação há uma consequência, e quanto antes as crianças aprenderem isso, melhor.

DIRIGIR

Minha filha, que é uma adolescente realmente responsável, começou a dirigir aos 16 anos. Meu filho completará 16 dentro de um mês, e todos os amigos dele já têm carteira de motorista. Mas serei honesta. Fico apavorada de pensar em Evan dirigindo um carro. Ele é tão confuso e não consegue manter a atenção em nada. Seu pai tem certeza de que ele vai estacionar em qualquer lugar e simplesmente "perder" o carro, sem falar nas tampas de combustível que ele vai esquecer. Mas vai ser complicado dizer que ele não pode tirar a carteira, especialmente porque todos os amigos dele já têm, sem contar que a irmã tirou a dela com a mesma idade. O que fazemos?

Eu disse a ela que não podia ir de carro ao *shopping*, mas ela foi mesmo assim. Será que ela achou que eu não daria pela falta ou algo do gênero? Estou tentando pensar em uma punição adequada, mas estou tão furiosa que quase nem consigo pensar. Socorro!

Ficamos pasmos quando nosso filho, Rick, foi escoltado para casa pelo policial da cidade ontem à noite. Ele e três amigos tinham sido parados porque o policial os viu correndo pela rodovia e achou suspeito. Rick alegou que mesmo que os outros garotos tivessem bebido, ele não tinha. O teste de teor alcoólico provou que ele tinha razão, mas, mesmo assim, ele era o motorista. Ele tem 17 anos e seus amigos ainda têm 16. Como ele pôde ser tão estúpido? Ficamos morrendo de vergonha. Se dependesse de meu marido, Rick não dirigiria mais pelo resto da vida.

Meu pai estudou só até a oitava série, mas era um cara muito esperto. Eu era realmente tolo quando criança, mas acredite, sabia as regras de meu pai que governavam o uso do carro da família. Elas eram cravadas em pedra.

1. Você *jamais* pode levar mais de um garoto no carro com você sem minha permissão expressa.
2. Você não pode sair do bairro e dirigir na cidade sem minha permissão.

As regras eram tão bem definidas que foram uma das poucas coisas que não contestei. Sabia que meu pai seria firme como cimento quanto a elas.

Dirigir é um privilégio, não um direito. Alguns adolescentes estão prontos para dirigir aos 16 anos; outros, como Evan, deveriam esperar um pouco mais até que sua cabeça estivesse firmemente conectada a suas ações. E um adolescente que transgride uma norma paterna quanto a dirigir o carro não merece confiança. As chaves devem ser confiscadas e ele não deve dirigir por um período de tempo determinado. Seus privilégios devem ser suspensos em razão da desobediência e da falta de responsabilidade.

> Dirigir é um privilégio, não um direito.

Estou sendo duro demais? Pense desta forma: se seu filho desobedece você em coisas importantes como dirigir um carro, seria inteligente deixá-lo continuar dirigindo? Se ele desafia você, está dizendo: "Sabe, mãe (ou pai), você realmente não tem a menor importância. Não estou nem aí para o que você diz. E não tenho o menor respeito". É esse o tipo de garoto que você quer que dirija um automóvel de US$ 32 mil com um seguro de US$ 100 mil?

Certamente não. Essa é a hora do "amor severo". Suspenda os privilégios do adolescente e coloque-o para refletir. Esse é um dos comportamentos com os quais você precisa lidar enquanto o cavalo ainda está na cocheira.

Você deve eliminar os privilégios de dirigir para a vida toda? Não, isso seria impraticável. Pense em como sua vida é complicada e acrescente a ela o tempo necessário para levar seu filho aonde ele precisa ir (como, por exemplo, um trabalho depois da escola).

Dirigir, porém, é claramente uma responsabilidade de adulto. Se seu filho não está pronto para essa responsabilidade, ele não deveria estar dirigindo. Se álcool estiver envolvido (como no caso de Rick), o período de suspensão deve ser muito mais longo, uma vez que a mistura de bebida e direção é realmente muito sério.

DORMIR NA CASA DE AMIGOS

É muito tentador deixar seu filho crescer mais rápido. E isso inclui pernoitar fora. Mas isso deve ser raro, especialmente quando seus filhos são pequenos. Crianças precisam estar em casa e, hoje em dia elas ficam cada vez menos em casa. Aparentemente, é parte integrante de ser criança, atualmente, que aos 3 anos de idade se vá à ginástica, e, aos 5 já se jogue futebol, pratique natação, balé, etc. Isso significa que seus filhos estão expostos a um número maior de pessoas do que nunca.

Você conhece realmente bem a família com quem seu filho vai ficar? Há uma diferença entre deixar seu filho de 3 anos na casa da vovó ou do vovô por uma noite (e mesmo assim, muitas crianças de 3 anos ainda não estão preparadas para isso, pois vão sentir muito a falta da mamãe) do que deixar seu filho de 7 anos ficar na casa do amigo da escolinha de esportes para dormir. Você tem certeza de que não há pedofilia naquela casa? Eu sei que é minoria, mas este é o mundo atual. Os riscos são muito grandes. E aqui está o problema: se seu filho for abusado sexualmente, a probabilidade maior é a de que o autor do abuso seja um membro da família.

Isso significa que os pais de hoje não podem permitir-se *não* ser precavidos com seus filhos.

Isso significa que os pais de hoje não podem permitir-se *não* ser precavidos com seus filhos. Então, as perguntas que você deve fazer ao considerar uma noite fora de casa são:

1. Seu filho já passou alguma noite fora antes? Se não, será esta uma boa primeira experiência, em um ambiente sadio?

2. Seu filho vai sentir falta da mamãe?
3. Seu filho faz xixi na cama?
4. Você conhece bem as pessoas com quem seu filho estará?

Por todas essas razões, dormir fora de casa era algo muito raro na casa dos Lemans. Nós deixamos Lauren trazer algumas amigas para dormir quando ela estava na oitava série. Mas, criamos uma política severa de que Sande levaria as meninas para casa (não eu, sendo homem).

Quando você deixa seu filho dormir na casa de alguém, está afirmando que confiou a vida dele às pessoas daquela casa. Você os conhece bem?

DROGAS E ÁLCOOL

Não conseguia acreditar quando o diretor telefonou para dizer que tinham pego Seth e alguns outros garotos fumando maconha depois da aula. Meu filho fumando maconha?

Anita sempre foi boa aluna. Então, ela chegou ao final do ensino fundamental. Suas notas começaram a cair — não um pouco, mas muito. Agora ela está ficando fora até tarde com os amigos, ficou respondona e nos fins de semana permanece na cama até a tarde. E ainda assim tem olhos embaçados. O que aconteceu com minha boa garota?

Uso e abuso de drogas e álcool é um problema que não pode ser protelado. É uma montanha e uma situação que deve ser abordada imediatamente. Se seu filho sempre foi um aluno bom ou mediano e de repente, ao entrar no ensino médio, você vê suas notas despencarem, bem-vindo ao mundo da maconha. A maconha rouba a motivação de seu filho mais rápido que qualquer outra coisa. Muitos jovens fumam maconha — mesmo os que você chamaria de "bons garotos". E aqui está o truque: uma vez que um jovem começa a fumar maconha, seu corpo começa a pedir aquele "barato" cada vez mais.

> Uso e abuso de drogas e álcool é um problema que não pode ser protelado. É uma montanha e uma situação que deve ser abordada imediatamente.

O mesmo acontece com o uso do álcool. Muitos adolescentes começam a beber cerveja em festas para serem "descolados" e fazer parte do grupo. Logo, seu corpo e mente começa a exigir o "modo relaxado" no qual o álcool os coloca. Como disse uma garota: "Quando bebo, consigo fugir de quem sou e ser outra pessoa. Não fico mais tensa. Sou a rainha da festa, e todo mundo gosta de mim".

E é exatamente por isso que adolescentes usam drogas e álcool:

1. Para fugir de quem são ou do momento de sua vida (seja em casa, seja na escola, seja em ambas).
2. Para ser popular — mais um na "multidão" — e apreciado pelo grupo.

No entanto, esses tipos de estimulantes são só uma saída rápida, não a resposta para a infelicidade e a insegurança dos adolescentes. Pior ainda, drogas e álcool por anos resultam em vício.

Se você descobrir (ou mesmo suspeitar) que seu filho está bebendo ou usando drogas, faça-se essas importantes perguntas:

1. Onde meu filho está conseguindo dinheiro para comprar álcool e drogas? Talvez seja de você mesmo, por meio de sua mesada ou de dinheiro extra que ele pede. Se for isso, agora é hora de cortar o fornecimento, já que está apenas amparando seu hábito. Por um tempo, ele pode ser capaz de tomar emprestado de amigos, mas isso não vai durar muito.

2. Meus filhos sabem se eu fumo maconha ou uso qualquer outra droga? Se souberem, eles verão seu uso de drogas como o sinal verde para que possam se divertir com os amigos, fumar maconha, tomar um trago, cheirar isso ou aquilo — o que "pintar". Se você usa drogas, está dando permissão cega para que seus filhos usem também.

Esse tipo de história acontece todo dia, em todo lugar. Aconteceu com Danelle, como demonstra este relato:

> Meu pai tomava uma dose de uísque todo dia quando chegava do trabalho, e outra depois do jantar. Então, cresci achando que era isso o que se fazia quando se era adulto. Quando fiz 11 anos, queria ser exatamente como meu pai. Todo mundo parecia gostar dele porque ele era uma pessoa divertida... pelo menos quando estava por perto. Então, comecei a tomar golinhos de sua garrafa de uísque quando chegava da escola. Eu tirava de seu esconderijo de bebidas enquanto minha mãe fazia o jantar. Eu completava a garrafa com água para que ninguém soubesse que eu estava fazendo isso.
>
> Danelle continuou fazendo isso até que se tornou alcoólatra aos 13 anos. Mas só quando completou 15 anos e foi flagrada com amigos mais velhos em um bar é que sua família descobriu que ela bebia. Sua mãe ficou chocada, seu

pai, envergonhado, (ele era, afinal de contas, do conselho de sua igreja), e Danelle acabou precisando ir para uma clínica de reabilitação a fim de se recuperar.

Pior ainda, ela descobriu na clínica de reabilitação que estava grávida. Ela não sabia quem era o pai do bebê, porque tinha tido encontros enquanto estava bêbada.

O bebê nasceu prematuro, com síndrome alcoólica fetal. Um médico e sua esposa, que conheciam as possíveis complicações resultantes do consumo de álcool durante a gravidez, acabaram adotando o bebê e assumindo as contas médicas. Danelle perdeu um ano da escola devido às complicações com a gravidez e com a depressão resultante disso. Ela iniciou o ensino médio em outra escola para que pudesse começar de novo e fazer novos amigos.

Hoje Danelle tem quase 30 anos e trabalha em um centro para adolescentes viciados em álcool (algumas das meninas estão grávidas). "Sei onde eles estiveram e quero vê-los em um bom lugar também. Sou uma pessoa totalmente diferente agora porque meus pais demonstraram um amor severo. Mas a maior mudança de todas foi a do meu pai. Ele teve de admitir seu próprio problema com a bebida e suas inseguranças, e isso realmente transformou nossa relação. Quando voltei para casa depois da reabilitação, ele realmente *chorou* e disse que tinha falhado comigo, com minha mãe e com meu irmão mais velho. E, então me abraçou — o primeiro abraço real de que me lembro. Ele também chorou quando meu bebê foi adotado, mas me disse que tinha orgulho de mim por ter feito a coisa certa.

Se você descobrir que seu filho está usando drogas ou abusando do álcool, essa é a hora para o amor severo... a fim de proporcionar um futuro a seu filho. Procure oferecer aconselhamento profissional a seu filho. Coloque-o em um programa de reabilitação. Não espere. Muitos adolescentes foram vítimas de *overdose* ou mataram a si mesmos ou a outras pessoas por dirigir embriagados. A vida de seu filho é preciosa demais para arriscar.

EDUCAÇÃO BÁSICA

Este item não precisa de exemplos, porque você sabe exatamente do que estou falando. Aonde foi parar a cortesia ultimamente? Sempre me assusta e me aborrece quando dou carona para uma criança depois de alguma atividade e não recebo sequer um "Obrigado, sr. Leman, por me trazer em casa". *Isso não é o mínimo de educação?* Fico me perguntando.

Compare com meu netinho, Conner, que, desde os 3 anos, sempre agradeceu a mim e a sua avó *sem um empurrãozinho da mãe* toda vez que vinha brincar em nossa casa. Ele nos agradece quando lhe damos um refresco ou seu biscoito favorito. Se uma criança de 3 anos consegue se lembrar de agradecer, por que um adolescente não consegue? Pode ser que ele simplesmente não tenha sido instruído em casa sobre o que fazer ou dizer?

Se você tem uma criança pequena, comece agora a ensiná-la sobre o que dizer. Crianças não aprendem a dizer "muito obrigado" sem estímulo. Não é incomum ouvir a mãe de uma criança pequena dizer: "O que você diz?", como estímulo na hora em que ela recebe uma gentileza. Então, a criança se lembra: *Ah, eu preciso dizer obrigado.* Se a mãe reforça isso constantemente, quando a criança tiver 3 anos isso virá naturalmente, sem lembrança.

> Se você não ensinou boas maneiras a seu filho, nunca é tarde para começar.

Da mesma forma, crianças não aprendem educação básica sem ensinamento e estímulo. Ensine a seu filho como dizer por favor e obrigado. Se você não ensinou boas maneiras a seu filho, nunca é tarde para começar. Ensine-lhe como colocar o guardanapo no colo, que garfo usar primeiro se houver mais de um e como segurar os talheres. Ensine-lhe a virar o rosto e colocar a mão para tossir. Ensine-lhe que arrotar e outros ruídos corporais não são comportamentos educados em público.

Por que não transformar o aprendizado de educação básica em diversão criativa na hora das refeições? Brinque de "Pegar alguém que não está sendo educado". Todo mundo adora fazer isso em nossa casa. Na mesa do jantar, coloque uma pilha de moedas em frente de cada adulto e de cada criança (funciona melhor dos 6 aos 10 anos). Se você pegar alguém que não esteja sendo educado, tira uma moeda de sua pilha e coloca na sua. Se você for um pai palhaço como eu, pode mastigar com a boca aberta, só para que alguém o pegue. Pode ordenar: "Passe as batatas" e esperar que alguém o corrija para "Por favor, passe as batatas". Você pode até arrotar. Seja criativo para reforçar isso. Seus filhos vão adorar. Eles precisam que seus pais cometam alguns erros ao longo da vida. Por que não inventar alguns momentos de ensinamento para as crianças?

Vamos dizer que seu filho receba um presente. Depois dos 3 anos, seu filho não deve ser lembrado de dizer obrigado. Se ele não diz obrigado por conta própria, quando estiver a sós com ele, o que você pode fazer? Simplesmente diga: "Querido, percebi que você não disse obrigado para a Dona Fulana pelo presente que ela te deu."

"Ah, mamãe, eu me esqueci," é o que a criança costuma dizer.

"Tudo bem, obrigada por me dizer. Vou ficar com o presente até que você consiga agradecer a ela com um bilhete ou telefonema."

O que você está fazendo realmente nessa situação? Você não está punindo seu filho, nocauteando seu filho por ter se esquecido de dizer obrigado e deixando-a constrangida. Em vez disso, está ensinando seu filho a fazer a coisa certa ao atrasar a gratificação (que vai de encontro à tendência natural da criança que geralmente quer brincar com o brinquedo na mesma hora) até que a tarefa seja cumprida.

EDUCAÇÃO AO TELEFONE

Como seus filhos atendem ao telefone?

> Alô? Quem tá falando?
> Aqui é a Megan. Quem está falando, por favor?
> Aê! E aí?
> Aqui é da casa dos Leman. Posso ajudar?

Você ensinou seu filho a ser educado ao telefone — como atender ao telefone? Você ensinou seus filhos a não atender ligações quando estiverem sozinhos em casa? Eles devem deixar a secretária eletrônica atender (e só atender a ligação se for alguém de casa) ou dizer simplesmente: "Me desculpe, ela não está no momento. Quer deixar um recado?".

Quando alguém liga para você, seus filhos dizem: "Pode me dizer quem gostaria?" (a etiqueta adequada em vez de "Quem tá falando?"), ou eles gritam a plenos pulmões, do outro lado da casa: "Mãaaae!"

Como seus filhos respondem depois disso? Deve ser o que vocês preferirem na família, como "Só um minuto, vou chamá-la".

Se você acha que isso não é importante o suficiente para merecer atenção, considere o seguinte. Quando falo com executivos, pergunto: "Quem atende ao telefone em sua loja de automóveis?" É a recepcionista. Ela é a primeira pessoa a ter contato com o mundo exterior àquela empresa. Então a recepcionista é a pessoa que o representa como gerente. Da mesma forma, você precisa ter certeza de quem está atendendo ao telefone e como, porque isso reflete você e a maneira de administrar sua casa.

> Você precisa ter certeza de quem está atendendo ao telefone e como, porque isso reflete você e a maneira de administrar sua casa.

Se seu filho precisa pedir alguma coisa ao telefone, ensine-o a começar com a afirmação: "Preciso de sua ajuda. Pode me ajudar?" Se você começa dessa forma, é difícil que a pessoa do outro lado responda: "Ah, não me aborreça". Geralmente, pedir ajuda motiva o ouvinte do outro lado a dizer: "Como posso ajudá-lo?" A diferença é sutil, mas efetiva.

Falo mais sobre o que fazer quando crianças o interrompem ao telefone (v. "In-terrupções"), mas vou resumir aqui. A maioria dos pais cobre o fone e sussurra ou grita para os filhos: "Vocês querem ficar quietos? Estou tentando falar!" Mas, você causa uma impressão muito maior em seus filhos se retirá-los do ambiente. Coloque-os em um quarto longe de você ou, dependendo da idade deles e do clima, coloque-os para fora e tranque a porta. Demonstre por sua ação (sem interromper o que está fazendo) que você espera que eles sejam respeitosos e silenciosos quando você está ao telefone. Afinal, quando eles estão ao telefone com os amigos, você não faz uma apresentação de vendas na frente deles.

Em "Interrupções" falei de uma mulher que, enquanto conversava com uma amiga, colocou os filhos no quintal e só se deu conta de que eles continuavam lá 45 minutos depois! Quando ela voltou para deixá-los entrar, as crianças tinham encontrado um velho saco de papel e escrito um bilhete: *Mamãe, nós te amamos. Podemos entrar de novo?*

A mãe certamente fez valer seu ponto de vista! Trata-se apenas de ação, não de palavras. E as ações dela disseram: *Quero ser respeitada nesta casa, e vocês fiquem quietos quando eu estiver ao telefone.* Você acha que essas crianças vão armar o circo em frente da mãe quando ela estiver ao telefone da próxima vez?

EGOÍSMO

Crianças são egoístas por natureza, e têm pouco "interesse social" em qualquer outra pessoa. Nós, pais, já podíamos ter uma pista a partir da primeira coisa que eles fazem ao nascer: "Waaaah!" Eles só se preocupam consigo mesmos — e se estão aquecidos, acariciados e alimentados. A vida realmente "gira em torno de mim". A espécie humana é interessante e diferente da maioria das outras espécies porque leva um certo tempo para que uma criança pequena se torne completamente funcional (sendo que isso acontece muito mais rápido com os animais). No primeiro ano, a criança geralmente não fala, não come sozinha, etc. Ela é completamente dependente da mamãe (o papai não tem exatamente as partes do corpo de que elas precisam).

Crianças são egoístas por natureza.

Quando a criança começa a se movimentar é um momento importante de treinamento, especialmente na área do compartilhamento (mais sobre isso em "Compartilhar"). Você vê exemplos evidentes da natureza egoísta das crianças o tempo todo. Quando isso acontecer, diga a seu filho: "Isso foi uma atitude egoísta de sua parte. Você fez de propósito?"

Muitas vezes a criança dirá, "Não".

"Você consegue pensar em uma maneira melhor de lidar com a situação?", você pergunta. "Por que não chama seu amigo de volta agora e sugere outra coisa?"

Nesse tipo de situação, sua responsabilidade é a de ser o pastor que guia o carneiro. Como um bom pastor, às vezes, você precisa guiá-lo gentilmente na direção correta com seu cajado (mesmo quando a sua vontade for de dar com o bastão na cabeça dele).

Todo pai tem a responsabilidade de guiar seu filho rumo a um comportamento desinteressado e altruísta. Em meus seminários, pergunto aos pais: "Por que paramos no sinal vermelho?"

"Porque é a lei e não queremos levar uma multa", é o que eles costumam dizer.

"A melhor resposta", lhes digo, "é que paramos porque não queremos machucar ninguém."

Observe a diferença entre as respostas — e o fato de que a resposta não egoísta não é a primeira que vêm à cabeça. Todos nós somos egoístas. Vivemos em uma sociedade orientada para o eu. Existe até mesmo uma revista chamada *Self.*

Quando se ensina uma criança a não ser egoísta, na verdade estamos ensinando-a a ser antissocial, a ser diferente das demais. Mas, por que você quer que seu filho seja igual a todo mundo, afinal?

Aprender a não ser egoísta é um atributo importante para uma criança saudável. Trabalhamos duro para infundir isso em nossos filhos. Desde os 10 anos, Lauren dedica um tempo para escrever a uma criança que ajudamos em El Salvador. É bom para ela compreender e ver que a maior parte do mundo tem muito menos do que ela. Nós também entregamos mantimentos a famílias carentes nas festas de final de ano.

Dar o exemplo de generosidade para quem é menos afortunado do que você é muito importante, como família e como indivíduo. Amigos nossos são voluntários de um projeto que distribui sopa aos pobres, aos sábados pela manhã, e levam os filhos adolescentes. O engraçado é que, antes de começarem a trabalhar servindo sopa, esses adolescentes estavam sempre insistindo com seus pais para que comprassem outro carro, para que eles não tivessem a inconveniência de não ter o carro disponível. Depois de três semanas na cozinha, o pedido nunca mais foi mencionado.

Quando seus filhos demonstram egoísmo, precisam de uma pequena dose de realidade, como esses adolescentes. Ou como a mãe de um "filho único" que decidiu não dividir com ele sua sobremesa, já que a criança tinha se recusado a dividir a dela com o filho do vizinho no dia anterior.

Ensinar o comportamento não egoísta compensa no final das contas. Sempre notei esse traço de caráter em nossa quarta filha, Hannah. Pergunte a qualquer pessoa que a conhece e eles dirão que ela vive sua vida sem o menor traço de egoísmo. No inverno passado, uma das colegas de classe de Hannah precisava de um casaco de inverno e não tinha dinheiro para comprar. Hannah ficou sabendo e, discretamente, comprou um casaco para a jovem.

Acredite em mim, não foi porque seu pai é um psicólogo conhecido. Tem tudo a ver com a forma como Hannah foi educada — como seu irmão e irmãs interagiram com ela, como nós, pais, interagimos com ela. Ela viu sua casa como um local de amor e doação, onde se pensava no bem-estar do outro. Digo isso para mostrar como a família Leman é legal? Não, uso esse exemplo para explicar um princípio simples: crianças repetem o que vivenciaram em casa. Se você criar um ambiente em que as crianças se sintam amadas e aceitas pelo que são, e aprendam a retribuir em família, quando elas saírem de casa e forem morar sozinhas, adivinhe o que acontecerá? Elas continuaram a fazer o que faziam em casa!

Qual é a alternativa? Procure no jornal de sua cidade hoje. Você verá todos os tipos de casos de pessoas que não cresceram nesse tipo de ambiente. Seus crimes estão documentados nas manchetes e na televisão em todo o país. As prisões estão cheias de pessoas que nunca aprenderam a não ser egoístas.

Ensine isso a seu filho. Ele, então, despontará para a sociedade como alguém que doa, não que pega.

ESCOVAR OS DENTES

> É horrível. Posso jurar que os dentes dele estão ficando amarelos. Logo vão começar a apodrecer. Acho que a última vez que ele escovou os dentes foi quando o obriguei, aos 12 anos.

> Quando insisti em que escovasse os dentes, ela deu de ombros. "Eu masco chiclete, mãe. É a mesma coisa".

> Ele geralmente está muito mal-humorado à noite para escovar os dentes, e eu estou cansada demais para obrigá-lo. Uma vez por dia, é suficiente?

Escovar os dentes é uma ação de higiene básica. Ninguém quer conversar com alguém que tem mau hálito — pelo menos não por mais de dois segundos depois do primeiro bafo. Não escovar os dentes não afeta só a vida social. Estudos da American Dental Association mostram que há uma correlação direta entre a saúde bucal e a saúde do corpo como um todo. E só porque seu hálito fica cheirando a "menta fresca" quando masca chiclete, não significa que você está eliminando toda a sujeira de seus dentes, que pode causar cáries ou tornar o corpo doente.

Escovar os dentes é higiene básica que todos devem praticar. Preciso dizer mais?

Adote bons hábitos de higiene bucal assim que seu filho tiver dentes para escovar. Até os menores podem aprender a ser um adepto da escovação. Escove duas ou três vezes ao dia (como todo dentista sugere!) para que isso se torne uma rotina, e não uma briga. Escovar depois de comer doces é uma boa ideia também.

Se seu filho se esquece de escovar os dentes ou briga com você sobre isso, adote uma "inspeção de hálito" pela manhã. Antes de seu filho sair pela porta para ir à escola, ele tem de expirar para você. (Não é a tarefa mais agradável para um pai, mas o resultado é efetivo.) Se o hálito matinal de seu filho for capaz de paralisar um alce, a criança dá meia-volta e vai ao banheiro escovar os dentes. Sem brigas. Sem questionamentos. Sim, mesmo que ele esteja atrasado para a escola. Na verdade, se estiver atrasado, a lição é ainda melhor.

Escovar os dentes é higiene básica que todos devem praticar. Preciso dizer mais?

ESQUECIMENTO

Mas eu me esqueci!

Crianças se esquecem. Todo mundo se esquece. Esquecem de fazer a lição de casa, esquecem de trazer o clarinete de volta para casa. Mas não aceite desculpas. Isso só torna o fraco mais fraco.

Se Janie, aos 12 anos, esquece o clarinete, o melhor a fazer é dizer a ela: "Querida, volte à escola para buscar seu clarinete. Você precisa dele". Se você mora em uma cidade pequena ou em um bairro seguro e ela tiver de andar um quilômetro de volta à escola, que seja. Se não, você pode ter de levá-la de volta à escola para buscá-lo. A questão é: não deixe o esquecimento ser uma desculpa para que uma tarefa não seja cumprida. Seu filho precisa aprender a ser responsável por fazer o que diz que vai fazer. Não premie o esquecimento.

Não aceite desculpas. Isso só torna o fraco mais fraco.

Esquecer não é desculpa. Os únicos que se beneficiam disso são as empresas de cartão de crédito. Elas ganham uma fortuna quando você atrasa o pagamento, só porque se esqueceu. Elas cobram multa e juros altíssimos na fatura seguinte.

EU, EU, EU

"Mas eu quero..."

"Não tenho vontade de..."

Crianças são naturalmente egoístas e desatenciosas até que sejam treinadas para agir de outra forma. Você é o pai e a autoridade sobre seu filho, portanto essa é uma de suas tarefas fundamentais. Crianças precisam aprender que não são o centro do universo. Precisam aprender que há outras pessoas no mundo a serem consideradas.

Vamos dizer que você tenha um menino de 12 anos, uma menina de 9 e uma de 8. Você já fez vários discursos sobre como vocês todos são uma família e precisam compartilhar a diversão e o trabalho. Seus filhos ganham mesadas. Todos viajam juntos. Mas, o menino de 12 anos simplesmente não entende. Ele discute sobre ajudar a lavar a louça e limpar o banheiro porque não tem vontade de fazê-lo. Ele reclama do lanche que você manda para a escola. Ele critica tudo o que você faz na cozinha, inclusive a maneira de fazer o jantar. E critica as irmãs também.

Crianças são naturalmente egoístas e desatenciosas até que sejam treinadas para agir de outra forma.

Então o que você pode fazer? Vamos dizer que na noite seguinte você esteja preparando o jantar.

Ele está ali parado criticando tudo o que você e as irmãs estão fazendo. "Meninas", você diz, "preciso de ajuda no quarto. Evan, você pode continuar e fazer o jantar sozinho. Assim você tem certeza de que ele vai ficar exatamente do jeito que você quer."

Acha que ele vai captar a mensagem? É batata!

Você também pode encarregá-lo de preparar não só seu próprio almoço, mas o das irmãs por uma semana. Se ele resmungar para limpar um banheiro, encarregue-o de limpar todos os banheiros da casa. Ele vai captar bem rápido a ideia de que o mundo não diz respeito só a ele.

O ponto é que, como pai, você precisa ensinar constantemente a seus filhos a serem responsáveis e a pensar nos outros. Crianças sempre terão um comportamento infantil porque são crianças. Mas, se você reservar um tempo para o treinamento, estará bem sintonizado com sua Atitude, Bom comportamento e Caráter em longo prazo.

EXCESSO DE CAUTELA

Mindy tem medo de experimentar tudo.

Antes de entregar a lição de casa, Dave confere tudo várias vezes.

É bom ser cauteloso, mas não excessivamente. A palavra-chave é *excessivamente*. Quando as crianças são excessivamente cautelosas, o perfeccionismo está em plena floração em sua casa.

Muitas crianças que não começam projetos têm medo de que se começarem, podem fazer errado. Temem as críticas acima de tudo, então a pior coisa que os pais podem fazer é criticá-los. Essas crianças vivem com uma pedra no pescoço: *Tenho de produzir... senão.*

Como essas crianças desenvolveram esse medo? Sendo enaltecidas por seus pais em vez de encorajadas. (Mais sobre esse assunto no cap. "Quinta-feira".) Eles abusaram dos enaltecimentos com tudo o que a criança tinha feito até que ela diz a si mesma: *Eu só tenho importância quando faço as coisas perfeitamente. Se não faço, não valho nada.*

> Essas crianças vivem com uma pedra no pescoço: *Tenho de produzir... senão.*

Eis a surpresa. Seu filho pode não parecer perfeccionista. Pode estar sempre atrasado, seu quarto pode estar uma bagunça e ele pode parecer desmazelado também, mas por baixo disso, ele é um perfeccionista. Pode ter feito a lição de casa e feito corretamente, mas um mês depois a professora encontra a lição em sua carteira, na escola.

"Por que você não entregou isso?", você pergunta. Ele não tem resposta, porque não sabe como expressar o medo de que se ele tivesse entregado, alguém a teria avaliado. Alguém lhe daria uma estrela ou uma nota vermelha. E se fosse uma nota vermelha? Como ele poderia viver com isso?

Se você fica enaltecendo seus filhos constantemente pelo que eles fazem, dizendo "muito bem" a toda hora e recompensando-os com um prêmio cada vez que eles conseguem uma nota boa ou ganham um concurso, o perfeccionismo entra em cena e torna seu filho uma criança excessivamente cautelosa. Isso pode não ter amadurecido completamente até seu filho chegar ao final da adolescência ou aos 20 e poucos anos, mas estará lá.

É interessante que esse tipo de perfeccionismo aconteça especialmente com primogênitos e filhos únicos. Faz sentido se você levar em consideração que seus modelos na vida são adultos. Só papai e mamãe estão por perto. Nenhum irmão mais novo.

Qual a natureza motivacional do comportamento de ser excessivamente cauteloso? Escapar da tarefa que a criança não quer fazer por medo do fracasso. No excesso de cautela, como em todas as coisas, seu relacionamento com a criança é que faz a diferença. Então diga a seu filho o que você faz bem e quais são seus pontos fracos. Ele precisa vê-lo rindo de si mesmo em vez de levá-lo a sério e ficando nervoso quando comete um erro. Quando ele precisar realizar uma tarefa, pegue-o pela mão e faça junto o que precisa ser feito. Não deixe o excesso de cautela ser um impedimento para a conclusão daquele trabalho ou tarefa.

Conforme você trabalha com o excesso de cautela junto, seu filho adquire confiança. Então seu medo do fracasso será obscurecido com alguns sucessos na bagagem.

EXIBICIONISMO

Meninos são meninos. Eles estão sempre mostrando o muque para os outros. Mas há uma diferença entre fazer isso em um grupo de amigos no *playground* e fazer isso na frente de seus colegas de trabalho convidados para jantar em sua casa. Também há uma diferença entre meninos fazerem uma competição de arrotos e puns entre si e fazer isso à mesa do jantar. Crianças são crianças, e fazem coisas idiotas. E os mais idiotas de todos são meninos tentando se exibir para as meninas. Mas, no final eles também vão crescer, se tornar adultos — e continuar fazendo coisas idiotas.

> Quando crianças querem se mostrar, você pode surpreendê-las dizendo: "Você se importa em fazer de novo?"

Digamos que você esteja recebendo alguém e sua filha entra na sala e começa a dar cambalhotas para chamar sua atenção. O que você deve dizer? "Você pode voltar e fazer novamente para que eu possa prestar mais atenção?"

A maioria vai parar na mesma hora porque, ao contrário de suas ações, em geral, as crianças ficam tímidas sob os holofotes.

Você também pode dizer: "Querida, você se importa de fazer seu *show* lá fora?"

Ao dizer essas coisas, você está mostrando à criança que você sabe que ela está tentando chamar sua atenção. Entretanto, a forma que ela está fazendo isso não é adequada para a situação.

"Dr. Leman", alguns de vocês podem estar dizendo, "como eu poderia fazer isso? Minha filha ficaria constrangida."

Agora, eu é que pergunto. Você está lendo este livro porque quer mudar as coisas em sua casa. Estou dizendo que em cinco dias você *pode* mudar as coisas e não deixar esses comportamentos continuarem. Um comentário constrangedor seria capaz de destruir seu filho — ou o levaria a um comportamento que o tornaria aceitável socialmente pelo resto de sua vida?

Se você é o tipo de pai que diz: "Bem, eu nunca conseguiria fazer isso com a minha filha", vai encarar o mesmo tipo de dilemas — e muitos mais — mais tarde, porque não persistiu em disciplinar seus filhos no início da vida. E, mais tarde, os espetáculos ficarão muito mais grandiosos do que cambalhotas na sala de visitas.

Durante muitos anos, ensinei professores matriculados em cursos de graduação. Eu dizia a eles diretamente: "Se você tiver uma criança perturbando a aula, peça a todos que parem o que estão fazendo e olhem para aquela criança por cinco minutos, para que ela receba toda a atenção da classe. Quando o sinal tocar, as crianças estão condicionadas a sair correndo porta afora. É nessa hora que você diz: 'Agora vamos repor os cinco minutos que perdemos assistindo ao Timothy hoje'. Segure a classe por cinco minutos durante o recreio. Deixe a pressão dos colegas resolver o problema."

Muitos 'abraçadores de árvores' e reformadores sociais do mundo ficam loucos comigo por dizer isso, mas os professores que experimentaram elogiaram muito os bons resultados dessa atitude. E, por incrível que pareça, foi preciso apenas *uma vez* para coibir o comportamento.

Quando crianças querem se mostrar, você pode surpreendê-las dizendo: "Você se importa em fazer de novo? Percebi que você está querendo minha atenção, então quero dar minha atenção total".

Eu fui uma criança que adorava chamar a atenção, mas até mesmo eu teria sido contido com essa abordagem.

FALTA DE COOPERAÇÃO

> Ele sempre se recusa a fazer o que o resto da família quer fazer. Sempre tem de ser o que ele quer fazer ou ele vira o mau perdedor e inferniza a vida de todos nós pelo resto do dia.

Não estou falando de um fato isolado, (vamos ser francos: todos nós temos nossos momentos). Estou falando do garoto que tem essa atitude sempre. Ele faz com que você enfrente uma crise atrás da outra. Você apaga um incêndio e outro foco surge imediatamente. Ele deixa claro que seus desejos são os que importam, e ninguém mais interessa.

O que você pode fazer a respeito? Tenho uma receita que funciona bem: trate-os a pão e água. O que isso significa? Seu filho está acostumado a conseguir muitas coisas: mesada, dinheiro para o lanche, aulas de violão, visitas à casa de amigos. Sem raiva. As coisas simplesmente param. Seu filho se encaminha a porta a fim de ir à aula de guitarra e espera no carro. Ele fica lá sentado... e fica... e fica. Você não sai, então finalmente ele se irrita o suficiente para entrar e dizer: "O que acontece? Nós não vamos para a aula de guitarra?"

Trate-os a pão e água.

Agora vem o momento instrutivo.

"Eu liguei e desmarquei a aula", você diz calmamente.

"O quê?", ele diz.

"Bem, seu pai e eu conversamos. Parece que você quer abandonar a família, então assim será por um tempo. Ser membro da família traz alguns benefícios, eu acho, mas você deve viver do jeito que acha melhor. Não posso forçá-lo a fazer coisas, mas haverá mudanças na forma de funcionamento da família. Não vou mais levá-lo às aulas de guitarra, nem vou pagar por elas."

Esse método funciona muito bem com crianças maiores. Às vezes você só precisa acertá-las no local em que dói (figurativamente falando, é claro) para que elas entendam.

FALTA DE GENTILEZA

Crianças são muito pouco gentis, por natureza. Tudo para elas é "eu, eu, eu" e "me dá". A menos que sejam ensinadas pelos pais a serem gentis, elas não farão isso por conta própria.

Quando seu filho fala ou age de forma pouco gentil bem diante de seus olhos, o melhor a fazer é puxá-lo de lado e dizer: "Isso é uma coisa nada gentil de dizer. Você realmente quis dizer isso? Foi de propósito?"

Algumas crianças são más sem saber, outras fazem de propósito.

Depois que a criança tiver a chance de responder, diga: "Isso me fez sentir [usada, desvalorizada etc.]. É isso que você estava querendo dizer?"

Essas palavras fazem a criança perceber imediatamente que o que disse foi indelicado. Também abre espaço para a resposta possível: "Mãe, me desculpe. Não deveria ter dito isso".

Se você obtiver uma resposta positiva, a vida continua. Se não houver esse tipo de reação, então, a vida não continua. Lembre-se: "B não acontece até que A esteja concluído". E "A" exige um pedido de desculpas e o corte de privilégios até que a lição seja aprendida. *Só então* a vida pode continuar.

Se você é uma pessoa de fé, está comprometido pela ordem de Efésios 4:31-32, de sermos gentis uns com os outros. Como sua família está se saindo nesse aspecto da vida?

Eu garanto que, conforme sua vida de pai se desenvolve, haverá discussões. Se você for leal, vai medir forças com algumas pessoas. Jill, mãe de uma criança no jardim de infância, teve de confrontar a falta de gentileza constante de outra menina da escola conversando com a mãe dela. "Oh, não, minha filha nunca diria isso" respondeu a mãe na defensiva. "Sua filha deve estar mentindo".

"Entendo sua resposta inicial" disse Jill "porque eu teria feito a mesma coisa, defenderia minha filha, se alguém tivesse me dito isso. Mas quero que você saiba que ouvi a resposta de sua filha. Sua filha disse isso, e a minha ficou muito magoada.

Tudo o que Jill podia fazer era defender seu ponto. A partir daí, cabia ao outro adulto continuar vivendo na Tralalândia (e pensando que a filha perfeita não poderia ter feito esse tipo de coisa, ou se escondendo de Jill para que não tivesse de olhar em seus olhos) ou confrontar o comportamento da filha. Se ela escolhesse fingir que o evento nunca aconteceu, continuaria sendo uma mãe fraca. E a filha, um dia, faria um comentário ainda menos gentil diante de uma plateia que poderia reagir de forma mais veemente.

O pai inteligente aborda o comportamento quando ele acontece — sem desculpas. E a vida não continua até que desculpas sinceras sejam pedidas.

Você sempre deve lutar as batalhas de seu filho por ele? Certamente não. Mas às vezes, como neste caso, as apostas são altas. Jill estava defendendo sua filha contra uma ofensa racial que foi profundamente prejudicial — mais ainda porque a filha de Jill era a única de outra etnia na classe.

Algumas crianças são más sem saber, outras fazem de propósito. Todos dizem coisas idiotas às vezes. Mas, quer tenha sido proposital ou não, se seu filho diz palavras ofensivas a outra pessoa, ele merece saber a verdade sobre como ofendeu o outro. E a vida não pode continuar enquanto a pessoa não ouvir desculpas.

Sem exceção.

FESTAS (FESTAS DE ANIVERSÁRIO/FESTAS DE ADOLESCENTES)

Você sente que tem de oferecer a seu filho festas de aniversário de arromba? Por que isso, exatamente? Você teme que seu filho perca a oportunidade? Que você não receberá o título de bom pai se não desembolsar — e desembolsar bastante?

O que será que aconteceu com o "convide os colegas da escola para virem aqui comer bolinhos no quintal?" No questionário no prefácio deste livro, eu mencionei essas festas de arromba:

- Os pais de Rosa, de 7 anos, fretaram um ônibus e levaram a filha e muitos amigos a uma cidade a cerca de 185 quilômetros de distância para que cada um pudesse criar seu próprio ursinho de pelúcia; depois eles comemoraram com bolo e sorvete em uma sorveteria.
- Os pais de Mikey, de 5 anos, alugaram o estádio de um clube que tinha vista para um campo de atletismo.
- Marti, mãe solteira, gastou um mês inteiro de salário no aniversário de sua filha de 10 anos.

Com muita frequência, descobri que são os *pais*, e não os filhos, que estabelecem esses padrões. Sob a aparência está a vontade de provar a si mesmo que são bons pais ao adotarem o padrão de vida de outras pessoas. Mas, é isso que as crianças realmente querem? A maioria das crianças pequenas que conheço só quer correr no jardim, se divertir, talvez brincar com o esguicho ou com balões de água, e comer sorvete e bolo. Para elas, essa é a festa que conseguem aproveitar.

O que será que aconteceu com o "convide os colegas da escola para virem aqui comer bolinhos no quintal?"

A família Lupkin tem uma regra para festas de aniversário, seguida por toda a família. Além dos membros mais próximos da família, cada criança pode ter um novo convidado especial a cada aniversário. Isso significa que a criança de 6 anos convida seis amigos para a festa em casa. A de 15 anos pode convidar quinze amigos. Isso tem mantido a família de seis filhos afastada da loucura de convidar a classe inteira para o aniversário de cada filho.

No caso de festas de adolescentes, por que não oferecer a festa em sua própria casa? Você não precisa de uma limusine carérrima para o baile de formatura — e quem realmente quer o filho na rua, em algum lugar com um namoradinho que você mal conhece e uma enorme pressão para beber e transar? Mas, você realmente precisa saber exatamente o que está acontecendo (não precisa ficar no pé, mas algumas passadas na hora e no lugar certo são importantes). Melhor ainda, seu filho estará em casa em um ambiente sadio e você não terá de ficar acordado até tarde, preocupado se alguém vem trazer seu filho em casa (ou se aquela pessoa está bêbada). Quando você põe na balança os aspectos de preocupação e segurança, quem se importa de comprar mais comida para a festa?

O importante é decidir que tipo de festa você fará ou não — e então, manter essa decisão, mesmo se for desafiado pelo jovem, um amigo bem intencionado ou um parente, que acha que você deve fazer mais do que faz.

FOFOCA

Você sabe o que Katherine fez?

Sam arrumou encrenca na escola hoje...

Eu vi Damon na casa do Jason hoje à noite. Ele não deveria estar na biblioteca?

Fofoca — assim como rivalidade entre irmãos — está por aí desde que Caim e Abel caminharam sobre a terra pela primeira vez. E vai continuar por aí, então você pode simplesmente se acostumar a isso. A razão por que continua sobrevivendo é porque os pais acham conveniente ouvir a fofoca.

> Provavelmente, todos na família estariam melhor se o pequeno traficante mantivesse a boca fechada.

O fofoqueiro é um traficante, (geralmente alguém que sussurra), é a pessoa da família que adora dar informações confidenciais sobre o que as outras crianças da família estão fazendo. Geralmente ela está certa em relação à informação, mas isso torna correto o que está fazendo? É tão tentador ouvir o pequeno traficante. Afinal, como pai, é bom ter informações privilegiadas sobre o que seus filhos andam fazendo. Mas, provavelmente, todos na família estariam melhor se o pequeno traficante mantivesse a boca fechada.

O pai ponderado dirá ao pequeno traficante: "Não quero ouvir. Se você tem um problema com seu irmão, vá falar com ele. Se ele fez alguma coisa, então ele é que deve me contar, não você".

Isso vai tirar o vento da vela do fofoqueiro, porque eles adoram se servir dos outros. Você sabia que essa é uma maneira de os traficantes se sentirem melhor sobre si mesmos? Na maioria das vezes, quando crianças fofocam sobre irmãos, é porque o fofoqueiro está disputando a posição de quem é o melhor da família. É uma humilhação disfarçada de "alguma coisa que você precisa saber". Francamente, é também outra forma de ofensa, só que geralmente dita em um sussurro.

Annie, de 3 anos, era uma linda criança, com cabelos loiros naturalmente cacheados — o tipo de criança que ficaria ótima em uma fantasia de anjo. Mas ela estava longe disso. Annie costumava fofocar sobre Michael, seu irmão mais velho. Isso fazia os pais subirem pelas paredes. Quando eles conversaram comigo, ofereci-lhes uma estratégia simples: "Diga apenas que não querem ouvir".

A mãe de Annie levou o conselho um passo além. Da vez seguinte que Annie quis contar alguma coisa, ela disse: "Annie, não quero ouvir. Vá contar para a árvore do jardim".

Uma semana depois a mãe olhou pela janela e riu. A pequena Annie estava lá fora, falando e gesticulando para a árvore!

FUMAR

Fumar é uma montanha. Eu sei, eu fumava. Aos 7 anos experimentei meu primeiro cigarro — um Viceroy — na garupa da bicicleta de meu amigo Eddie, e achei que fosse o mais descolado dos descolados. Alguns meses depois que conheci Sande, minha esposa há quatro décadas, parei na marra, porque ela detestava. Para vocês que vem lutando contra o cigarro, isso diz muito sobre minha esposa, não?

Também conheço alguns pais, hoje em dia, que acham que fumar não é um grande problema. Eles até permitem que seus filhos de 15 ou 16 anos fumem em casa e suportam ser fumantes passivos. Eles sequer têm uma regra que diz que não se pode fumar dentro de casa, porque não querem ofender os filhos ou violar seus direitos.

Isso é insano, em meu ponto de vista. Você sabe como ser fumante passivo é ruim para você? Sem contar que esses pais estão deixando que os filhos controlem as próprias casas — e arruínem sua saúde e a dos demais.

Se você surpreender um filho fumando, mande-o fazer uma pesquisa de cinco páginas sobre os males do tabagismo. A pesquisa tem de ser entregue. Em outras palavras, a vida não continua até que ele termine de fazer a pesquisa e você tenha tempo de ler e aprovar.

> O psicólogo Alfred Adler dizia que as pessoas fumam por uma ou outra razão: estão tentando chamar a atenção ou são idiotas.

Por que algumas crianças são atraídas para o cigarro e outras não?

O psicólogo Sigmund Freud tinha uma visão interessante sobre fumar. Resumindo, ele dizia que as pessoas que fumavam cigarros tinham parado no estágio de desenvolvimento oral. Elas não tinham tido estímulo suficiente da amamentação materna. O psicólogo Alfred Adler, cujos pensamentos foram trazidos ao ocidente por Rudolf Dreikurs em "Children, the Challenge" [Filhos, o desafio], dizia que as pessoas fumam por uma ou outra razão: estão tentando chamar a atenção ou são idiotas.

Qualquer que seja o motivo, fumar faz mal para o organismo. Se você acha que seu filho está fumando cigarro, maconha ou usando drogas, é hora de tomar uma atitude. Conheço alguns pais que instalam escuta telefônica em sua própria casa para descobrir o que acontece quando viajam no fim de semana. Outros conferem o histórico do navegador da internet e leem os comentários de seus filhos em sites de relacionamento.

"Mas dr. Leman", você pode estar dizendo, "e quanto à privacidade do meu filho?"

Quando o assunto é segurança, não há direito à privacidade. Se alguma coisa está acontecendo, você é responsável por descobrir. Você é o pai.

Se você acredita que seu filho está usando drogas (metanfetamina e crack são comuns atualmente, assim como heroína em bairros mais ricos), marque uma consulta médica para ele. Faça isso sem alarde, mas informe o médico (sem seu filho ouvir) que você quer um exame de urina para ver se há drogas ilegais em seu corpo.

Se o resultado for positivo, você precisa entrar em ação. Drogas causam dependência, é preciso intervir de alguma forma. Reúna algumas pessoas-chave que seu filho respeita, sente com ele sem aviso prévio e coloque as cartas na mesa. Diga que você sabe o que está havendo. Se seu filho dirige o carro da família ou tem o próprio carro, todos os privilégios estão cortados imediatamente, porque é óbvio que ele não é responsável.

De onde vêm o dinheiro para sustentar o hábito de fumar ou de usar drogas? Se for da mesada, suspenda-a imediatamente. Se seu filho trabalha meio-período, desligue seu filho do emprego. Diga ao empregador que seu filho não tem mais permissão para trabalhar ali. É difícil manter o hábito se não há dinheiro para pagar e tomar emprestado dinheiro dos amigos para comprar cigarros ou outras drogas não vai muito longe.

Um pai sábio vai adotar uma abordagem linha dura para parar esse comportamento imediatamente. Há muita coisa em jogo.

FURTAR

Não importa se a criança foi pega no ato do furto ou não. O que importa é que seu filho furtou alguma coisa. Esse comportamento precisa ser abordado imediatamente.

Seja um chocolate ou calças *jeans* de marca, o item precisa ser devolvido o mais rápido possível ao dono, com a criança a reboque. Mas o fato de levar a criança à loja não significa que você vai falar por ela. A própria criança precisa entregar o produto ao balconista (ou ao vizinho ou à pessoa de quem ela furtou) com um pedido de desculpas: "Me desculpe por ter levado isso. Eu sei que é errado, e estou devolvendo".

Por favor, não varra o furto para debaixo do tapete porque você ficou constrangido. Se descobrir, por exemplo, que seu filho furtou um chocolate, conduza a criança imediatamente de volta à loja, encontre o balconista e entregue o doce com as desculpas de seu filho. Você provavelmente vai notar que, na maioria das vezes, o adulto tenta falar com você. Reconduza a atenção à criança e faça seu filho falar por si.

O conceito de propriedade deve ser implantado com firmeza na cabeça da criança.

Se você descobrir mais tarde o fato de seu filho ter furtado (ou seja, você voltou para casa mais tarde à noite ou um dia depois e viu o item surpresa), vá em frente e veja se o gerente da loja está disponível para que a criança possa se desculpar pessoalmente. Mais uma vez, tenha certeza de que o gerente saiba que precisa falar com a criança, e não com você, e que você quer reforçar a ideia de que furtar não é certo.

Mesmo sendo uma situação muito embaraçosa para os pais e para a criança que é pega roubando, não há necessidade extra de disciplina além de devolver o item e enfrentar qualquer ação que a loja (ou o vizinho) exija. Palavras duras vindas de uma figura com autoridade fora de casa, geralmente, são suficientes para coibir o comportamento.

O dono de uma loja de bairro pediu a um garoto que tinha furtado um relógio para vir depois da escola e varrer o chão por uma semana. Outro pediu a uma garota que tinha furtado uma bolsa para fingir que era cliente e ficar de olho em outras crianças que poderiam furtar também — uma punição interessante para o crime.

Muitas crianças furtam de lojas. Outras furtam biscoitos do pote ou tiram moedas das gavetas em casa. O lugar não é a questão; o importante é que o furto seja abordado e a criança saiba que esse comportamento não é honesto ou correto. A menos que tenha sido dado por alguém ou pago por alguma coisa, não é dele e deve permanecer com o dono.

O conceito de propriedade deve ser implantado com firmeza na cabeça da criança.

GRITARIA

> A maneira como ela grita está me deixando louca. Dou um pulo cada vez que ouço e corro para o jardim, achando que há algum problema.

Você precisa entender uma coisa básica sobre o desenvolvimento de seu filho: crianças pequenas gritam. Isso é fato. Crianças estão começando a explorar a vida, e isso inclui não só os arredores, mas a forma de funcionamento de seu corpo. Crianças de 14 meses a 2 anos descobrem que têm voz. Mais ainda, essa voz deliciosa pode criar ruídos maravilhosamente alto que faz os pais saírem correndo. É um jogo divertido! É como um brinquedo novo que elas precisam descobrir como funciona. A criança experimenta um tipo de grito para ver como seus pais vão reagir. Se eles têm uma reação extrema, a criança dirá a si mesma: *Ei, isso foi divertido. Eu grito e eles vêm correndo. Fazem aquele gesto engraçado com a mão e olham daquela maneira divertida e as veias do pescoço deles saltam. Ah, esse é o jogo e é assim que se joga. Entendi. Vamos fazer de novo.*

Dois casais que aconselhei não sabiam mais o que fazer com seus filhos pequenos. A criança acordava gritando no meio da noite e acordava a família inteira, de seis pessoas. Os pais tinham tentado tudo para evitar que a criança gritasse e nada funcionou. Um dia os irmãos disseram: "O que aconteceria se nós gritássemos de volta?" Bem, eles fizeram isso. A criança ficou tão assustada que o grito morreu em sua garganta. E este foi o fim das gritarias às 3 horas da madrugada naquela casa. Às vezes atitudes pouco ortodoxas funcionam.

As crianças vão gritar. Mas, não vão continuar gritando se esse comportamento tiver sido punido.

A questão é: as crianças vão gritar. Mas, não vão continuar gritando se esse comportamento tiver sido punido. Sair correndo para mandá-los fazer silêncio é uma maneira de reforçar o comportamento negativo, porque lhes dá atenção. A menos que você reaja, seu filho não verá o grito como um comportamento negativo. É por isso que não me incomoda se vejo uma criança de 2 anos ou menos gritar. Isso faz parte de seu desenvolvimento e da exploração do corpo.

Mas se for uma criança de 9 ou 10 anos, ele está fazendo isso por uma razão específica. Ele quer mostrar a você quem está no comando. Isso precisa ser cortado pela raiz, porque saiu do campo da experimentação do funcionamento do corpo para entrar na área do desrespeito. (V. "Respeito").

GROSSERIA

Crianças são diretas e às vezes podem ser grosseiras sem querer. "Por que essa mulher é tão gorda?", pergunta sua filha na fila do supermercado... e a mulher está bem atrás de você.

Quando seu filho fizer um comentário grosseiro, antes de reagir, pergunte-se: *Ele realmente quis ser grosseiro?* Se foi apenas uma questão honesta e direta, diga: "O que você disse soou grosseiro, mas não acho que foi de propósito. Às vezes dizemos coisas assim sem querer. Só achei que era bom você saber".

Se a criança realmente estiver sendo grosseira (e você, como pai, geralmente consegue saber a diferença), chame a criança de lado e diga: "O que você disse agora foi grosseiro e você precisa pedir desculpas imediatamente. Foi muito desrespeitoso com aquela pessoa e nesta família não somos desrespeitosos".

> Antes de reagir, pergunte-se: *Ele realmente quis ser grosseiro?*

Não facilite a vida de seu filho assistindo-o pedir desculpas.

Você pode até acompanhar seu filho, mas não deve "ajudá-lo" a se desculpar. Ele precisa sentir o peso de sua grosseria para que pense antes de dizer algo parecido da próxima vez.

HIPERATIVIDADE/DDA/TDAH

Será que você pode parar quieto? O que há de errado com você?

As pessoas adoram síndromes e rótulos. Quando eu faço uma palestra e em seguida alguém se aproxima e diz: "Sou um FAA [Filho Adulto de Alcoólico]", sou tentado a dizer: "Sou viciado em bacon, pelo menos no curto prazo".

Qual a finalidade dessa história de rótulos, afinal?

"Meu filho tem TOC — transtorno obsessivo-compulsivo."

"Acho que meu filho tem DDA ou TDAH [Transtorno do Déficit de Atenção e Hiperatividade."

Ultimamente, se uma criança corresponde a quaisquer qualificações para os dez sintomas de DDA [Distúrbio do Déficit de Atenção], ela é rotulada — e medicada. Aparentemente, é uma solução fácil. Mas o que isso realmente faz pela criança a longo prazo?

Qual a natureza motivacional de dar um rótulo para seu filho? Estou convencido de que não é para o bem da criança, nem para o seu como pai. Francamente, rotular seu filho o coloca fora de alcance em relação a seu comportamento, e também dá a você uma desculpa conveniente para a forma de ele agir, de modo que você não pode fazer nada além de concordar com a medicação: "Ela não está indo bem na escola porque é DDA, e os professores não a entendem". Ou: "Ele não pode evitar. Ele é assim mesmo".

No entanto, em quase quatro décadas de aconselhamento, descobri que em geral os comportamentos que são rotulados se originam de algo totalmente diferente. O que acontece em muitas famílias? Depois de incontáveis testes de infertilidade que custam uma fortuna, nove meses de uma gravidez difícil, da tortura do parto ou de uma miríade de formulários de adoção, o bebê finalmente chega. Alguns meses depois, a criança é enviada para um canil infantil, onde estranhos que recebem salário-mínimo passam seu tempo educando a criança enquanto sua mãe volta ao trabalho. Então, quando a criança volta para casa, ela passa o tempo competindo pela atenção de seus pais não só com os irmãos, mas com as longas horas de trabalho e exaustão subsequentes.

Estou convencido de que essas crianças não precisam de rótulos, mas de atenção individual da mamãe e do papai. Se uma criança não recebe a atenção de que precisa, ela vai representar (encontrar formas de chamar a atenção), de maneira positiva ou negativa.

Se você se preocupa com seu filho, não leve em conta opiniões não profissionais sobre o assunto. Muitas crianças recebem um diagnóstico errado. Vá a um pediatra com treinamento em comportamento ou encontre um especialista de verdade na área. Sou psicólogo há quatro décadas e nunca dei um diagnóstico de DDA ou TDAH. Sem exames múltiplos feitos por um especialista na área, eu nunca colocaria um rótulo em uma criança. Em vez disso, pergunto ao pai: "Como você gostaria que seu filho fosse?" e então ajudo aquele pai a fazer o filho chegar lá. Também corrijo gentilmente conceitos errados que o pai pode ter quanto aos filhos. Por exemplo, se seu filho tem um QI de 85, ele não será um cientista espacial. Mas ele provavelmente é bem-dotado em outras áreas que você pode estimular.

Estou convencido de que essas crianças não precisam de rótulos, mas de atenção individual da mamãe e do papai.

Se você quer um filho responsável, atribua-lhe responsabilidades adequadas à idade. Se quer um filho respeitoso, demonstre respeito por ele. Se quer um filho gentil, seja um exemplo de gentileza. Se quiser um filho respondão, seja respondão.

Como você vê, o poder não vem do ar rarefeito; ele é copiado. Se há alguma coisa em seu filho de que você não gosta, ele provavelmente viu isso funcionando em você e simplesmente o está reproduzindo. Antes de colocar um rótulo em seu filho ou aceitar o rótulo colocado por outras pessoas, por que não trabalhar nos comportamentos que você quer que mudem?

HORA DE DORMIR

> Levamos cerca de três horas para colocar as crianças na cama. Assim que acabamos de atender aos pedidos de lanche, suco, água, história e as colocamos na cama — para depois de dez minutos pularem da cama e descerem as escadas —, estou tão exausta que gostaria de ir para a cama também.

> Aaron não dorme se meu marido ou eu não nos deitarmos ao seu lado. O problema é que quando um de nós se deita por tempo suficiente para que ele durma, acabamos dormindo também. Acho que não temos um 'momento casal' há mais de um ano!

> Lembro-me de sempre ver monstros imaginários à noite quando era pequeno, então entendo os medos de Anna e tento ser paciente. Mas, ultimamente, ela tem se levantado tantas vezes à noite, dizendo ver monstros, que estou começando a subir pelas paredes. Tem de haver um jeito melhor.

Vou dizer sem rodeios, como meu pai costumava fazer: "Hora de ir para a cama é hora de ir para a cama. Mesmo que você consiga sair de lá sozinho, será ricocheteado de volta imediatamente".

Todos nós sabíamos que, uma vez que estivéssemos na cama, não havia como sair de lá. Papai era absolutamente firme sobre isso.

A questão é que toda criança precisa de um horário certo para ir para a cama. Mas esse horário pode variar, dependendo da idade e da natureza da criança. Por exemplo, uma criança de 2 anos tem um horário diferente de um garoto de 14 anos, porque o de 2 precisa de mais horas de sono. Algumas crianças precisam de mais sono do que um irmão da mesma idade. As únicas crianças em uma família que tipicamente vão para a cama na mesma hora são gêmeos ou trigêmeos. Isso significa que uma criança não pode ir para a cama *antes* da hora se estiver cansada? É claro que não! Mas pode significar muito para seu filho mais velho saber que pode ficar acordado mais quinze minutos do que os irmãos, se quiser — um tipo de direito de nascença.

Para muitas famílias, a hora da cama se torna uma zona de batalha nos seguintes aspectos:

1. Conseguir cumprir a rotina de aprontar a criança para ir dormir.
2. Conseguir colocar a criança na cama.
3. Conseguir colocar a criança de volta na cama quando ela se levanta.
4. Certificar-se de que a criança vai ficar na cama.

Crianças adoram rotina, então aqui vai uma advertência: escolha com cuidado sua rotina de ir para a cama. Uma vez escolhida, será difícil mudá-la. Por exemplo: se você oferece cereal como ceia ou se lê uma história de ninar, seu filho, semelhante a um advogado da Filadélfia, *sempre vai querer* que você faça essas duas coisas antes que ele se apronte para dormir. Quanto mais complicada a rotina, mais tempo vai levar.

Toda criança no planeta vai forçar para fazer essa rotina se estender. Meu conselho, fruto de minha experiência com cinco filhos, é não deixar isso acontecer. Se você ler "só mais uma história", vai precisar fazer isso toda noite. O pai esperto vai criar rotinas breves e simples. Lembro-me de levar Holly, nossa primogênita, para a cama quando ela era pequena. Quando tinha 18 meses, ela grunhia e apontava para as coisas que queria que eu pegasse. E eu, como um macaco ensinado, era bobo o suficiente para atendê-la. Depois de um tempo, eu tinha tantas coisas em meus braços que quase não conseguia segurá-la. Isso era insano ou o quê?

Independentemente da rotina que você estabelecer, quando for 9 horas (ou a hora de dormir estabelecida), uma vez que a criança é colocada na cama é importante que ela *permaneça ali*. Quando Holly tinha 2 ou 3 anos, cometi o erro de ir buscar para ela, antes de colocá-la na cama, um copo de água da *cozinha*, pois ela alegava que o gosto era melhor do que o da água da torneira do banheiro ao lado. Quando tivemos Lauren, a mais nova, toda água vinha do banheiro, que era mais perto (nessa época, eu já era esperto o suficiente para não deixá-la saber de onde vinha a água).

Escolha com cuidado sua rotina de ir para a cama. Uma vez escolhida, será difícil mudá-la.

Crianças são adeptas da manipulação parental... especialmente quando estão na cama. Elas conseguem nos manipular ao "precisar" de água e de um lanchinho ("Minha barriga está tão vazia que está se comendo viva"), ver monstros imaginários ("Mamãe, tenho medo"), alegar que não se sentem bem ("Estou com dor de estômago") ou dedurar irmãos ("Jason veio ao meu quarto e me assustou"). As crianças têm um enorme arsenal de coisas para lançar mão a fim de protelar a hora de dormir e envolver desnecessariamente os pais.

Porém, qual a natureza motivacional desse comportamento? Chamar a atenção. Está funcionando em sua casa? Provavelmente, se você está lendo isso! Então o que pode fazer?

Estabelecer uma rotina de hora de dormir, se não tiver uma. Quando mais curta e mais simples, melhor. Uma vez que a rotina está determinada, siga-a. Então, assim que as crianças estiverem na cama, insista firmemente em que esse é o fim. As crianças precisam ficar na cama.

Aviso: seus filhos sabem como jogar o jogo da hora de dormir muito bem. Algumas crianças irão para a cama com facilidade, e você dará um suspiro feliz. Então, meia hora depois, você verá olhinhos espreitando da escada. As crianças insistirão que precisam... bem, de *qualquer coisa*. Se isso lhe soa familiar, tente essa tática: sem sequer virar a cabeça ou se dirigir à criança, diga simplesmente: "É hora de dormir. Você tem de voltar para a cama" e volte sua atenção para o que estava fazendo. Provavelmente haverá uma hesitação, talvez até um novo pedido de lanche, água ou para levá-la de volta para a cama, mas ignore. Simplesmente cuide de sua vida. No que diz respeito a você, a rotina de ir para a cama acabou. O trabalho de colocar na cama terminou, e agora você está fazendo outra coisa.

> As crianças têm um enorme arsenal de coisas para lançar mão a fim de protelar a hora de dormir e envolver desnecessariamente os pais.

E quanto à criança que aparece em seu quarto à noite? Se seu filho escorrega para sua cama ocasionalmente no meio da noite, trata-se de um grão de areia. Se seu filho escorrega para sua cama toda noite às duas da madrugada, é uma montanha. Por quê? Porque esse não é o lugar dele.

Com todo o respeito a quem defende a cama familiar, acredito de todo o coração na filosofia de que toda criança precisa de um quarto separado de seus pais. Crianças precisam de um lugar para reconhecer como seu próprio espaço. E é verdade que o marido e a mulher também. Como você e seu marido podem desenvolver uma estrutura sólida e duradoura — que permaneça depois que os filhos se forem — se vocês não têm um lugar na casa onde possam estar um com o outro sem interrupções? Como exatamente o clima vai esquentar com dois pequenos corpos no meio dos dois?

Se seu filho constantemente se levanta no meio da noite e se aconchega a você, feche e tranque a porta de seu quarto para manter o pequeno distúrbio afastado. Para quem se preocupa, qual a pior coisa que pode acontecer? Acordar na manhã seguinte e encontrar o pequeno mordedor enrolado em seu cobertorzinho ou com o travesseiro, do lado de fora de seu quarto.

Isso significa que você nunca deve confortar seu filho no meio da noite? Certamente não. Estou falando do comportamento constante, não de um comportamento eventual.

Intempéries vão surgir e coisas vão acontecer durante a noite. Seu filho pode ficar doente, acordar de um pesadelo sentindo-se assustado ou estará triste por alguma situação real da vida. Como pai, você é o cobertorzinho psicológico de seu filho, e essa criança realmente precisa às vezes de você. Então, aqui está minha sugestão para esses momentos: mantenha um saco de dormir sob sua cama. Se seu filho se assustou e quer sentir-se próximo a você, diga-lhe que ele pode puxar o saco de dormir e deitar-se perto de sua cama sem acordá-lo. Dessa forma, seu filho obtém a proximidade psicológica de que necessita, e você ainda funciona no dia seguinte, porque teve uma boa noite de sono. Você ainda mantém sua cama como seu espaço, sob o ponto de vista de seu filho.

Para quem tem criança pequena, não deite na cama com ela quando for levá-la de volta. Se fizer isso, estará reforçando o comportamento ávido por atenção. E também estará violando o espaço individual da criança, que deve ser apenas dela. Se você viola o espaço do quarto dela, por que ela não deveria violar o seu?

Também, mamães (que são especialmente tentadas a isso) não tirem cochilos com seu filho na cama dele, ou ele não vai conseguir cochilar sem tê-la ao seu lado. Pense nisso dessa forma: se você fosse pequena, preferiria dormir sozinha, vendo aquele brinquedo musical que roda e roda até se sentir tonta o suficiente e cair no sono, ou com a mamãe, que tem um corpo quentinho no qual se aninhar?

Parte do aprendizado de crescer e ser independente segundo a idade é ter seu próprio quarto e seu próprio espaço. É importante para o desenvolvimento psicológico. É por isso que, se irmãos compartilham um quarto, este deve ser dividido de forma que dê privacidade e espaço a cada criança.

Cada criança acorda de um jeito. Algumas despertam lentamente, falam consigo mesmas e cantam. Elas ficam felizes durante duas horas, olhando seus livros. Saboreiam o tempo em seu próprio "espaço". Essa é nossa Lauren. Ela ainda estava em seu berço aos 3 anos e não reclamaria de ainda estar ali, lendo livros, até os 12 ou 13 anos, quando se tornou muito grande para o berço. Outras crianças acordam prontas para tomar o mundo de assalto e insistem (geralmente em altos brados) em sair da cama assim que possível. Essa era nossa Holly, que pulou para fora de seu berço aos 18 meses. Ela acordava com fogo nos olhos. Era uma criancinha determinada. Nossa piada na família era sempre essa:

Algumas crianças acordam com uma cara feliz. Outras acordam de mal com a vida.

"Lemey (um dos apelidos de minha esposa para mim), é melhor você ir acordar a Holly."

"Eu não vou acordá-la. Vá você."

"Não, vá você."

O jogo de empurra empurra continuava. Veja bem, se você fosse esperto, não iria querer acordar a Holly. Algumas crianças acordam com uma cara feliz. Outras acordam de mal com a vida.

Algumas crianças vão para a cama facilmente. Outras dão trabalho. E algumas crianças naturalmente não ficam na cama. Elas querem água ou comida, não se sentem bem, têm medo, querem dormir com você ou estão se sentindo sociáveis — elas simplesmente querem um papo amigável às três horas da madrugada (ah, que hora boa para compartilhar seus pensamentos e sentimentos mais profundos).

Estabelecer — e manter-se fiel a — um sólido horário de dormir é uma montanha, não um grão de areia. Se você der início a maus hábitos nessa área, a família toda sofrerá. As ações e emoções de todos sempre parecem funcionar um pouco melhor quando se tem uma boa noite de sono. Então tenha cuidado extra nesse aspecto.

HORA DO BANHO

> Mas eu não quero tomar banho! Não preciso tomar banho! Eu tomei na semana passada!

> Não é problema seu. Vou tomar banho quando quiser. Nenhum dos meus amigos me enche a paciência por isso.

Por que será que banho e higiene pessoal sempre provocam uma guerra geral entre pais e filhos? E isso parece começar bem cedo. Para crianças pequenas, banhos são como um mal desnecessário. Afinal, o banho interrompe o momento de diversão e exige que seu filho se afaste por um tempo daquilo que é tão importante para ele.

> Torne os banhos uma rotina em sua casa — apenas "algo que acontece" — e não uma grande coisa.

Desde o primeiro dia, torne os banhos uma rotina em sua casa — apenas "algo que acontece" —, e não uma grande coisa. Algumas crianças têm medo de água; outras adoram. Há todo tipo de apetrechos para ajudá-lo na hora do banho, incluindo pequenas viseiras que permitem que você ensaboe a cabeça da criança e evite que o xampu caia em seus olhos. Use-os quando precisar tornar a hora do banho mais agradável. Mas mantenha o controle. Na hora do banho, não deixe o berreiro atrapalhar. Mantenha a calma e aja naturalmente.

Se seu filho de 6, 7 ou 8 anos se recusa a tomar banho, você precisa ser mais duro. "É hora do banho. Você quer que eu dê ou vai tomar sozinho?" Nenhuma criança do planeta — especialmente um menino — vai querer que sua mãe lhe dê um banho nessa idade. Então, calças, camiseta e meias vão se espalhar pelo chão, e seu filho vai correr para o banho.

A falta de banho pode se tornar um problema real na adolescência (especialmente para os meninos, que não costumam se importar com o próprio cheiro de vestiário), porque muitos adolescentes simplesmente não tomam banho com a devida frequência. Quando seu filho adolescente transpira ou sua filha adolescente começa a menstruar, e os hormônios estão em pleno funcionamento, ele ou ela devem tomar uma ducha diariamente. Se resistirem, simplesmente adote o "teste do olfato". Você pode inspirar conforme seu filho passa para tomar o café da manhã antes da escola, ou mesmo insistir em fazer o teste de cheirar a axila. Se houver mau cheiro, você saberá. Nesse caso, simplesmente insista para ele tomar banho *já*. Não importa se está atrasado para a escola. Na verdade, se você realmente quer atacar o problema de modo que seu filho passe a tomar banho de agora em diante, escreva um bilhete para a escola explicando o motivo do atraso:

> Franklin está atrasado hoje. Ele estava cheirando mal, então insisti em que tomasse um banho antes de sair. Fiquem à vontade para fazer o que quer que façam com crianças atrasadas, e darei todo o meu apoio.
>
> Mãe do Franklin

Depois disso, você acha que o Franklin vai perder a chance de fazer seu próprio teste de olfato antes mesmo de entrar na cozinha?

HORÁRIOS

> Minha filha tem 16 anos e está começando a sair com garotos. Que horário devo estabelecer para ela voltar?

> Ryan ignora todo horário que determino e chega na hora em que bem entende. Fico sentada à janela, preocupada até a hora de ele chegar. Meu marido fica furioso e faz um escândalo quando Ryan entra em casa, dizendo como ele é irresponsável. Nada parece funcionar.

Alguns países e cidades têm toque de recolher, mas, francamente, isso não faz muito sentido. Sande e eu criamos cinco filhos e nunca determinamos a "hora mágica" em que as crianças tinham de sair da rua e vir para casa. Em vez disso, sempre devolvíamos a bola para o campo delas. Assim que um adolescente começa a dirigir, é melhor que seja responsável; do contrário, não deveria estar dirigindo. (A propósito, a educação do motorista é boa para os adolescentes e também economiza o dinheiro do seguro do papai e da mamãe.)

> Não estabeleça um horário. Em vez disso, diga: "Esteja em casa em um horário razoável".

Então, quando uma criança diz: "Papai, a que horas você quer que eu esteja em casa?", em vez de determinar um horário, "É bom que você chegue às 10 da noite", diga: "Chegue em um horário razoável". Isso faz seu filho refletir sobre sua decisão e ser responsável pela hora em que ele escolher chegar em casa.

Dê a seu filho o benefício da dúvida até que ele prove o contrário. Se você tem um filho de 16 ou 17 anos que chegou às 4 horas da madrugada, eu diria que esta foi a última vez que ele pegou o carro emprestado. Nessa situação, você diria: "Chegar em casa às 4 horas da madrugada demonstra que você não tem um bom julgamento. Não estou a fim de emprestar meu carro, sou responsável, que está em meu nome e pelo qual pago um seguro com o meu dinheiro, para alguém que chega em casa às 4 da madrugada. Você vai ficar sem dirigir por um tempo. Daqui a três meses a gente conversa."

Pode parecer bom para você como pai dizer essas coisas, e é sábio de sua parte adotar essa tática, mas não é fácil. Assim que você sustenta esse importante padrão, tem de impingi-lo à sua própria vida. Esse adolescente não pode mais sair sozinho dirigindo. Isso significa que papai ou mamãe terá de levá-lo.

Mas adivinhe! Ser pai *é* inconveniente. Não há alternativa. Você ama seus filhos, porém, às vezes — sejamos honestos — eles são um pé na canela (e em outros lugares também).

Quando você priva um filho de dirigir por 1 a 3 meses, está enviando uma mensagem forte sobre a sorte que ele tinha de dirigir o carro da família — e o que vai precisar fazer diferente da próxima vez. É uma lição que não vai ser esquecida facilmente.

Filhos fazem mal uso de sua liberdade às vezes, mas o importante é manter a bola no campo deles para que desenvolvam a responsabilidade e se encaminhem para uma vida adulta saudável.

Portanto, não estabeleça um horário. Em vez disso, diga: "Esteja em casa em um horário razoável". Existe a possibilidade, quando você faz isso, de que seu filho esteja em casa até mesmo antes do esperado.

Quando nossa filha Lauren foi a uma festa de aniversário na oitava série, eu perguntei a que horas a festa acabaria.

"Não tem hora para acabar", ela disse. "Só para começar. Que horas tenho de voltar para casa?"

Joguei a bola de volta ao campo dela. "Que horas você acha que é razoável?"

"Onze horas", ela disse. Curiosamente, ela telefonou exatamente às 11 horas do celular de uma amiga para dizer que estava voltando para casa. Eu disse para ela fazer isso? Não. Ela fez por conta própria. Quando Sande e eu usamos essa técnica, nossos três outros filhos mais velhos — Holly, Krissy e Kevin — apareceram com suas próprias regras em relação ao carro da família. Holly, a mais velha, foi a que começou a estabelecer regras. Sande e eu tivemos de rir — as regras dela eram mais rigorosas do que as nossas jamais tinham sido!

Filhos precisam saber que dirigir é um privilégio — não um direito — como membro da família. E chegar em casa em um horário razoável, sem ser mandado, é uma parte importante da estrada para se tornar um adulto responsável.

IGNORAR OS PAIS

Ela age como se eu nem estivesse ali.

Tenho de andar cinco passos atrás dela, como se não existisse.

Ele nunca ouve o que digo.

O que está havendo? Qual a natureza motivacional do comportamento? Ignorar você é realmente uma forma de chamar sua atenção! *Ele está me ignorando*, você pensa. *Alguma coisa deve estar errada.* Então, você começa a rodear seu filho, tentando abrir caminho em direção a ele, tentando fazê-lo falar. E ele continua em silêncio. Por quê? É uma disputa de poder — para ver quem é dominante na casa e até onde você vai para fazê-lo feliz.

> É uma disputa de poder — para ver quem é dominante na casa e até onde você vai para fazê-lo feliz.

Se isso está acontecendo, o princípio "B não acontece até que A esteja concluído" funciona muito bem. Se seu filho está ignorando você, você não tem de levá-lo à casa do amigo, tem? Se seu filho adolescente o está ignorando e vai procurar as chaves do carro no local de costume, essas chaves podem estar "perdidas" — em seu bolso. Se seu filho o está ignorando, pode haver um lugar a menos à mesa. Se você não existe para ele, por que deveria cozinhar ou preparar o jantar para ele?

Lembre-se, um filho infeliz é um filho saudável. Seu papel como pai não é fazer a criança feliz. É criar uma criança que será um membro da sociedade produtivo, responsável e respeitoso.

A chave para a reviravolta é seu próprio comportamento — sua consistência, sua continuidade e seus modos calmos e razoáveis. Se você se irritar e disser: "Qual é o problema com você", seu poderoso filho vence.

INFLUÊNCIA DAS AMIZADES

A influência da amizade é extremamente importante na vida de seu filho e aumenta quando seu filho atinge a adolescência.

Há alguns anos foi feito um estudo clássico sobre a pressão dos amigos, no qual grupos de dez crianças eram colocados em uma sala. Três linhas eram desenhas em um quadro, e pedia-se às crianças que identificassem qual a linha mais longa. A primeira linha que o pesquisador apontava era definitivamente a *segunda* linha mais longa, mas quando ele perguntava: "Essa é a linha mais longa?", nove crianças levantavam a mão. Por quê?

Na verdade, essas nove crianças estavam em cooperação com o pesquisador. Elas tinham sido instruídas a votar na segunda linha mais longa. O assunto em teste era a criança remanescente. Ela apelaria para a pressão dos pares quando eles estivessem indubitavelmente errados?

Bem, você pode adivinhar o que aconteceu. Uma expressão de descrença atravessaria o rosto da criança. Então, em 75% dos casos, mesmo que a criança em questão pudesse ver com seus próprios olhos que as outras nove crianças estavam absolutamente erradas em seu voto, ela levantaria a mão para aderir à votação do grupo de amigos. Por quê? Porque não queria parecer diferente dos outros na multidão. Alguém se espanta, então, que adolescentes realmente façam coisas idiotas, às vezes, quando estão juntos? Ninguém quer ser o "do contra".

Não há nada que se possa fazer contra a influência dos amigos. É parte da vida. Mas o que você *pode* fazer é estar atento para as atividades de seu filho e para quem são seus amigos. Isso significa ter o grupo de amigos em sua casa o maior tempo possível. Torne sua casa o centro das atividades — o ponto de encontro frequente e confortável. Alugue um filme, peça uma pizza, invista em um bom aparelho de som, o que for preciso. Se fizer isso, você terá a vantagem de jogar em casa. Isso lhe dará a oportunidade de ver de perto com quem seus filhos estão andando.

Não há nada que se possa fazer contra a influência dos amigos. É parte da vida. Mas o que você *pode* fazer é estar atento para as atividades de seu filho e para quem são seus amigos.

Você também pode conhecer os pais das crianças com quem seu filho se relaciona. No mundo de hoje, é preciso se esforçar para isso. Não é como antigamente, quando as crianças brincavam, principalmente com outras crianças do quarteirão e bastava ir até a casa da vizinha para tomar um café. Por que não chamar o pai do amigo de seu filho e dizer: "Oi, eu ganhei um cupom de presente do Starbucks. Meu filho fala muito sobre o seu, e nunca tive a oportunidade de encontrá-lo. Você gostaria de me encontrar para um café — por minha conta?" Essa é uma maneira simples de abrir a porta para a comunicação. Também dá a você um alerta sobre que tipo de pessoa é aquele pai.

Por exemplo, quando meu amigo Mike tinha 16 anos, ele fumava abertamente na frente dos pais. Então, eu sabia que podia ir a sua casa para fumar, pois ninguém diria nada a respeito. Mas, e em minha casa? Meu pai me puniria severamente se soubesse que eu tinha experimentado. Fica bastante óbvio, mesmo em uma conversa, que pais comprariam cerveja para os filhos e alugariam quartos de hotel para o baile de formatura. Esse tipo de informação é muito importante para saber se você pode encorajar seus filhos a passar mais tempo com quem compartilha valores semelhantes.

Às vezes, seu filho terá um amigo que você realmente desaprova por um motivo ou por outro. Meu conselho? Convide a criança para sua casa. A melhor hora de fazer isso é quando a empertigada, aristocrática e conservadora tia Sally vier de outro Estado para hospedar-se com você. Diga casualmente para seu filho: "Tia Sally está vindo para cá. Gostaria muito que ela tivesse a chance de conhecer Philip". Isso vai fazer seu filho pensar.

Apesar do grupo de amigos ter uma tremenda influência sobre seu filho, você quer que ele seja capaz de pensar por si mesmo. Às vezes, ele vai cometer erros — bem grandes. O mais importante a fazer é continuar fazendo parte de seu mundo. E, às vezes, você vai precisar entrar no mundo dele, sem que ele saiba, com amor severo. Como o pai que decidiu ir assistir ao mesmo filme que a filha e o namorado supostamente iriam assistir — ele não os viu no cinema, juntou um mais um, e apareceu no lugar onde os namorados costumam se encontrar. Nenhum daqueles jovens vai se esquecer do facho da lanterna que iluminou exatamente o que estava acontecendo no banco de trás.

Quando uma estudante universitária insistiu em dançar sem a parte de cima em um clube local de *striptease*, seus pais quase ficaram apopléticos. Porém, quando eles a confrontaram, ela disse veementemente: "Vocês não entendem o que meus amigos fazem. É uma expressão artística!" A coisa mudou de figura quando seus dois irmãos mais velhos decidiram ir assistir a "expressão artística" dela no palco, e seus pais também foram. Quando a garota avistou a família em meio a sua apresentação, suas giradas pararam de repente e ela saiu correndo do palco. Por mais difícil que tenha sido para os familiares aparecerem ali, eles fizeram isso porque sabiam que traria realidade à situação — e revelariam o ato pelo que realmente era.

Aplaudo todos os pais que investem um tempo extra para entrar no mundo do filho e demonstram amor severo quando é necessário.

INFLUÊNCIAS MUSICAIS

Todos nós temos nossos amores e ódios quando se trata de música. Há grandes chances de que você não goste da música de seus filhos. (Aliás, seus pais gostavam do que você ouvia? Seu filho gosta de ouvir Eagles ou U2? Aí é que está.) Mas você realmente ganha alguma coisa ao se colocar em oposição direta a seu filho em relação a música? O gosto musical de seu filho vai mudar rapidamente. O grupo insuportável que está no auge nesse momento muito provavelmente será jogado para escanteio pelo próximo grupo popular (que você provavelmente também não vai gostar) daqui a seis meses.

Você não precisa gostar da mesma música que seu filho. Mas você sempre pode encontrar alguma coisa boa a respeito — e, na verdade, deveria, já que ela estará em toda parte, especialmente durante a adolescência.

"Ótima batida."

"Qual o nome dessa música?"

"Quem está tocando?"

Aos 15 anos, minha filha Lauren consegue passar de uma estação de rádio para outra no carro como um pica-pau maluco. "Oh", ela murmura, "Amo essa música. É minha favorita" e logo estamos pulando para mais quatro estações para encontrar suas outras favoritas.

Por que não se divertir com a música de seu filho? Conhecer o mundo dele?

Mas há um aspecto em que se deve estabelecer limites, e esse aspecto são as letras. Algumas letras são realmente repulsivas, cruéis e degradantes quanto a etnias ou gênero. Se seu filho está ouvindo esse tipo de letra, é hora de levantar a bandeira vermelha. "Querido, vamos parar um minuto. Quero ouvir melhor essa letra. Você se importa de aumentar o volume? Você está ouvindo o que estão dizendo? Você concorda com isso?" Eminem vem à minha mente, com suas letras violentas sobre um jovem que sonha em cortar a garganta do pai. Que pai em seu juízo perfeito quer que seu filho vá dormir com essa imagem na cabeça? Não existe a menor possibilidade de você comprar um CD ou permitir que seu filho ouça isso.

Você pode não gostar da música, mas são as letras que contam. Portanto, ouça com cuidado.

INTERNET

Vamos encarar os fatos. Vivemos em um mundo de alta tecnologia, e muitos de nós, pais, somos tudo, menos tecnológicos. Entretanto, os computadores e a internet são fatos da vida, e toda criança em desenvolvimento hoje estará quilômetros à frente de seus pais em habilidades com o computador. Meus filhos certamente estão!

Isso significa que você nunca será capaz de estar no mesmo nível deles, mas você também precisa saber para que seus filhos estão usando o computador. A internet é uma fonte maravilhosa de informação para trabalhos escolares. Mas também pode ser um tremendo perigo.

Você deixaria seu filho de 13 anos entrar em um clube de *strippers* ou um *sex shop*? Você deixaria seu filho de 16 anos pegar o carro e ir à região mais decadente da cidade dar uma olhada nas prostitutas? Você deixaria seu filho de 11 anos andar com pedófilos? Claro que não! Mas na internet, com um clique do *mouse*, seu filho consegue ver a pior das piores fotos — e muito mais. Sua filha de 11 anos pode trocar mensagens com um pedófilo sob o disfarce de um garoto de 13 anos que está interessado na vida dela. Isso significa que neste exato momento seus filhos podem estar vendo os materiais mais bizarros e pervertidos que você poderia ver.

Proteja seus filhos dos perigos da internet. Esta é uma montanha que você não pode correr o risco de enfrentar.

Há três fatos que todo pai deve saber:

- 90% das crianças de 11 a 17 anos serão acidentalmente expostos à pornografia na internet.
- Crianças de 12 a 17 anos são o maior grupo de consumidores de pornografia na internet.
- Um milhão de predadores/pedófilos estão perseguindo crianças e adolescentes na internet.[3]

Se você não sabe absolutamente nada sobre computadores ou sabe o mínimo indispensável, esta é uma montanha na qual você deve prestar atenção. Vá fazer um curso de computação (ou peça a seus filhos que o ensinem). Encontre o histórico da internet em seu navegador e use-o. Descubra o que as crianças estão vendo, que *sites* elas visitaram.

Mude o computador para um local central da casa. Computadores nunca devem ficar no quarto da criança. Devem ficar em uma área muito frequentada, por onde você e outras pessoas constantemente passem e consigam ver o que há na tela.

Devido aos perigos da internet e ao fato de que as crianças podem inadvertidamente clicar uma palavra de busca e cair diretamente em um site pornográfico, sugiro que você instale um programa de segurança que proíba o *download* de material censurável.

Como pai, sua obrigação é proteger seu filho do perigo e o maior perigo está exatamente em sua casa. Os computadores não vão desaparecer, portanto sua obrigação é encontrar maneiras de seu filho usá-lo com segurança. Mas isso exige *seu envolvimento.*

Toda criança é curiosa. E não são só "meninos maus" que deparam com pornografia na internet e ficam viciados. Dan era um aluno que só tirava nota dez e tinha muitos amigos. Ele adorava tocar guitarra e era sempre o filho que ajudava a mãe a tirar as compras do carro sem que ela precisasse pedir. Mas, quando seu pai acessou o botão do histórico do computador, descobriu que nos seis meses anteriores seu filho de 14 anos tinha acessado regularmente um *site* pornográfico. Quando confrontado com a informação, Dan disse: "Estava fazendo uma busca no Google de outra coisa e cliquei nisso. No começo, fiquei chocado, então tive curiosidade. Só queria ver como eram as garotas". Esses sábios pais, depois de superar o próprio choque, encarregaram seu filho de um projeto — fazer uma pesquisa de oito páginas sobre pornografia, incluindo como isso afeta quem vê e como vê as mulheres. Eles também mudaram o computador para uma mesa central na cozinha.

A parte B do plano não acontece até que A esteja concluído. Isso significa que antes que pudesse sair novamente com os amigos, antes que sequer pudesse enviar uma mensagem para eles novamente, a pesquisa tinha de estar concluída, entregue aos pais e aprovada.

Dan agora está na faculdade e diz que odeia ter visto aquelas imagens. Elas ainda permanecem em sua mente.

Pais, protejam seus filhos dos perigos da internet. Esta é uma montanha que você não pode correr o risco de enfrentar.

INTERRUPÇÕES

Crianças querem sua atenção, e querem-na desesperadamente quando você está ao telefone. Você conhece bem essa prática. Afasta-se para um canto da casa para ligar para uma amiga, e em 25,5 segundos uma criança está na sua cola e precisa de alguma coisa naquele exato momento. O que você diz? "Só um minuto!" E continua falando.

Em mais 5,5 segundos, outro puxão em seu braço e um apelo por atenção. "Só um minuto!", você diz novamente.

Em alguns segundos mais, você tem um chorão ou um gritão aos seus pés.

Esse comportamento não só é irritante: é uma montanha. Pode não parecer uma montanha, se comparado a outros assuntos que você está enfrentando e o incomodam mais, mas é. Por quê? Porque tem tudo a ver com respeito. Se seu filho o interrompe continuamente (seja quando você está trabalhando, ao telefone ou tem convidados para o jantar), é um desrespeito.

É claro, há vezes em que seus filhos precisam de sua atenção (como quando você deixa algo no forno e começa a cheirar queimado), mas muitas vezes as interrupções são simplesmente isso — interrupções. É uma outra maneira de controlar você, de ser o chefe da família. Você merece ter momentos sem interrupções — para finalizar um trabalho, conversar com amigas ao telefone, etc.

> Se seu filho o interrompe continuamente, é um desrespeito.

Então o que você pode fazer para ter seu ponto de vista compreendido, em vez de gritar (o que realmente não faz que seu ponto de vista seja compreendido)? Assim que seus filhos começam a armar seu circo de variedades, continue falando ao telefone, mas afaste-os da situação e isole-os (no quarto deles ou até mesmo fora da cozinha). Com crianças pequenas, fazer isso por alguns minutos parecerá uma eternidade. No caso de crianças maiores, pode ser um período de tempo maior.

Depois de desligar o telefone, fale com seus filhos sobre como a interrupção a fez sentir. "É importante para mim conversar com a Sandy. Ela é minha amiga e eu gosto de conversar com ela. Vocês também gostam de conversar com seus amigos, não é? Não gosto quando estou ao telefone e vocês me interrompem. Isso me chateia. Ao me interromper, vocês estão dizendo que não se importam comigo, com o que me interessa ou com meus amigos."

Em outras palavras, tome uma atitude e persista nisso com uma explicação. Mas não interrompa o que você está fazendo.

Recebi um *e-mail* de uma mãe que me ouviu falar sobre esse tema em um seminário. Ela vivenciou isso em um belo dia de verão, depois de voltar para casa, quando seus filhos a interromperam enquanto falava ao telefone com uma amiga. A mãe simplesmente continuou falando e os conduziu pela porta da cozinha até o quintal e trancou a porta. Depois de quarenta e cinco minutos ela disse à amiga: "Oh, céus! Esqueci uma coisa — as crianças ainda estão lá fora!"

Você acha que essas crianças esqueceram a lição? Depois disso, quando a mãe estava ao telefone e elas achavam que precisavam de alguma coisa, simplesmente davam de ombros e iam embora. Na maior parte das vezes elas precisavam de algo que podiam pegar sozinhas — e aprenderam a ser mais independentes.

Você merece a liberdade de falar ao telefone sem interrupções. Esse é seu momento, e tudo isso tem a ver com respeito. Não deixe isso para lá.

INTIMIDAÇÃO

Fiquei indignada quando meu filho me contou o que aconteceu com ele no pátio da escola. Como o inspetor não viu o que estava acontecendo? Agora Daniel não quer mais ir para a escola.

Fiquei muito constrangida quando recebi um telefonema da escola dizendo que Ricky tinha xingado uma garotinha e a empurrado nas moitas, arranhado seu rosto. Como pude criar um agressor como esse? Quer dizer, sei que Ricky pode ser agressivo, mas nunca pensei que ele pudesse ser malvado. Especialmente com uma garota.

Garotas podem ser muito más. A sétima série foi um ano horrível para Crystal. Na verdade, tão ruim que decidimos mudá-la de escola no meio do ano. Um grupo de meninas decidiu que não gostava dela porque ela não tinha as roupas certas e usava óculos. Elas passaram a primeira metade do ano trocando bilhetinhos sobre Crystal, fazendo comentários grosseiros sobre seu corpo e dizendo para as outras garotas que, se elas fossem amigas de Crystal, não poderiam fazer parte do grupo *delas*. Devo admitir que fiquei bastante tentada a quebrar a cara daquelas garotas pessoalmente. Por um tempo, tentei deixar Crystal lidar com a questão sozinha, mas a situação ficou ruim demais. Ela voltava chorando da escola todo dia.

Finalmente, decidi conversar com as mães de duas garotas antes de ir ao diretor. Infelizmente, as mães são exatamente iguais a elas. Era como se todo o problema se resumisse a fazer parte do grupo mais popular. Uma mãe disse que estava atrasada para um compromisso com seu *personal trainer* e que não tinha tempo de conversar; outra disse que não via por que sua filha daria tanta atenção a "uma garota como Crystal"' já que ela não fazia parte do grupo de sua filha... Sabia que não chegaria a lugar algum com o diretor, uma vez que aquelas duas mães eram grandes doadoras daquela escola particular. Então, desisti e coloquei Crystal em outra escola. Ambas concordamos que chegar em casa chorando todo dia depois da escola não valia a pena.

Depois que ela saiu da escola, ouvi dizer que o grupo de garotas tinha se voltado contra Jeni, a mais nova integrante do grupo, e agora estava tornando sua vida miserável. Apesar de Jeni ter tornado a vida de Crystal miserável, ela sentiu pena da garota... porque sabia o que significava ser atormentada.

Seu filho é o tormento ou o atormentado?

Há uma coisa muito importante a saber sobre isso. Crianças que intimidam são inseguras. Elas acham que, ao colocar outras para baixo (física ou emocionalmente), se sentirão melhor com elas mesmas. Sentem-se mais poderosas.

Em meu tempo de criança, os valentões eram aqueles meninos repulsivos, que nos seguiam da escola até em casa em sua bicicleta e batiam em você num beco deserto. Quando você chegava em casa, seu pai lhe dava uma olhada e dizia para você não recuar da próxima vez. Ele daria algumas dicas sobre como bater neles (longe dos ouvidos de sua mãe, é claro). Quando você voltasse para casa alguns dias depois com o olho roxo, mas sorrindo de orelha a orelha, ele o cumprimentaria porque ele sabia que você tinha enfrentado o valentão... e vencido.

> Crianças que intimidam são inseguras. Elas acham que, ao colocar outras para baixo (física ou emocionalmente), se sentirão melhor com elas mesmas.

Contudo, os valentões de hoje são diferentes. São mais agressivos e, infelizmente, muitos têm pais ausentes fisicamente, emocionalmente distantes ou que simplesmente não se importam. Você não pode mais contar com o pai e a mãe da turma do "deixa disso" para impor disciplina na vida dos intimidadores que estão tornando miserável a vida do seu filho.

A intimidação pode assumir diversas formas. Uma criança adotiva de pré-escola ouviu de uma garota intimidadora de sua classe que ela havia sido comprada pelos pais de uma prateleira na China, porque ninguém a queria. Ninguém queria meninas. A garotinha teve pesadelos por meses sobre ter sido "comprada" e ter uma etiqueta de preço em seu braço. Ela ficava se perguntando por quanto teria sido vendida. E se preocupava com o fato de que se seus pais adotivos a tinham comprado, talvez alguém pudesse comprá-la deles. Quando sua mãe abordou a mãe da intimidadora para conversar sobre a situação, a mãe da garota riu e disse: "Às vezes, as crianças dizem coisas muito idiotas, não é?". Ela claramente não entendeu o impacto do que aconteceu, ou não quis entender.

Outra garotinha teve seus braços apertados com tanta força por um colega da primeira série que ficou aterrorizada, achando que não conseguiria se livrar. Ele era muito maior do que ela e realmente deixou hematomas em seus braços. Quando a mãe contou o episódio à professora, ela disse: "Ah, ele só estava tentando ser afetuoso". Mas a mãe prosseguiu com a questão levando-a ao diretor da escola, já que tinha sido a terceira ocasião em que o menino machucava sua filha. Ela estava preocupada que da próxima vez ele quebrasse o braço da menina.

Um garoto da quarta série tinha chamado outro menino de "mulherzinha" porque ele não gostava de jogar futebol com os meninos durante o recreio.

No dia seguinte, alguém colocou um tutu cor-de-rosa em seu armário e colou sapatilhas de balé cor-de-rosa e a palavra *gay* na frente do armário. Ian ficou arrasado. Ele agora estava na sétima série, mas nunca se esqueceu daquele momento. Ele, inclusive, se questionava se era *gay*.

Uma garota da segunda série passava o recreio se escondendo de dois meninos que gostavam de "brincar de pegar" arremessando-se contra ela pela frente e por trás.

Intimidadores que não são contidos nesse tipo de atitude simplesmente se tornam intimidadores mais velhos e mais perigosos. Em algumas localidades, os intimidadores de hoje carregam facas e armas, dependendo de seu bairro e idade. (E intimidadores não são só membros de gangues; eles podem ser pessoas de boa aparência também.) São os garotos na viela atrás da escola que pegam outras crianças e tentam forçá-las a fumar ou experimentar drogas. São os garotos no vestiário que pegam um menino que não tem um pênis grande, tiram sua roupa e o forçam a andar pelo corredor diante da garota por quem têm uma queda. São as garotas que dizem à nova aluna que, para ser descolada, ela tem de fazer sexo oral com um dos jogadores de futebol.

Se algo assim acontecer com seu filho, procure imediatamente uma professora de sua confiança. Se não vir ação alguma por parte dela, vá à diretoria. Intimidação não é brincadeira. É uma montanha a ser enfrentada *imediatamente*, independentemente de que lado da moeda você esteja.

Se seu filho é o que está molestando outras crianças, pegue na jugular dele. Confronte seu filho diretamente, quando estiver sozinha com ele: "Você realmente é tão inseguro a ponto de ter de importunar outras crianças?" Isso vai cortar o mal pela raiz, porque nenhuma criança quer admitir que é insegura. Ou que implicou com alguém mais novo e menor só para se sentir melhor consigo mesmo. Pergunte a seu filho por que ele fez o que fez. Explique como a outra criança se sentiu a respeito do que houve, como você se sentiu e que tipo de comportamento você espera dali em diante. Insista em que seu filho peça desculpas assim que possível à criança ofendida. Ajuda a consolidar a lição se você estiver presente para que realmente isso aconteça. Para haver compensação emocional, o intimidador deve dizer: "Me desculpe por ter machucado você. Não vai acontecer de novo".

Eis, porém, a parte importante. Se seu filho estiver realmente arrependido, você precisa deixá-lo seguir em frente. Em outras palavras, não fique remoendo a situação. Nós, pais, temos a tendência de ficar azucrinando nossos filhos sobre algo que fizeram antes. Adoramos ficar lembrando constantemente de seu fracasso para que sejam "bons".

Por mais embaraçoso que seja ser pai de um intimidador, tenha em mente que, você vai enfrentar muitas crises. Sua função é lidar com elas da melhor maneira possível, e seguir adiante. Ensinar crianças leva tempo. Elas vão cometer erros. Você também cometerá. Lembra-se da regra da sociedade democrática? "Se você tem o direito de me rebaixar, eu tenho o direito de rebaixá-lo". Esse pode ser um ciclo difícil de quebrar se você trouxer à tona continuamente as coisas erradas que seu filho fez. Ao enfrentar o comportamento de intimidação e exigir compensação emocional imediata, você e seu filho podem seguir adiante.

Se seu filho é quem foi molestado, informe o comportamento imediatamente ao professor da criança. Se o professor não lhe der um retorno específico, como: "Obrigado por me avisar. Vou priorizar isso e ficar de olho. Diga a seu filho para falar comigo na mesma hora que se sentir ameaçado", então você não foi ouvido e o professor não considera intimidação um comportamento sério. O próximo passo é ir ao diretor. Você não pode pegar leve nesse assunto, nem adotar a abordagem de "esperar para ver". Muitas crianças são maltratadas por intimidadores. Apesar de as feridas psíquicas serem curáveis, as emoções nem sempre são. Intimidadores não param facilmente, então é preciso estar atento. É preciso incluir proteções no sistema a fim de conter esse comportamento. O monitor do *playground*, a professora, o diretor e os pais de ambos os lados devem ser avisados do comportamento, e ele deve ser impedido.

Para resumir, importunadores e importunados nunca devem ser tratados superficialmente.

IR À IGREJA

Jeri sempre nos acompanhou à igreja sem reclamar. Mas, no domingo seguinte ao seu aniversário de 15 anos, ela nos disse que estava passando mal. No outro domingo, disse a mesma coisa. No terceiro sábado, ela simplesmente me disse que não ia mais àquela igreja chata. Que as únicas crianças que iam lá eram pessoas sem graça e esquisitas, e que não queria se parecer com elas. Jeri sempre foi uma boa filha. O que há de errado?

Quando me casei novamente, tornei-me pai de Christopher, que tinha 13 anos. Ele deixou claro na mesma hora que: 1) não precisava de um pai e 2) não havia a menor chance de ele passar o dia todo em uma igreja, enquanto poderia estar na praia com seus amigos. Sei que ele passou por muitas mudanças nos últimos dois anos e que seus amigos são realmente importantes, mas para mim é fundamental irmos à igreja em família. Devo forçar a barra e fazê-lo ir? Ou isso vai fazê-lo odiar não só a mim, mas a Deus? Devo apenas dar-lhe um tempo e esperar que funcione?

Existe um ditado maravilhoso: "Família que vai à igreja unida permanece unida". Entretanto, o que o ditado não inclui é: "... a menos que os adolescentes da família armem uma confusão por causa disso" — nesse caso, a permanência da família unida é barulhenta e nem tão divertida.

Uma quantidade muito grande de pais passa por cima dos sentimentos de seus filhos adolescentes sobre esse assunto e força a situação até que se torne uma guerra. Calma: antes de ficar nervoso sobre o que *acha* que vou dizer, ouça-me.

Em primeiro lugar, não negue os sentimentos de seus filhos. Sejamos honestos. Há muitas pessoas sem graça e esquisitas nas igrejas (afinal, igrejas são feitas de seres humanos, e todos nós temos nossas esquisitices — alguns mais do que outros). Então, se seu filho aponta que a maioria dos integrantes do grupo de jovens é estranha, diga a verdade: "Você está certo". Ao dizer a verdade e concordar com seu filho, você: 1) o surpreende e faz que ele preste atenção às suas próximas palavras e 2) se coloca no mesmo campo de seu filho, no qual vocês se olham nos olhos.

O que você diz em seguida é crucial: "Sua mãe e eu pedimos apenas que você faça algumas coisas básicas, e uma das coisas que esperamos que faça é ir a nossa igreja". Antes que a criança abra a boca outra vez, diga: "Sabemos que você não quer estar ali, mas queremos que você saiba quão agradecidos estamos por concordar em nos acompanhar, em respeito a nós. Há muitas coisas que nós, como pais, fazemos por você das quais não gostamos. Mas, fazemos mesmo assim, em respeito a você. Então, por favor, se arrume para ir à igreja".

Dependendo da personalidade de seu filho, isso vai persuadi-lo a acompanhar vocês. Mas independente do que você diga, alguns filhos vão jogar isso na sua cara: "Eu não vou". Se isso acontecer, não transforme o fato em um problema de Estado. Simplesmente se arrume para ir à igreja e vá.

"O quê?", diz você. "Mas, dr. Leman..."

Deixe-me concluir. Depois do culto, faça uma coisa diferente: não volte para casa. Passe o dia em outro lugar. Saia para comer depois da igreja, vá a um parque ou às compras, assista a um filme... Em outras palavras, desfrute de bons momentos antes de voltar para casa. Quando você chegar às 5 horas da tarde e seu filho adolescente disser: "Onde vocês se meteram?" Responda simplesmente: "Na igreja."

"Mas o culto terminou ao meio-dia", ele argumenta. "São 5h15. Quando vamos comer? Estou morrendo de fome!"

Simplesmente passe a mão sobre seu estômago cheio e diga: "Comida? Nem me fale. A torta de morango fechou com chave de ouro..."

Se seu filho continuar se recusando a ir à igreja na semana seguinte, faça a mesma coisa. Transforme a saída em um dia sem seu filho. Então, depois de defender seus pontos de vista, fale com ele diretamente: "Frank, eu sei que você é um indivíduo e não somos iguais. Você não tem de acreditar no que acredito. Não posso obrigá-lo a ir à igreja. Mas quero deixar claro para que espero que nos acompanhe no próximo domingo. Está entendido?

> Se isso acontecer, não transforme o fato em um problema de Estado. Simplesmente se arrume para ir à igreja e vá. Depois do culto, faça uma coisa diferente: não volte logo para casa.

De repente, a pessoa de autoridade mudou, e seu filho não está mais no assento do motorista. Em muitos casos, esse é todo o "amor severo" necessário. No próximo domingo, ele estará do lado de fora do carro, pronto para ir.

Às vezes, porém, o adolescente se recusará terminantemente a ir, mesmo que você tenha tentado os passos anteriores de amor severo. Então você, como pai, tem de fazer uma escolha. Você pode:

1. Deixá-lo ficar em casa na cama como uma lesma, dar de ombros e esquecer, sem deixar sua pressão arterial subir.
2. Deixá-lo ficar em casa, mas atribuir-lhe trabalho extra na casa, já que ele terá tempo de sobra.

Das duas opções, eu definitivamente escolho atribuir-lhe trabalho extra enquanto você está fora. Todo membro da família precisa contribuir. E parte dessa contribuição é fazer certas coisas juntos. Se seu filho decide que não quer contribuir dessa forma, enfatize que ele precisará contribuir em outra área, mesmo que não seja algo que ele adore. É como no dia em que o vaso sanitário transbordou em minha casa. Todos nós trabalhamos juntos para limpar a sujeira, porque a vida assim nos exigia. Não foi gostoso, nem divertido, mas fizemos isso em família.

Não deixe seu filho se safar do castigo porque "não está a fim" de fazer parte de sua família. Ou ele vai com você à igreja ou realiza atividades extras em outra área de responsabilidade. (E aqui está o segredo: como o coração de toda criança anseia por pertencer e ser aceito, não vai demorar, depois de usar essa técnica, para que seu filho comece a se sentir sozinho e queira fazer parte da família novamente — incluindo ir à igreja.)

IR AO BANHEIRO SOZINHO

Há três coisas básicas que seu filho fará, de qualquer maneira — comer, dormir e ir ao banheiro. Os pais dão mais importância a isso do que deveriam.

Você já viu uma criança da segunda série ainda não saber ir ao banheiro? Uma da quinta série? Ou da oitava? Todo mundo aprende a ir ao banheiro, mais cedo ou mais tarde. Algumas crianças simplesmente avançam mais rapidamente no cronograma do que outras.

Diversas pessoas escreveram livros sobre sair das fraldas, mas o princípio básico é este: procure sinais de "estou pronto" em seu filho antes de começar o processo. Do contrário, você estará travando uma batalha crescente (e verá uma trilha de xixi escorrer pelo corredor até o banheiro). Então reforce os incentivos. Renove o estoque de roupas de baixo do garotão ou da mocinha. Compre um penico, nos quais seu filho pode se sentar no nível do chão e ficar confortável. Alguns pais simplesmente compram um assento menor que encaixe no assento maior do vaso sanitário (nesse caso, cuidado, pois alguns traseiros pequenos podem escorregar pelo vão).

É claro, essas pequenas ferramentas não vão ensinar seu filho a ir ao banheiro. Mas darão uma boa ajuda. Defenda a ideia de que ele é um menino grande e poderá fazer "sozinho" (algo muito importante para uma criança de 2 ou 3 anos). O importante é que a criança precisa ser responsável por sentir essas urgências, em vez de a mamãe perguntar a cada dois minutos: "Quer ir ao banheiro?". Se a mamãe tentar ajudar demais, ela vai enfraquecer a autoconfiança da criança. Haverá acidentes de percurso? Claro. Mas, conforme a criança tem um acidente e ajuda a limpar a sujeira (em vez de a mamãe correr para fazer isso por ela), ela percebe: *Humm, esperei demais. Tenho de chegar lá logo que sentir que estou com vontade.*

Alguns pais mantêm as fraldas à noite, pois veem isso como um avanço. Se você realmente quer treinar seu filho para usar o banheiro, imagine que se ele é grande o suficiente para dizer "Quero a fralda", então já pode aprender a ir sozinho. Se você disser à criança: "Querido, acabaram-se as fraldas e não vai haver mais", a maioria delas aceitará. Ao não ter fraldas disponíveis, você incumbe a criança de assumir o controle de sua própria bexiga.

Uma apresentadora de um programa de entrevistas uma vez me falou sobre seu filho: "Doutor, o pequeno Jake não faz o número 2, a menos que esteja de fralda. Quando colocamos a fralda, ele faz. O que posso fazer a respeito?".

Isso é simplesmente insano, para ser bem direto. Se a criança consegue pedir uma fralda para fazer o número 2, ela consegue chegar ao banheiro a tempo. Essa criança está manipulando você e saboreando cada momento. É ela quem comanda a casa, não você. E isso não é bom para nenhum dos dois.

Minha esposa cometeu um erro enorme com nossa primeira filha, de nossa prole de cinco. Ela decidiu que escolheria o dia em que Holly começaria a usar o banheiro. Sande leu o livro de dois psicólogos sobre deixar as fraldas e estava determinada a segui-lo. Lembrei-a de que era psicólogo também, e via as coisas de outro modo, mas não fez diferença. Minha esposa, que também é primeira filha e acha que sabe como são as coisas, me expulsou de casa no dia específico e exigiu que eu não interferisse. Munida de batatinhas fritas e balinhas de chocolate — coisas que entopem as veias e matam depois de 20 anos, e que normalmente não apareciam em nossa casa — ela colocou "o plano" em prática. No final do dia, Holly estava dando tapinhas no penico e dizendo: "Penico, penico" — enquanto o que deveria estar no penico escorria por suas pernas.

Nós, pais, geralmente achamos que sabemos o que é melhor para nossos filhos, mas a verdade é que todas as crianças têm um despertador interno para a hora de deixar as fraldas. Isso se chama prontidão, e você pode interpretar os sinais. A criança começa a imitar seu comportamento de ir ao banheiro, fazer perguntas e querer segui-lo. É o momento de dar o próximo passo. Compre um penico de plástico, coloque-o no chão e deixe-o se tornar um elemento de seu banheiro. Não faça alarde, para que a criança não ache que o assunto é motivo de alarde (e também uma forma de controlar papai e mamãe).

Quando a criança vir o penico, explique calmamente que é dela, que ela pode usá-lo. Está no nível do chão e é fácil de sentar. Com esse método, muitas mães se surpreendem positivamente ao ver como a saída das fraldas acontece facilmente quando não há pressão para que se realize. Em geral, a criança curiosa será encontrada no banheiro, experimentando o novo penico sozinha!

> A maioria das crianças está preparada para ir ao banheiro aos 2 anos ou 2 anos e meio.

Quando a criança se senta no penico e faz o número 1 (o mais fácil dos dois), *então* faça um alarde (mas não muito grande). "Puxa, olhe para isso! Você fez sozinha!" são palavras de encorajamento para uma criança. Se quiser reforçar com um presente, pode fazê-lo. Mas não acho que seja uma boa ideia. Por que não? Se você fizer uma enquete com todos os seus amigos e perguntar-lhes: "Quem fez xixi hoje?", a maioria olhará para você como se fosse louco e dirá: "É claro que eu fiz xixi". Bem, alguém deu a *eles* uma balinha por isso? Não. Então por que dar à criança?

Ir ao banheiro é uma das coisas mais naturais do mundo. Somos nós que tornamos isso grandioso e complicado. Não precisa ser. Se seu filho não responder ao treinamento em alguns dias, não crie caso. Esqueça o penico por alguns dias e depois o traga de volta. Às vezes, uma ou duas semanas é tempo suficiente para a criança decidir que agora é hora.

Quando seu filho fizer o número 2 no penico, você pode dizer: "Oh, olhe o que você fez! Que ótimo!". Mas, por mais que você fique animada com essa realização, não comemore demais. Uma mãe que conheço "guardou" o cocô para mostrar ao marido quando ele voltasse do trabalho. Naquela noite, ela, o marido e os dois outros filhos se reuniram ao redor do trono de porcelana para adorar o cocô. Eles acharam que isso encorajaria o pirralho a ir lá com mais frequência. Em vez disso, tudo o que fizeram foi mostrar ao pequeno hedonista que "Sim, isso é grande coisa. A mamãe realmente gosta quando vou ao banheiro. Humm... O que será que ela faria se eu me recusasse a ir? Será que ela me daria alguma coisa?" Então as boas intenções da mãe realmente saíram pela culatra. De repente, aquela criança não conseguia criar sua obra de arte sem que a mãe ou outra pessoa se sentasse no banheiro com ela.

A maioria das crianças está preparada para ir ao banheiro aos 2 anos ou 2 anos e meio. Se a criança está se desenvolvendo normalmente (e não está atrasada em seu desenvolvimento), não há razão para ela não ir sozinha ao banheiro aos 3 anos. Se seu filho não aprendeu a ir ao banheiro aos 3 anos e meio, é porque você tornou a tarefa mais complicada com recompensas e punições. Essa criança entendeu seu jogo e está no comando.

Tenha em mente que, mesmo aos 4 anos, a criança pode molhar as calças. "Mas, doutor, ela aprendeu a ir ao banheiro aos 2 anos. Qual o problema?", você pergunta.

O que a criança lhe diz? "Esqueci."

A criança não esquece. Ela sente o mesmo que você e eu em sua bexiga quando temos de ir ao banheiro. Simplesmente ficou tão envolvido com a brincadeira que teve preguiça e molhou as calças.

Na casa dos Leman, a lei sempre foi que há um número determinado de roupas de baixo que se pode usar por dia. Se você fizer uma enquete em seu bairro, descobrirá que a média é um par de calças por dia. Isso significa que, se uma criança esquece de entrar para ir ao banheiro e molha as calças lá fora, ela entra em casa, e seu dia ao ar livre terminou. É uma simples questão de causa e efeito que torna a criança responsável por sua própria bexiga. Se o dia dela com os amigos termina porque molhou as calças, você acha que ela vai se lembrar de entrar e ir ao banheiro da próxima vez?

IRRESPONSABILIDADE COM O CARRO, DIREÇÃO

Em meu livro, dirigir é um privilégio, não um direito. As primeiras responsabilidades dos filhos são em relação a casa, escola, prática de esportes, aulas de música, etc. Dirigir vem depois disso em importância, mas pode se tornar o único foco na cabeça de um jovem assim que ele faz 15 anos.

Para estar apto a usar o carro da família ou ter o próprio carro, um filho precisa demonstrar um nível tremendo de responsabilidade. Também é importante que o filho tenha tido aulas de direção (o que também economiza o dinheiro do seguro). Alguns pais muito ponderados que conheço têm regras para quando o filho quer dirigir o carro da família depois de completar 16 anos:

1. Não levar mais de um amigo no carro.
2. Não falar ao telefone ou enviar mensagens de texto.
3. Álcool no carro: *jamais*.
4. Chegar em casa em horário razoável.
5. A cada seis meses, o filho paga a metade do seguro.

Você acha que a filha deles, agora com 18 anos, respeita os pais e é cuidadosa com o carro da família?

Só porque seu filho completou 16 anos[4] não significa que ele está pronto para dirigir. Dirigir exige foco, seriedade e disciplina. Se seu filho é irresponsável, por que você o deixaria dirigir seu carro de US$ 32 mil? E por que deixaria que ele tivesse a própria vida e a dos amigos em suas mãos? Dirigir é uma montanha, uma montanha muito séria.

> Só porque seu filho completou 16 anos não significa que ele está pronto para dirigir.

Se seu filho não é responsável o suficiente para dirigir, ele não deve pegar as chaves do carro da família. Ou, se pegar, você ou outro adulto responsável têm de acompanhá-lo. É um inconveniente, já que você esperava ficar livre de todo o leva e traz de uma atividade para outra quando seu filho chegasse aos 16? Claro que é. Mas a maior parte das atividades de ser pai também é. Entretanto, o lado oposto da moeda sai bem mais barato.

Recentemente, a oeste de Nova York, cinco garotas que faziam parte da equipe de líder de torcida — garotas populares na escola, boas alunas que tinham acabado de concluir o ensino médio e estavam prontas para a faculdade — se envolveram em uma colisão frontal trágica. Os investigadores descobriram que, segundos antes da batida, a motorista tinha recebido uma mensagem de texto. Durante todo o percurso, ela tinha ficado digitando mensagens. Quando tentou ultrapassar um carro, bateu direto em um rebocador.

Agora, eu pergunto: vale a pena ter algumas regras que seus filhos devem seguir para dirigir o carro da família? Se seu filho não segue essas regras e age irresponsavelmente, é realmente tão ruim que ele fique dois ou três meses sem dirigir? A alternativa pode ser muito pior, como descobriram os pais dessas cinco garotas.

Dar um sumiço nas chaves do carro vai render reclamações temporariamente, mas pode salvar seu filho — e outras pessoas na rua — de um enorme perigo.

ISOLAMENTO (NO PRÓPRIO QUARTO)

> Desde que Andrea fez 13 anos, nunca mais a vi. Ela chega em casa depois da escola e vai direto para o quarto. Passa o tempo todo ao telefone, enviando mensagens de texto e trocando de roupas. É como se não fizesse mais parte da família.

Deixe-me esclarecer algumas coisas do princípio. É muito *normal* que adolescentes cheguem em casa, entrem no quarto e fechem a porta por algum tempo. Conversar com amigos ao telefone, trocar mensagens de texto, etc. é muito importante para adolescentes. E passar um tempo sozinhos os ajuda a processar todas as mudanças hormonais e emoções decorrentes disso.

> Você precisa se perguntar: "Que ações minhas contribuem para esse comportamento do meu filho?"

Estou falando aqui, porém, do jovem que passa *todo* o tempo no próprio quarto. Saber quando a criança está passando tempo demais no quarto cabe ao julgamento dos pais. Só você sabe, com base no comportamento de seu filho, quando ele simplesmente precisa de um tempo sozinho e quando está literalmente se isolando do resto da família. Alguns jovens se tornam reclusos na própria casa.

Se isso está acontecendo em sua casa, em primeiro lugar comece a avaliar seu próprio comportamento. Quando um filho se afasta da família isolando-se no quarto, eis o que ele realmente está dizendo: *Não gosto de estar perto de você. Toda vez que abro minha boca, você me corrige e me julga. Toda vez que uso alguma coisa, você me olha achando graça. Você não gosta do meu cabelo, das minhas roupas ou da minha música. Estou cheio de você.*

Quando uma criança é ridicularizada o tempo todo por um pai controlador, que sempre lhe diz quando e como fazer as coisas, esse filho vai sempre sair de perto e fugir para o quarto. Quem pode culpá-lo? *Você* gostaria de ser ridicularizado o tempo todo?

Desse modo você precisa se perguntar: "Que ações minhas contribuem para esse comportamento de meu filho?". Se tudo o que você faz é bisbilhotar e questionar, pare! A melhor maneira de calar uma criança é fazendo perguntas. Em vez disso, escute-a. Se sua filha menciona alguma coisa que aconteceu na escola, diga simplesmente: "Conte-me mais sobre isso. Deve ter sido engraçado/difícil". Deixe a porta aberta para o diálogo, mas não force a barra. Quando você parar com isso, ficará surpreso com o que começará a ouvir de seu filho.

No cerne desse comportamento, está uma criança que precisa de aceitação. Quando seu filho conversa com amigos, eles aceitam o corte de cabelo que você acha ridículo (acham legal ou, pelo menos, não fazem piadas a respeito), a saia justa demais e as calças caindo. Quando você olha a longo prazo, essas coisas não são montanhas, são grãos de areia. (Pense nas roupas ridículas que você usava na oitava série. Preciso dizer mais?)

Seu filho precisa saber que você o aceita e ama incondicionalmente. Essa é a base da comunicação para toda a vida.

JOGOS DE PODER/DOMINAÇÃO/GUERRAS DE PODER

A questão chave é quem é o pai nessa relação — você ou seu filho?

Outro dia, eu estava em uma loja e vi uma garota adolescente definitivamente dando a última palavra. Em termos muito precisos, ela estava dizendo à mãe, que a olhava esgotada, exatamente o que comprar e o que elas fariam quando saíssem da loja. E sabe do que mais? A mãe estava caindo naquela conversa!

Isso é uma montanha que deve ser escalada o mais cedo possível. Estou dizendo que você deve dominar seu filho? Agir como uma figura autoritária que dá ordens a seu filho? Alguém que projeta a imagem de "eu sou melhor do que você"? Certamente não. Não somos melhores do que nossos filhos; simplesmente temos responsabilidades diferentes. E uma delas é sermos pais. Somos aqueles que precisam decidir o que é melhor para a criança — e para a família.

Em vez disso, o que acontece? Uma criança se torna responsável pela decisão só porque resmunga, reclama, chora e grita. Ou domina a situação sendo tímida e quieta e não dizendo nada, o que obriga os pais no papel a estar sempre cutucando. Vamos dizer que o pai esteja preocupado com o desenvolvimento da linguagem de seu filho de 3 anos. Se uma criança poderosa toma conhecimento disso, ela vai se calar e não dizer nada. Em pouco tempo, usará apenas gestos para conseguir que as pessoas façam o que ela quer — e todos se sentirão mal e preocupados com ela e pararão o que estão fazendo para ajudá-la.

> Se seu filho está tentando envolvê-lo em uma guerra de poder, a solução é simples: não vá por aí. Não se envolva em intrigas.

Como o comportamento de poder se desenvolve? Ele não sai do nada. Quando falo sobre jogos de poder em seminários e alguém me diz: "Dr. Leman, tenho uma filha pequena muito autoritária", minha primeira resposta aos pais é: "Quem de vocês é o autoritário — você ou seu marido?".

As crianças aprendem esse comportamento em algum lugar. Alguém lhe serviu de modelo. Isso significa que os pais precisam ser muito cuidadosos sobre como expressam suas frustrações.

Entendo como é difícil estar às voltas com os pequenos hoje em dia. Eu mesmo tive cinco filhos. Por isso, quando minha filha Krissy me ligou um dia e disse: "Papai, eu só preciso sair de casa", eu logo me identifiquei. "É claro", disse, "vou encontrá-la". Estar com as crianças durante o dia todo é exaustivo. As demandas são constantes e cobram seu preço. Mas, se sua frustração com essas demandas — escolhidas quando você decidiu ser pai — são jogadas sobre seus filhos, então você tem um problema que precisa ser resolvido. Afinal, você é o adulto.

Se você se envolve em uma guerra de poder com seu filho, está fadado a perder. Uma criança consegue aguentar muito mais tempo do que você; ela está totalmente focada naquilo que quer, enquanto você tem muitas outras coisas em que pensar. Você desistirá sempre, só para terminar a guerra de poder. E então a criança vence.

> As crianças precisam aprender que essa história acabou. Se elas não fazem o que se espera delas, há consequências imediatas.

Se seu filho está tentando envolvê-lo em uma guerra de poder, a solução é simples: não vá por aí. Não se envolva em intrigas. Não caia nessa armadilha. Em vez disso, calmamente comece a tirar o time de campo — sem fanfarra, sem ameaças. Se seu filho diz: "Eu não vou!" de maneira muito clara, deixe-o em casa. Mas, quando ele quiser ir à casa de um amigo, *você* não vai. Se sua filha disser: "Não vou fazer a lição de casa!", esqueça o problema. No dia seguinte escreva um bilhete para a professora:

> Elizabeth se recusou a fazer a lição de casa ontem à noite. A senhora poderia, por favor, lhe dar uma nota E nessa tarefa ou fazer o que precisar ser feito para encorajá-la a fazer a lição daqui para a frente? Muito obrigada.

O importante é que seu filho aprenda que tem responsabilidade sobre seu comportamento. "Eu não quero" e preguiça não são desculpas. É difícil para um pai fazer isso? Claro. É mais fácil levar a criança onde ela quer por algumas horas e fazer a lição de casa para ela. Mas o que você está ensinando a seu filho em longo prazo? *Olhe, se você não fizer uma coisa, não se preocupe. Mamãe fará.*

Tudo volta para isso: você está à frente de uma casa ou de um hotel? Se é um hotel, muito provavelmente você é a camareira. É assim que quer passar seus dias?

É hora de ser firme. As crianças precisam aprender que essa história acabou. Se elas não fazem o que se espera delas, há consequências imediatas relacionadas a esse comportamento.

LAMÚRIAS

Mas, paaai...

Mamãe, ele disseeee...

Minha frase favorita sobre esse assunto é: quando você tem lamúrias demais, precisa construir um depósito de lamúrias.

A verdade, no caso, é que com certeza há chorões neste mundo. Já vi muitos deles, e não são pessoas agradáveis. O choramingas só continua porque fazer isso compensou no passado. Ele sabe que reclamar mantém mamãe ou papai afastados e a criança no comando. E nós, pais, somos tolos o suficiente para cair nessa história. Assim que cedemos às reclamações das crianças, estamos colocando mais lenha na fogueira. Da próxima vez, vai ser ainda pior.

> Nunca, jamais, compense lamúrias com qualquer tipo de recompensa.

Crianças são viciadas em rotina. Então não comece um hábito que você não quer que continue. Nunca, jamais, compense lamúrias com qualquer tipo de recompensa. O festival da lamentação sempre começa mansamente, com crescendos que chegam a "Mas, mãe...!".

O pai ou mãe espertos pegarão a criança e dirão: "Se você quer lamentar, lamente lá fora. Não quero ouvir".

Qual a natureza motivacional do comportamento da criança? Chamar a atenção e conseguir o que quer. Quando os dois propósitos são removidos, assim como a plateia (você), lamentar-se perde toda a graça.

LIÇÃO DE CASA

Lição de casa é um mal necessário no processo de crescimento. Se você é pai, irá, de certa forma, estar envolvido no assunto (quer escolha a escola pública, particular ou a educação em casa). O melhor a fazer por seus filhos é oferecer um local silencioso, bem iluminado e fixo, onde eles possam fazer suas lições.

Eis o problema. Se você tem filhos manipuladores, eles podem convencê-lo a fazer a lição para eles. Podem levá-lo na conversa e transformar sua casa em escola (apesar de ser mais uma zona de batalha, com as emoções voando) por quatro ou cinco horas à noite. Mas a realidade é que a lição de casa de seu filho é do seu filho. Não sua. Não há nada errado em conferi-la, para ter certeza de que seu filho fez o que precisava, e ajudar respondendo a perguntas quando uma criança fica em dúvida, mas de modo algum você deve fazer a lição para ele. Em nossa casa, nossos filhos sabiam que esperávamos que fossem bem na escola — o melhor possível.

> A lição de casa de seu filho é do seu filho.

Uma das regras em nossa casa é que o computador tem de ficar em uma das salas centrais, não em um quarto. Durante muitas noites, nossa filha caçula, Lauren, se senta na mesma sala que eu (estou em minha cadeira favorita) e faz sua lição com a ajuda do computador. Estamos a um metro e meio de distância, mas raramente faço a pergunta: "O que você está fazendo?". Às vezes, a vejo estudando matemática e lutando com isso, mas não intervenho. Se ela me pede ajuda, fico satisfeito de ajudá-la por alguns minutos, mas não vou travar uma batalha com a lição de casa durante horas.

Pais não devem voltar à quarta ou à sétima séries. Eles já passaram por isso. Se uma criança está tendo dificuldade em uma matéria, o melhor a fazer é ver se o professor pode dar uma ajuda extra ou contratar um professor particular. Fizemos isso com nossos filhos em algumas ocasiões — uma vez, contamos com a ajuda de um universitário e, em outra, um aluno do ensino médio ajudou.

Não deixe que seu filho o manipule transformando-o em aluno e fazendo o que deveria ser responsabilidade dele.

MAU COMPORTAMENTO NO SUPERMERCADO

Mas eu quero... e quero *agora*!
(o choramingo)

Quero descer... quero descer...
(fala enquanto se contorce no carrinho)

Se você tem uma criança pequena, deve ter discernimento para se lembrar de que crianças de 3 ou 4 anos têm intervalos curtos de atenção. Então, se você realmente quer ir às compras, escolha um horário em que não precise levar as crianças. Conheço uma mãe que vai ao supermercado às duas horas da madrugada, quando seu marido volta do turno da noite, só para comprar em paz e silêncio, já que ela tem gêmeos de 4 anos.

Se você tem de fazer compras com as crianças, reduza a lista ao essencial. Deixe o de 2 anos carregar alguma coisa. Torne a criança parte da experiência. "Oh, querido, você pode pegar um pão da prateleira para mim?", você pode dizer quando se aproxima do pão com o carrinho. Quem se importa se o pão ficar um pouco amassado? Vai ter o mesmo gosto, e você está incluindo seu filho.

> Mas *não deixe* seus filhos pequenos darem palpites sobre o que você vai comprar.

Não deixe, porém, seus filhos pequenos darem palpites sobre o que você vai comprar. Se deixar, você vai acabar com o carrinho cheio de porcarias e estabelecendo um padrão para futuras incursões ao supermercado. Lembre-se, crianças têm tudo a ver com rotina, de modo que, se você criar um padrão, elas vão insistir para que isso se repita pela eternidade. Por exemplo, se cada vez que você for ao supermercado seu filho ganhar um bolinho grátis, ele será como o personagem Matlock[5] — jamais se esquecerá daquele bolinho grátis. Então, se você passar por aquele quiosque de bolinhos e não pegar um, prepare-se para momentos infelizes para ambos.

Antes de colocar os pés no supermercado, estabeleça suas expectativas para o passeio. Faça uma lista dos itens necessários. Decida o que vai comprar e se as crianças ganharão alguma guloseima ou não. (Se você estabelecer o hábito da guloseima, pode acabar comprando o estoque inteiro da Nestlé. Você pode ficar preso à compra de guloseimas para sempre!) Diga à criança o que vai acontecer — e atenha-se a isso. Não deixe que nenhuma súplica, resmungo ou choro o desvie do plano. Se seu filho criar confusão, simplesmente retire-o do estabelecimento. Imediatamente. Mesmo que isso signifique deixar seu carrinho de compras, cheio de mercadorias, na loja. Lembre-se: B não acontece até que A esteja concluído. Se seu objetivo era fazer compras e seu filho não está colaborando, mesmo que você lhe tenha prometido uma guloseima, a promessa não pode ser cumprida. Do contrário, você estará colocando seu filho no comando — e não ache que ele não vai querer ocupar esse posto novamente.

MEDOS/TERRORES

Acontece em todas as casas, inclusive a sua. Você suspira aliviado depois de colocar seu filho na cama... mas, depois de cinco minutos você vê olhos grandes, expressivos, espreitando-o do lado. É o caçula.

"O que você está fazendo de pé?", você pergunta na voz mais austera possível.

"Estou com medo do escuro", a vozinha estremece.

Mas o que realmente está havendo?

Lembre-se, crianças são sindicalizadas. E, se você tiver mais de uma, seus filhos terão enviado o menor para reconhecer o terreno — como bode expiatório. Sei tudo sobre isso porque, quando eu era pequeno, meu irmão e minha irmã mais velhos costumavam me tapear para que eu voltasse à sala depois da hora em que deveríamos estar na cama. Eu era a cobaia... ou o sacrifício, seja lá como você queira ver as coisas. Se eles queriam cereal, me mandavam. Por que mandar o caçula fazer o trabalho sujo? Para os irmãos, se ele for morto, quem se importa? Ninguém gosta dele mesmo.

A verdade é que pesquisas demonstram que a criança que menos provavelmente será punida é o bebê da família. Seus filhos instintivamente sabem disso. Eles são espertos. Então o de 11 e o de 9 dizem para o de 4 ir lá fora. O de 4 é bobo o suficiente para fazê-lo. Assim que o de 4 estiver fora do quarto e negociando com sucesso um acordo com você, duas outras sombras aparecem no corredor.

"O que vocês estão fazendo fora da cama?", você vocifera.

"Corey também não está na cama", eles dizem.

E em pouco tempo você tem uma festinha noturna em seu horário de descanso.

Volte à natureza motivacional do medo. O que realmente acontece com o medo do escuro, ruídos na noite ou monstros embaixo da cama?

Seu filho quer que você entre naquele quarto. Quer sua presença. O que o medo lhe dê um motivo para chorar, gritar e exigir sua presença ao lado dele. O que você pode fazer?

O que realmente acontece com o medo do escuro, ruídos na noite ou monstros embaixo da cama? Seu filho quer que você entre naquele quarto.

Você pode entrar no quarto e garantir para a criança que não há monstros na casa. Mas, assim que você sair do quarto, sua batalha estará perdida. Então, tente isso: na hora de dormir, coloque um borrifador perto da cama de seu filho. Coloque água e um pouco de corante alimentício nele e diga: "Querido, mas que sorte! Tenho repelente de dragões hoje exatamente aqui! Uma espirrada e todos os monstros caem fora na mesma hora".

A ideia é ensinar a criança a controlar seus medos.

Lembro-me de que, quando criança, ao fechar os olhos, eu via pontinhos coloridos. Costumava chamá-los de mosquitos e contava para meus pais:

"Estou vendo mosquitos! Estou vendo mosquitos!", e eles vinham ao meu quarto, noite após noite, para me acalmar. Mas qual era a natureza motivacional do meu comportamento? Ver meus pais mais uma vez antes de dormir.

Se você está consciente disso, vai pensar em soluções conscientes como o borrifador *antes* de colocar seu filho na cama.

MENTIRAS

Crianças mentem por duas razões básicas. Uma é o desejo de realização. Algumas crianças chegarão em casa dizendo que marcaram três gols no futebol... e então você descobre que ela nem sequer jogou.

A segunda razão é por medo. "Você quebrou esse vaso?", você pergunta. "Não! Não fui eu! Foi o gato!", afirma seu filho de 6 anos.

A maioria das crianças mente por medo. Mas mentir é uma montanha, pois para haver um relacionamento entre dois seres humanos ele deve ser baseado na verdade. Do contrário, você se sentirá violentado.

> A maioria das crianças mente por medo.

Então, se seu filho mente, você precisa desmascará-lo e dizer que mentir não é aceitável. Também deve haver uma outra consequência quanto a mentir. Vamos dizer que, há dois dias, seu filho diz algo inócuo como: "Posso ir ali brincar com o Ronnie?"

Sua resposta precisa ser um "não" trivial.

"Mas por quê?", pergunta seu filho. "Você sempre me deixa ir."

Aí está o momento instrutivo, ainda mais importante do que ser surpreendido mentindo.

"Querido, eu não tenho a menor ideia de que você vai estar onde disse que estará. Lembra-se de quarta-feira à noite, quando você me disse que estaria na casa da Susan — e não estava?"

Você ficou batendo na mesma tecla? Não. E você não faz isso em longo prazo. Mas, dizer algo como isso duas ou três vezes cria uma impressão memorável em uma criança de que não se deve mentir. Você não ganha nada com isso e rompe a confiança entre os dois. Crianças precisam ver e sentir o resultado imediato.

Aqui está uma advertência à moda antiga: "Você não vai ter problemas se me contar a verdade". Isso também precisa ser verdadeiro em sua família. Se seu filho realmente quebrou o vaso e diz a verdade, ele pode saber que você não ficou feliz, mas não deve ser punido por dizer a verdade. Nessas situações, você vai precisar pensar bem antes de abrir a boca. Como você responde a uma situação assim está diretamente relacionado com quão confortável seu filho fica em dizer a verdade.

Crianças podem ser tolas e vão fazer coisas estúpidas na vida (como segurar a câmera para fora da janela do carro e derrubá-la), mas, se elas confessam francamente e se arrependem, precisam saber que a vida continua. Você não vai bater na mesma tecla sobre esse erro por anos. A relação entre vocês dois vai continuar bem.

Em relação a mentir, o problema é o seguinte: os pais também têm de ser cuidadosos com suas próprias mentiras; mesmo as mentiras mais inocentes continuam sendo mentiras. Se você diz a seu filho: "Se alguém do trabalho ligar, diga que não estou" e isso não for verdade, seu filho é esperto o suficiente para saber. E ele logo pensa: "Se você pode mentir, então eu também posso".

MESADA

> Dou a Matt, nosso filho de 14 anos, uma semanada. Um dia depois de receber, ele sempre volta pedindo mais dinheiro para algo que ele diz que precisa ter. Matt está me deixando louca.

> Trey tem apenas 3 anos, mas parece gostar de dinheiro. Outro dia, ele pegou algumas moedas do balcão da cozinha e colocou-as no bolso. Ele é tão novo que acho que não tem ideia de que o que fez, sem pedir, estava furtando. Mas me fez pensar: será que devo lhe dar uma mesada? Em que idade as crianças devem começar a recebê-la?

> Damos a nossos três filhos — de 12, 14 e 16 anos — a mesma quantia toda semana. Mas o de 16 constantemente pede dinheiro emprestado ao de 12... e consegue. Devemos dar mais ao de 16 porque é mais velho, ou manter a mesma quantia, sendo justos com os três?

> Nossos dois filhos, de 11 e 13 anos, têm personalidades muito diferentes. Jen, a mais velha, é muito esforçada. Depois de fazer suas tarefas regulares, ela sempre vai além e faz trabalhos extras se percebe que há coisas a fazer. Mark, o mais novo, tem de ser retirado de seu *playstation* várias vezes para que cumpra pelo menos suas obrigações. Fui criada com um irmão e tudo em casa era igualitário. Mas sempre fiquei furiosa quando fazia todo o trabalho e ganhava a mesma mesada de meu irmão, mais novo. Não quero que Mark se sinta inferior ao receber menos dinheiro que sua irmã. Socorro! O que devemos fazer?

A mesada é uma daquelas áreas que influenciam muitas outras, portanto, vou passar um tempo maior nesse assunto do que em outros. Por quê? Porque o dinheiro que uma criança tem nas mãos, a forma de o ter recebido e como o vê afetam não só sua capacidade de comprar ou guardar, mas também o que sente a seu próprio respeito. Para que serve a mesada? Em meu ponto de vista, a mesada é parte do orçamento de lazer da família. É uma das vantagens de fazer parte dela.

A mesada é parte do orçamento de lazer da família. É uma das vantagens de fazer parte dela.

Essa é uma visão diferente daquela com a qual fomos criados. Lembra-se da lista de tarefas pregada na porta da geladeira? Todos nós resmungávamos, mas fazíamos (a menos que conseguíssemos obrigar nossa irmãzinha a fazer por nós, às escondidas), porque era a única maneira de sermos pagos. A lista era mais ou menos assim:

Limpar o quarto: 50 centavos
Arrumar a mesa: 10 centavos
Alimentar e levar o cachorro para passear: 50 centavos
Limpar a garagem: 1 real
Levar o lixo para fora: 20 centavos

Realizar essas tarefas estava diretamente relacionado à quantia de dinheiro que recebíamos semanal ou mensalmente.

Contudo, aqui vai minha sugestão: todo membro da família deveria automaticamente receber uma mesada proveniente do orçamento de lazer da família. Isso significa que todo mundo, como parte do "bônus" por pertencer à família, tem dinheiro para gastar. Sei que alguns vão dizer: "Não tenho dinheiro para dar mesada". A realidade é que todos os pais gastam dinheiro com seus filhos, então "não tenho dinheiro" é algo que não me convence. Pegue o que você gasta com seu filho para comer, vestir, etc. e reúna tudo isso como dinheiro de mesada. Isso não lhe custa mais do que você já gasta, e vai ensinar responsabilidade a seu filho.

Alguns membros da família, devido à idade ou às habilidades, terão mais trabalho a fazer do que outros. Por exemplo, você não esperaria que uma criança de 6 anos fizesse o mesmo trabalho, com o mesmo resultado, de uma de 14 anos. Mas, da mesma forma, a criança mais velha sempre tem benefícios que a menor não tem — por exemplo, poder ir mais tarde para a cama ou sair com os amigos.

Sugiro que você comece a dar a mesada a seu filho por volta dos 5 anos. Dê à criança, vamos dizer, cinco moedas de R$ 0,50 (R$ 2,50 por semana). Não há nada mais maravilhoso para uma criança do que ter algo seu, e moedas brilhantes são como ouro para os pequenos. Cinco anos também é uma boa idade para começar a ensinar o valor do dinheiro — qual o valor das diferentes moedas e o que podem comprar. Leve-a ao banco com você e abra uma poupança. Invista em uma conta com rendimentos ou ações, se você souber fazer isso. (É incrível como pequenas quantias podem crescer, e é maravilhoso para uma criança ver isso a cada trimestre ou anualmente.)

Se a criança quer gastar o dinheiro em algo acima do valor de sua mesada, *não* pague a mesada. Faça a criança esperar até que tenha dinheiro suficiente para comprar o item sozinha. Então ela vai poder vivenciar a emoção de comprar algo que conquistou por conta própria — e também terá uma ponta de remorso se quebrar acidentalmente o brinquedo que comprou. Ter "o próprio dinheiro" dá à criança certo domínio sobre os valores e uma compreensão crescente de quanto tempo leva para *juntar* o dinheiro necessário para comprar certas coisas.

Conforme a criança cresce, aumente o valor da mesada segundo a idade. Quanto mais dinheiro você der de mesada para seu filho conforme ele cresce, mais ele vai fazer com o dinheiro, seja economizar, seja gastar.

Nossa filha Lauren, hoje com 15 anos, *adora* economizar sua mesada. Algum dia, ela ficará feliz de ter um pequeno pé-de-meia todo dela para comprar algo especial. A pequena Kayla, de 8 anos, também gosta de economizar. Ela coloca cada centavo que recebe em seu fundo pró-cavalo. Mas ano passado, quando ela ouviu que uma garotinha tinha perdido sua casa em uma enchente, pegou sua mesada e enviou para a família da garotinha um presente especial — de todo o coração, e usando todas as suas finanças.

Kyle, de 11 anos, descobriu rapidamente que dinheiro não dá em árvore e o que é o máximo para seu grupo de amigos hoje pode não ser mais amanhã. Ele precisou de quase seis meses de mesada para comprar um *skate*. Três semanas depois da compra, seus colegas de classe riram de seu *skate* porque não era mais o modelo mais recente nem o mais incrível. Agora Kyle procura comprar apenas coisas que *ele* realmente quer — não o que ele acha que vai torná-lo popular.

As crianças precisam saber que, quando o dinheiro é gasto, já era. Nada é de graça na vida.

Se seu filho pede mais dinheiro porque já gastou o que tinha, diga: "Bem, o dia de pagamento é só no sábado. Tenho certeza de que você vai dar um jeito". Seu filho vai morrer se levar o lanche de casa em vez de ir com os amigos comer na pizzaria da esquina?

Você diria a seu chefe: "Olha, preciso de mais dinheiro para sobreviver até sábado"? Então não permita que seus filhos o manipulem.

Todavia, você deve remunerar seus filhos por tarefas específicas? Vamos dizer que sua filha chegue a você e diga: "Eu gostaria de ganhar um dinheiro extra neste verão. Há algo que eu possa fazer?"

"Bem", você diz, "estou querendo pintar a garagem há dois anos. Se você fizer isso, lhe dou R$ 100,00."

Esse tipo de acordo, que vai além das responsabilidades habituais de seu filho, é uma ótima maneira não só de ver um serviço feito, mas também de dar a seu filho a oportunidade de ganhar um dinheiro adicional por um projeto especial. E quando a pintura estiver pronta, pode apostar que sua filha vai olhar para a garagem todo dia e ficar satisfeita com o que realizou.

Crianças precisam saber que ir até o fim em um acordo é importante como membro da família. Se não forem, haverá consequências.

Por exemplo, digamos que seu filho de 14 anos não cortou a grama como era esperado. Em vez de reclamar ou brigar com ele sobre quando ele vai fazer, que tal simplesmente convocar o irmão ou alguém da vizinhança para cortar a grama? E se o dinheiro usado para contratar essa pessoa for descontado da mesada de seu filho na semana seguinte? Você acha que ele vai captar a mensagem?

Vamos dizer que seu filho mais velho faz tudo o que se espera dele. Você tem certeza de que suas tarefas serão feitas, e nem precisa conferir. E há o irmão mais novo, que detesta fazer qualquer tipo de trabalho, mas deveria arrumar o quarto. Quando ele não faz, o que você costuma fazer? Reclamar com ele, certo?

E se, em vez de dizer qualquer coisa, você pedisse à irmã para arrumar o quarto dele, e pagasse R$ 4,00 da próxima mesada dele para isso? Há grandes chances de o irmãozinho não ficar feliz por dois motivos: 1) ele perdeu parte da mesada e 2) sua *irmã* entrou em seu quarto.

Porém, você não reforçou a ideia de que se espera que todo membro da família contribua, e, quando eles não fazem isso, é preciso pagar alguém de fora para fazer o que se esperava deles?

Mesadas ensinam às crianças como administrar o dinheiro — e também ensinam às crianças sobre consequências. Por exemplo, posso levar meu carro ao lava-rápido e pagar R$ 10,00. Ou posso lavar meu carro em minha própria garagem e guardar os R$ 10,00. É uma questão de escolha.

Se sua filha não encontra tempo para realizar uma tarefa, não tente persuadi-la, lembrá-la ou fazer um sermão. Simplesmente contrate alguém para fazer e desconte o que custou da mesada dela. Sem ameaças ou avisos — só ação.

Essa ação vai falar muito mais alto do que quaisquer palavras. Eu sei, porque consegui resultados imediatos em minha própria casa. Nossos filhos adolescentes tinham a responsabilidade de fazer nosso jantar uma vez por semana para poupar minha esposa, Sande. Uma noite, chegamos em casa após o trabalho, e não havia jantar. Decidi então que era um bom momento de aprendizagem. Levei Sande para jantar fora em um de seus restaurantes favoritos, onde era servida comida de verdade, com talheres de prata, e não garfinhos plásticos de piquenique. Quando nossos filhos receberam suas mesadas na semana seguinte, o preço do jantar tinha sido dividido entre eles e descontado da mesada de cada um. Você acha que isso voltou a acontecer em nossa casa?

Lição aprendida.

MODO DE VESTIR (ROUPAS, CABELO, MAQUIAGEM)

Você sabia que crianças usam fantasias todo dia? Podem até parecer roupas, mas na verdade são fantasias muito bem boladas. A maneira de seu filho caminhar, falar e agir é parte de sua *persona*. Cada vez que ele troca de roupas, está experimentando uma nova personalidade. Não admira que passe tanto tempo em frente ao espelho!

Desde o primeiro dia, crianças sempre vão se expressar de forma diferente da cultura vigente (a dos pais). Quando era reitor da Uni-versidade do Arizona, durante a Guerra do Vietnã, um coronel dos fuzileiros navais me pediu para fazer que seu filho cortasse o cabelo e parasse de usar camisetas com os dizeres: "Não queremos sua maldita guerra".

> A maneira de seu filho caminhar, falar e agir é parte de sua *persona*. Cada vez que ele troca de roupas, está experimentando uma nova personalidade.

"Bem, meu senhor", disse a ele, "a parte do cabelo é fácil. É só o senhor deixar crescer o seu, que ele corta o dele. Quanto ao guarda-roupa... espere alguns meses depois da graduação".

Todo filho quer ser diferente dos pais. Curiosamente, quando o filho do coronel começou a ser chamado para entrevistas de emprego, a camiseta antiguerra foi aposentada, o cabelo foi cortado elegantemente, e surgiram sapatos alinhados e um belo terno profissional. Meses depois da graduação, o jovem foi absorvido pela cultura adulta assim que começou a receber o pagamento da América corporativa.

Crianças passam por diferentes estágios, e a maioria deles será praticamente inofensiva. O que é importante é estar afinado com o funcionamento interno de seu filho. O que está se passando no coração dele? Ele é compassivo e gentil? É responsável? Isso é que vai durar, não o guarda-roupa.

A moda muda. Simplesmente olhe para a história de qualquer grupo jovem nos Estados Unidos e você verá que as pessoas jovens sempre se diferenciaram das mais velhas pela maneira de vestir. Então, por que os pais transformam grãos de areia em montanhas? Seus pais sempre gostaram do que você usava? Notei recentemente, quando estava em um jogo de basquete universitário, como os *shorts* são largos atualmente — e vão bem além dos joelhos. Imagino que, se esperar mais alguns anos, os *shorts* normais que eu usava voltarão a ficar na moda.

Portanto, qual o problema de seu filho de 14 anos usar calças largas que poderiam servir para duas pessoas? Só certifique-se de que ele tenha um cinto resistente para que ninguém lhe possa tirar as calças, é o que eu digo. Mas, se de repente seu filho estiver se vestindo todo de preto, usando maquiagem gótica e roupas de couro, então o vestir está se tornando uma montanha. Porque com essas roupas, seu filho está experimentando uma *persona* que pode levá-lo a um território perigoso.

Como pai, você tem o direito de ministrar a vitamina N (não) na vida de seu filho, e essas decisões precisam ser baseadas em seu sistema de crenças. Entretanto, desejo que você não transforme pequenas coisas em batalhas. Se seu filho acha que precisa de um par de *jeans* de R$ 120,00 para ser igual aos colegas, deixe-o gastar o dinheiro de sua mesada nisso. Ou dê um orçamento determinado para roupas de escola todo ano e deixe-o gastar como quiser. Isso significa que ele pode ter duas camisetas de grife, uma calça *jeans* e uma jaqueta, em vez de um guarda-roupa completo da Old Navy,[6] mas quem se importa no final das contas? Esse é o menor dos problemas... ele é que terá menos opções de roupas e de prestar atenção para que seus itens preciosos estejam sempre lavados para ir à escola.

Não é você quem tem de se preocupar, e *você* não tem de usar as roupas, então por que não deixar seu filho ser criativo e aprender com a experiência?

NÃO SE LEVANTAR PELA MANHÃ

Esta é a maior montanha de todas na vida de uma família. É um vulcão ativo, pronto para explodir no céu de sua família.

Todos os membros da família têm responsabilidades. Você vive em uma casa, não em um hotel com serviço de despertador. As crianças têm a responsabilidade de se levantar sozinhas.

Minha filha Lauren hoje tem 15 anos. Em todos esses anos, só consigo me lembrar de uma vez em que ela não se levantou para ir à escola. Ela havia se esquecido de colocar o relógio para despertar. Acordei às 8 horas da manhã e fiquei alarmado por ela não estar de pé ainda. Para Lauren, foi uma grande surpresa, já que sempre colocava o despertador e estava pronta na porta, na hora certa. Eu fiz um grande alarde sobre isso? Claro que não. Foi um fato isolado. Simplesmente a levei para a escola.

Em muitas famílias, porém, é uma batalha fazer com que os filhos se levantem e estejam prontos na hora pela manhã. Os pais adulam, subornam, ameaçam e gritam, e as crianças saem correndo pela porta sem tomar o café da manhã para pegar o ônibus — bem na hora em que ele passa. E o que os pais fazem? Levam os filhos à escola correndo o risco de tomar uma multa para compensar o tempo que os filhos perderam ao não se levantarem mais cedo. Isso é loucura!

E como você, pai, se sente quando tudo isso acaba? Você está sem fôlego de tanto correr e se sente um pai horrível por ter passado a manhã gritando com seus filhos.

Se você quer ver o fim dessa história em sua família, experimente o que estou sugerindo. Não seja o despertador de seu filho. Deixe a criança perder a hora pela manhã. Ela vai acordar às 10 horas, muito mal-humorada por ter dormido demais.

Mas não é culpa sua. Não foi você quem dormiu demais.

A boa notícia é que seu filho vai precisar de um bilhete quando voltar à escola. E você vai escrever o bilhete.

> Prezado senhor,
>
> Não houve motivo para a Sally se atrasar. Ela simplesmente preferiu perder a hora. Faça o que o senhor costuma fazer com crianças impontuais.
>
> Muito obrigada,
>
> Sra. Anderson

Crianças pequenas detestam ir para a diretoria. Elas temem as punições. Crianças maiores não temem tanto as punições, mas o constrangimento da pressão dos colegas quando seu atraso é perceptível. Se você tiver de levá-las à escola porque perderam o ônibus, elas podem tentar puxar briga durante todo o caminho.

Sua resposta deve ser esta: "Estou cansada do que você faz toda manhã, então você vai ter de resolver seu problema".

Suas palavras calmas, o medo da criança de ir para a diretoria e o constrangimento por estar atrasada diante dos colegas — tudo isso vai ajudar a reverter a situação.

OFENSAS

Você é um *#@!
Não, você é que é!
Vou contar para a mamãe!

Isso lhe soa familiar?

As crianças vão ofender e humilhar umas às outras. Qual a natureza motivacional do comportamento? Fazer que pareçam melhores — e atrair sua atenção. Conforme a criança cresce, às vezes as ofensas são mais sutis, mas são ofensas da mesma forma.

Xingamentos são um tipo de briga. Para brigar, duas pessoas precisam estar envolvidas. Para encerrar esse jogo, leve as duas crianças para um quarto e diga que nenhuma delas sairá até que as coisas estejam resolvidas *de maneira satisfatória para você*. Isso significa que as crianças não sairão do quarto até que mostrem que chegaram a um acordo e pediram desculpas uma para a outra. Então a vida fora do quarto pode continuar.

Não tolere ofensas em sua casa. Ponto final.

O que você está ensinando a essas crianças? Que elas precisam resolver suas próprias batalhas; você não será a Grande Mamãe Gorila, que se senta entre os filhotes para resolver suas diferenças. Seus filhos precisam aprender que são responsáveis pelas próprias ações e palavras.

Você está dizendo: "Nesta família, não vamos tolerar ofensas e xingamentos. Somos uma família. Isso significa apoiar uns aos outros. Quando vocês participam de uma peça teatral, nós os apoiamos e vamos assistir à peça. Quando sua irmã joga futebol, nós a apoiamos e vamos assistir aos jogos. É isso que é ser uma família. Quando vocês se ofendem, todos se machucam. E isso destrói nossa família".

Não tolere ofensas em sua casa. Ponto final.

PALAVRÕES E LINGUAJAR INADEQUADOS

Não tenho exemplos específicos aqui, porque cada família difere quanto ao que considera palavrões e linguagem inadequada. Muito disso está relacionado a sua formação espiritual (cristã ou judia, por exemplo), que honra os Dez Mandamentos, ou não. Se sim, então esses mandamentos dizem claramente para não usar o santo nome de Deus em vão. Mas linguagem inapropriada não é só isso. Estende-se a palavras e frases chulas. Bem, você captou a ideia.

Às vezes, crianças pequenas usam essa linguagem sem nem saber o que estão dizendo. Elas ouvem na escola e simplesmente trazem para a mesa do jantar, como uma experiência. Incontáveis pais foram surpreendidos pelo que sai da boca de seu filho de forma prosaica.

Uma mãe me contou sobre um jantar em família que transcorria calmamente até que sua filha de 6 anos, Samantha, disse naturalmente: "Pode me passar a *#@ da batata?" Na noite seguinte, a irmã de Samantha, de 8 anos, usou outra palavra chula.

Em ambas as ocasiões, aquela mãe quase deixou cair o garfo. Suas filhas apenas olharam para ela serenamente. Na segunda ocasião, a garota de 8 anos simplesmente perguntou: "O que significa *#@?" Nenhuma criança tinha a menor ideia do que estava dizendo. Elas estavam apenas repetindo o que tinham ouvido da boca de outra criança.

> As palavras que você usa revelam seu caráter.

Depois que a pressão arterial da mãe retomou o compasso pós-trauma, ela levou a experiência um passo adiante e decidiu que era hora de um momento instrutivo.

"Conheço essas palavras", ela disse. Então começou a explicar o que as palavras significavam e que elas as ouviriam frequentemente da boca de outras pessoas em lugares públicos. "Entretanto, em nossa família decidimos não usar essas palavras porque são vulgares e desrespeitam a Deus."

Seja você uma pessoa de fé ou não, aqui está outra coisa muito importante a ser considerada: as palavras que você usa revelam seu caráter. Apenas por ouvir as palavras que usa, outras pessoas vão imaginar coisas a seu respeito que podem ou não ser verdadeiras. Essa é a imagem que você quer passar para os outros?

A conclusão é a de que as famílias precisam decidir se vão usar certas palavras ou não. E então aderir a essa decisão e comunicar seus valores às crianças.

PALMADAS

Esse é um assunto controverso, e os pais se polarizam em suas opiniões. Mas você está lendo este livro para saber o que eu penso como psicólogo e especialista, então vou dizer.

Há um momento preciso em que uma palmada no traseiro da criança é a forma mais apropriada de disciplina que pode haver. Esse momento é quando seu filho é desafiador.

O que quero dizer com desafiador? Vamos dizer que seu filho esteja brincando com uma tomada elétrica e você diz: "Não, não quero que você brinque com isso. É perigoso". Mas ele olha para você, semicerra os olhos e o faz novamente. Isso é desafiar. É uma escolha ativa que diz: "Não vou obedecê-lo. Na verdade, vou fazer exatamente o que você disse para não fazer. Estou no comando".

Agora, você não acha que ele merece uma palmada no traseiro?

Mas, vamos definir o que é palmada. Nunca se deve fazer isso quando você, pai, estiver nervoso. Você precisa tirar seu filho da situação e se acalmar antes, para conseguir agir racionalmente. Uma palmada no traseiro precisa ser dada com uma explicação de seu porquê, e não simplesmente como uma reação automática. "Eu não gostei do que você acabou de fazer. Essa atitude demonstrou que você está escolhendo me desobedecer e fazer exatamente o que eu disse para não fazer. Você não está me respeitando como pai." E então, dê a palmada.

Vamos esclarecer, porém, o que quero dizer com palmada. Uma palmada é uma mão aberta no bumbum da criança. Uma vez só.

Isso é muito diferente do que uma série prolongada e raivosa de tapas na criança. Usar a própria mão (de modo que você consiga sentir a força com que está batendo em seu filho) é também muito diferente de bater com um cinto. Muitos pais irados, infelizmente, cometem abusos contra seus filhos em vez de discipliná-los para terem um comportamento correto. Se você foi abusado fisicamente na infância, nunca deve usar palmadas para disciplinar seus filhos. Há muita bagagem ligada a isso — e muitas emoções. Seria muito fácil perder o controle e fazer o que seu pai ou sua mãe fizeram.

Algumas crianças são tão sensíveis que uma palmada será suficiente para a vida toda. Outras vão precisar de lembretes mais frequentes.

Mas, se você escolher bater, tem de manter o objetivo em mente: corrigir o comportamento da criança, não machucá-la. Por exemplo, se você diz a seu filho que não pode brincar na rua e ele constantemente sai correndo para a rua, uma palmada vai bem. Esse comportamento é perigoso. O que acontece se um carro dobra a esquina e o motorista não vê a criança? Qual é o peso desse parâmetro?

Disciplina deve sempre ser para o bem da criança, não uma resposta nervosa que faz você se sentir bem temporariamente — e culpado mais tarde.

PORNOGRAFIA

Tudo o que a mãe pretendia fazer era trocar os lençóis fedorentos de seu adolescente, mas ela conseguiu muito mais do que imaginava. Assim que puxou os lençóis, ela entreviu alguma coisa embaixo do colchão: revistas *Penthouse* e *Playboy*.

Espanto não descreve como a mãe se sentiu. O que ela deveria fazer? Havia aquela sujeira em casa, e seu filho não só estava olhando para isso, como tinha trazido para casa!

Aqui vai o que eu sugeri que ela fizesse. Em vez de confrontar seu filho de 13 anos e chegar a um impasse com gritarias, a mãe colocou as duas revistas sobre a mesa de centro da sala sem dizer nada, ao lado de suas revistas femininas. Então ela esperou que o filho chegasse da escola e as descobrisse.

É claro que ele o fez — em minutos, assim que desceu para assistir à TV. Quase engasgou com a coca-cola. Então ficou totalmente vermelho. "O que isso está fazendo aqui?", disse ele finalmente. "Oh", disse a mãe rapidamente, "encontrei essas revistas com essas mulheres lindas embaixo do seu colchão. Pensei em colocá-las aí, assim sua irmã e seu pai podem apreciar as belas fotos também."

A essa altura, o filho olhava como se fosse vomitar. Ele foi pego de calças curtas.

"Ou talvez haja algum lugar melhor para essa coisa", continuou a mãe naturalmente. "Como rasgar e jogar fora. Mas acho que isso é uma coisa que você tem de fazer, não eu. Afinal, foi você quem trouxe isso para casa."

A mãe se sentou com o filho, conversou com ele sobre o conteúdo das revistas e sobre como representavam as mulheres e perguntou: "Você quer mesmo passar o tempo olhando para isso? Pornografia é altamente viciante".

E é verdade. Comportamentos viciantes de longo prazo começam com breves encontros com materiais como esse.

É natural para um pré-adolescente ou adolescente (11 a 14 anos é a idade na qual nove entre dez meninos veem pornografia) querer ver como é o corpo de uma mulher? Sim. Mas, há maneiras saudáveis ou não de ver o corpo da mulher. E pornografia definitivamente não é saudável, devido às poses lascivas, à visão bruta da sexualidade e à perspectiva degradante das mulheres.

Todo menino, desde o início dos tempos, se interessa e é fascinado pelo corpo da mulher. Mas a atual cultura aumenta a atenção dos pais, devido aos materiais questionáveis que estão tão facilmente disponíveis. Quando eu era garoto, a pornografia não estava à disposição como está hoje. Meu amigo Moonhead e eu tivemos nossa educação sexual com a assinatura do pai dele da revista *National Geographic*.

Com a internet, a pornografia vem direto para sua sala de estar... se você deixar. Você sabia que a pornografia na internet é um negócio de US$ 12 bilhões?[7] Pais inteligentes criam bloqueios para material questionável e conferem periodicamente o botão do histórico de seus computadores. Você nunca deixaria seu filho vagar por uma videolocadora para adultos, certo? Bem, tenho notícias para você. Seu filho consegue ver coisas muito piores do que isso na internet com um clique do *mouse*. Pais inteligentes precisam se tornar especialistas em tudo o que as crianças estão vendo — seja em revistas ou na internet. As estatísticas mostram que nove entre dez crianças verão pornografia na internet. Seu filho será uma delas?

As estatísticas mostram que nove entre dez crianças verão pornografia na internet. Seu filho será uma delas?

Há também riscos adicionais — adultos cuja missão e negócio é atacar crianças e jovens inocentes. Segundo Donna Rice Hugues, da Enough is Enough, organização que trabalha incansavelmente para tornar a internet mais segura para crianças e famílias, "A pornografia infantil se tornou um empreendimento comercial multibilionário e é um dos setores de crescimento mais rápido na internet. E 90% dos jovens que sofrem aliciamento sexual são adolescentes entre 13 e 17 anos."[8]

Nem sempre se pode proteger o filho de todos os perigos, mas criar salvaguardas nessa área é extremamente importante. Uma vez que imagens pornográficas foram vistas, são difíceis de apagar do cérebro de seu filho. E você certamente não quer dar a um maníaco sexual acesso fácil a seu filho.

PREGUIÇA/FALTA DE RESPONSABILIDADE

> Frank Jr. voltou a morar conosco depois que se formou na faculdade e não conseguiu encontrar um emprego. Como ele estava de volta e desempregado, continuamos lhe dando uma mesada. Mas parece que ele só gasta em pizza para viagem e saindo com os amigos. Tenho certeza de que não o vejo procurando emprego.

> Keri passou o verão inteiro deitada na espreguiçadeira, tomando sol. Agora ela quer sair para comprar roupas para a volta às aulas. Eu disse a ela no início do verão que não teríamos dinheiro para roupas novas, já que a empresa em que o pai trabalha está fazendo cortes e não sabemos o que vai acontecer. Ela poderia ter ganhado algum dinheiro. Recebeu uma ótima proposta de emprego. Mas simplesmente não quis.

Deixe-me perguntar uma coisa: você está à frente de uma casa ou de um hotel?

Se, como Frank Jr., seu filho de 24 anos ainda mora com você, depende de seu dinheiro e não demonstra responsabilidade, então você está administrando um hotel. E adivinhe? Você é a camareira! Por que ele procuraria um emprego? Frank Jr. está muito bem onde está. Você faz todo o trabalho, ele só se diverte comendo pizza e deixando de crescer.

Quando lecionei na universidade, os alunos vinham com todo tipo de desculpas. Um jogador de futebol de 2 metros de altura e 130 quilos me disse um dia: "Dr. Leman, era para essa garota ter datilografado meu trabalho mas ela não o fez".

Levantei a sobrancelha para ele. "Bem, na *minha* aula eu não aceito desculpas. Então, como combinei com o treinador Robinson, vou dizer a ele que você não poderá treinar hoje". Depois disso, o jogador de futebol grandalhão passou a vir correndo para a sala de aula e a deixar o trabalho em cima da minha mesa antes mesmo de se sentar.

Você está à frente de uma casa ou de um hotel?

Alguns jovens são preguiçosos por natureza. Eles treinaram seus pais para lembrá-los, para instruí-los e suborná-los. Mas preguiça não é uma característica que você quer encorajar, porque seu filho precisa carregar sua parte do fardo de ser membro da família. Isso faz parte da responsabilidade dele.

Se você pedir a seu filho para fazer alguma coisa, deve pedir apenas *uma vez*. Do contrário, está sendo desrespeitoso com ele. Você está dizendo: "Acho que você é tão idiota que tenho de lembrá-lo várias vezes do que tem de fazer".

Da próxima vez que quiser que seu filho faça alguma coisa, diga uma vez.

"Kenny, quero que você limpe a garagem hoje".

Durante o dia todo, você assiste a Kenny deitado na rede, jogando *video game*. À noite, a garagem ainda não foi limpa. Você não relembra seu filho.

Às 9 horas da manhã seguinte, acontece o treino da Liga Infantil. Seu filho chega, vestido e animado, de uniforme de beisebol, balançando seu bastão. "Vamos, mãe! Está na hora!", ele diz alegremente.

"Querido, nós não vamos ao treino hoje."

Ele olha estupefato. "Não vamos ao treino? Por quê?"

Eis o momento instrutivo.

"Seu pai queria que você limpasse a garagem, e eu pedi que você fizesse isso, e vejo que ainda não foi feito."

Nesse momento, seu filho vai prometer qualquer coisa a você — incluindo 30 dias de trabalhos forçados — se você o levar à Liga Infantil. Mas ele não consegue ir nesse dia. Se ele perder o treino, que seja.

Quando a garagem estiver limpa ao gosto do pai, ele vai à Liga Infantil. E a probabilidade é que, da próxima vez em que for convocado a limpar a garagem, ele o faça em tempo recorde.

Tudo isso foi feito sem suborno, sem lábia, sem advertências.

Se isso soa difícil para você, deixe-me perguntar: "Você quer que seu filho seja responsável ou não?".

Se você estabelece o precedente de sempre lembrá-lo e ensiná-lo, então estará sempre lembrando e ensinando. Mas o que acontece quando ele estiver na faculdade, em seu próprio apartamento e com um trabalho no mundo real, e você não estiver lá para lembrá-lo?

Enxergue em longo prazo. Como você quer que seu filho seja, aos 18, 20 ou 30 anos de idade?

Se você quer que seu filho seja responsável, atribua-lhe responsabilidade. Não livre sua cara quando ele não corresponder. Não asfalte as estradas da vida dele. Os erros e as consequências deles são bons treinamentos.

Lembre-se, B não acontece até que A esteja concluído.

PRESENTES DE NATAL (A SÍNDROME DO "EU QUERO!")

Nunca acaba. Antes do Dia de Ação de Graças, ela já tem uma lista de várias páginas das coisas que quer.

Meu chefe deu a seu filho uma motocicleta de natal. E ele só tem 17 anos!

Crianças ganham muitas coisas ultimamente, especialmente nas classes média e alta. Um pai inteligente é aquele que consegue discernir a diferença entre o que as crianças precisam e o que elas querem.

"Eu me encolho de medo toda vez que passo o natal com os parentes de meu marido", disse-me Jill. "Todo mundo abre os presentes na hora, e tudo se acaba em cinco minutos... exceto as reclamações sobre os presentes que não queriam."

Na sociedade materialista de hoje, as crianças veem — e portanto querem — mais e mais coisas. Mas isso significa que devem tê-las? Ultimamente, as crianças tendem a ser cada vez menos agradecidas, porque recebem demais.

O que o natal realmente significa para você? Você quer que seus filhos achem que tudo não passa de "eu quero, eu quero"? Ou deseja que seus filhos entendam o que quer dizer doar e se sacrificar?

Sugiro a todos os pais que reduzam a quantidade de presentes que as crianças recebem. A família Billings, por exemplo, tem três filhos. Cada uma das crianças recebe um presente grande, que foi pensado cuidadosamente em função de seu valor de longo prazo, e uma outra bobagem para encher a meia. A filha de 9 anos ganhou um bandolim, livros de prática e fitas, com os quais ela vinha sonhando. O menino de 10 anos ganhou patins de gelo e uma inscrição por seis meses no rinque de patinação do bairro. O rapaz de 13 anos ganhou um vale para uma semana no acampamento equestre no verão seguinte. Esses presentes mostram quão bem os pais conhecem seus filhos e valorizam experiências duradouras em vez de gastar dinheiro em brinquedos plásticos que vão quebrar ou se perder.

> Um pai inteligente é aquele que consegue discernir a diferença entre o que as crianças precisam e o que elas querem.

Uma das coisas que nós, os Lemans, fazemos sempre é ajudar uma família necessitada na época do natal. Nós atendemos às suas necessidades vitais — alimentos, roupas, etc. — e oferecemos pequenas surpresas divertidas para as crianças da família abrirem no natal. Como nossos filhos têm entregado esses presentes conosco ao longo dos anos, desenvolveram um bom coração em relação àqueles que precisam. É uma qualidade de caráter que vai durar por toda a vida!

Nem sempre é possível controlar a quantidade de presentes que seu filho ganha, já que alguns deles vêm de outras pessoas, mas você pode fazer o seguinte: sempre que abrir presentes, faça cada pessoa abrir um presente por vez, para que as crianças não pulem de coisa em coisa, rasgando embalagens de qualquer jeito e sequer considerando quem deu o presente ou o tanto de sacrifício envolvido para comprá-lo. Muitas famílias também insistem em que antes de brincar com o presente, a criança precisa agradecer a quem lhe deu (seja pessoalmente, seja com um bilhete, seja com um telefonema).

Vamos ser honestos. Todos conhecemos crianças que nunca são gratas. Nenhum presente que recebem é bom o suficiente. Um pai bem de vida me abordou há alguns anos, preocupado com sua filha. Ele admitiu que tinha muito dinheiro e que sempre a inundou de presentes. Sempre que ela queria dirigir o carro luxuoso da família, ela podia. Ela estava sempre saindo com os amigos, comprando, indo almoçar fora. Basicamente, ela era um cabelo rebelde ao sabor do vento. Era respondona e xingava os pais com palavras ofensivas quando não conseguia o que queria.

No ano passado, ela anunciou que queria um iPhone de natal. E o pai não sabia o que era. Ele sempre a tinha inundado de coisas desse ou daquele estilista em seu aniversário, no natal e em muitas outras ocasiões. Mas, para falar sem rodeios, ela tinha se tornado uma peste. Sugeri ao pai que, em vez de colocar um presente de natal embaixo da árvore, ele colocasse uma carta dizendo:

> Como a amamos muito, nosso presente de natal é esta carta. Não haverá iPhone nem outros presentes este ano. É hora de você parar e pensar sobre como tratou seus pais, sua irmã, seu irmão e seus amigos na escola.
>
> Com amor, mamãe e papai

O pai engoliu seco e ficou um pouco pálido, mas fez isso. E na manhã do natal ele passou à filha a mensagem de que a amava, mas que não toleraria mais seu comportamento.

De que seus filhos realmente precisam neste natal? Vou responder a pergunta com uma piadinha. Escrevo uma coluna semanal para um jornal de Tucson, Arizona. Certo ano, eles me pediram para escrever sobre o tema: "O que sua esposa mais quer de natal?" Minha resposta? "Ser tratada com gentileza e respeito ao longo de todo o ano." Evidentemente, aquela coluna teve impacto, porque recebemos muitas cartas dos leitores. Um vendedor de seguros até me parou durante um jogo para me dizer que aquele tinha sido um ótimo conselho, do qual ele estava precisando muito: "Ganho muito dinheiro", ele admitiu. "E dou a minha esposa muitas coisas. Mas tomei liberdades demais com ela em muitas áreas. Não a respeitei nem a tratei com gentileza. Foi preciso aquele artigo para me fazer perceber que as coisas realmente não importam. Minha esposa precisa do meu respeito, amor, gentileza e tempo. Você abriu meus olhos."

Do que os filhos realmente precisam? De pais que eles respeitem, que os tratem com gentileza (e os ensinem a tratar os outros da mesma forma), e que lhes deem o presente para seu momento. São presentes para a vida toda, não badulaques que vão enferrujar ou quebrar.

PROBLEMAS PARA COMER

Há três aspectos da criação dos filhos com os quais você não precisa perder muito tempo: comer, dormir e sair das fraldas. Todas essas coisas tomam seu rumo bem naturalmente, acredite ou não, se os pais não derem muita importância.

Comer é algo importante demais para muitos pais. Eles transformam um grão de areia em uma montanha quando ficam batendo na tecla dos hábitos alimentares:

> Coma seus legumes. Isso faz bem. Se comer, você vai ficar grande e forte como seu pai de 65 kg.

As pessoas que estão passando fome do outro lado do oceano adorariam ter essa comida.

Coma. Você vai gostar.

Coma só um pouquinho, e eu lhe dou um docinho de sobremesa.

Esse tipo de comentário me rondava quando eu era criança, e também não funcionou para mim. Mas aqui está a verdade: se comer está na categoria de montanha, é porque os pais são tolos o suficiente para trazer para casa todo tipo de açúcar e gordura que as crianças comem. Se os pais fossem espertos, começariam cedo a fazer as crianças se interessarem em comer comida de verdade em vez de carboidratos doces servidos como comida infantil.

Muitos estudos demonstram que as crianças, se não são empurradas pelos pais, vão comer o que seu corpo desejar. Por exemplo, crianças que estão em fase de crescimento podem exigir muito mais proteína. Quem se importa se a criança comer peixe, peixe e peixe por uma semana e, então, legumes na próxima porque é isso que ela deseja? Ela mesmo assim está tendo uma dieta balanceada no geral.

Quando comer se torna uma batalha com as crianças, é porque os pais são muito controladores. Eles supervisionam, controlam demais. E toda criança tem uma antena interna sintonizada para identificar o que é importante para mamãe e papai. É dessa forma que seus filhos os mantêm sob a mira de um revólver e dominados — pelo menos eles pensam assim. Então, se você acha que comer é um problema, eles dirão: "Oh, vamos dar uma canseira na mamãe e ver até onde chegamos".

> Quando comer se torna uma batalha com as crianças, é porque os pais são muito controladores.

Uma chave da boa nutrição é preparar refeições balanceadas. Os pratos devem ser passados, e as crianças devem usar uma colher de serviço e colocar sozinhas a comida no prato (e não serem servidas com certa quantidade). Enfatize que é bom experimentar. Reconheça que nem todos vão gostar das mesmas coisas, mas que todos precisam experimentar. Não force as crianças a comer tudo o que está no prato. Estudos comprovaram que uma criança consegue comer em uma refeição apenas a quantidade de comida do tamanho de sua mão fechada. Comer mais do que isso pode fazê-la aumentar sua capacidade e, no final, resultar em uma briga contra o excesso de comida. Também esclareça que, quando o jantar terminou, terminou. Nada de ir procurar lanchinhos no armário uma hora depois.

Outra chave é não ter *junk food* em casa. Se você tem, quem comprou? Da próxima vez que você for ao supermercado, confira a quantidade de gordura e sódio dos biscoitos e outros itens considerados comida infantil padrão. E ainda há o McDonald's e os lanches comprados na escola. A dieta atual, baseada na norte-americana, em geral é horrível e abrevia a vida. Uma quantidade enorme de produtos consumidos por nossos filhos é péssima na realidade. E, com estilo de comer em trânsito, em média, uma criança norte-americana acaba comendo fora pelo menos uma refeição por dia!

Recentemente Lauren, minha filha adolescente, e eu fomos ver um jogo de beisebol. Nenhum de nós tinha comido antes do jogo, então ao final estávamos realmente com fome. "Onde você quer comer, querida?", perguntei. Bem, adivinhe? Ela não disse McDonald's ou Burger King. Bom para ela. Sabe o que ela queria? Salmão! É, salmão. Muito mais caro para seu econômico pai, mas muito mais saudável para ela. E sabe por que Lauren disse isso? Porque Sande, minha querida esposa, passou um bom tempo diante do processador de alimentos quando Lauren era bebê, fazendo a própria comida dela sem conservantes e sem todo o lixo incluído nos potinhos prontos. O que comíamos no jantar, Lauren comia em forma de purê. E isso a ensinou a gostar de comida de verdade, comida saudável.

Esse é um gosto que ela terá por toda a vida. Compensa muito o trabalho extra, eu diria.

PROCRASTINAÇÃO

Se você tem um filho que sempre precisa ser pressionado para fazer as coisas, há uma coisa na qual eu apostaria meus rendimentos mensais: seu filho tem pelo menos um pai perfeccionista, que vive apontando falhas. É você ou seu cônjuge?

Crianças que procrastinam fazem isso por uma razão. Qual a natureza motivacional da procrastinação? Ela protege das críticas, porque não se pode criticar o que não foi feito. Elas são capazes de realizar a tarefa? Sim, na maioria dos casos. Mas temem tanto as críticas, que não vão conseguir concluí-la. Elas podem correr até pouco antes da linha de chegada do projeto, mas logo antes do final fazem uma curva radical e se envolvem em outra coisa. Essas crianças funcionam em surtos: quando estão aquecidas, sai de baixo. Mas então sofrem um resfriamento e param. Essas crianças adoram fazer pilhas. Elas ficam rodeadas de livros e papéis. Têm múltiplos projetos inacabados. Por que adoram essa bagunça? Porque os procrastinadores cavam sua própria sepultura. Como acham que nunca estão à altura, fazem um desenho e dizem que não está bom. Então rasgam-no na sua frente. Eles fazem a lição de casa, mas não a entregam. Eles param faltando um pouquinho para terminar cada tarefa.

Todos esses comportamentos derivam do medo. Procrastinadores temem avaliações, porque seus pais são perfeccionistas e estabeleceram parâmetros tão altos que eles nunca conseguem atingi-los.

Em muitas famílias, os primogênitos são os que realizam — são os que nasceram para voar alto em sua vida adulta. São os adultos que sempre cruzam a linha de chegada e se tornam pilotos de avião, líderes comunitários, cirurgiões, etc. Mas, vamos dizer que o primogênito tenha um pai perfeccionista demais. Então ele se tornará um procrastinador. Há um papel reverso que acontece quando o primogênito recebe o primeiro golpe emocional de um pai perfeccionista. Então é o segundo filho que se torna o super-realizador — o automotivado, maduro, a pessoa que tem o controle e avança pela vida com grande capacidade e habilidade — enquanto o primogênito naufraga em expectativas. Esse fenômeno acontece naturalmente na vida, especialmente quando há uma diferença de 3 anos ou menos entre o primeiro e o segundo filhos.

Se seu filho acha que não está à altura de seus padrões, ele não vai tentar. Ou tentará, mas não cruzará a linha de chegada.

É por isso que é tão importante saber a diferença entre enaltecimento e encorajamento (volte ao cap. "Terça-feira"). Quando você enaltece uma criança, é como se colocasse uma cenoura na frente de um burro e a deixasse ali balançando. "Se você for um bom menino, eu lhe dou uma cenoura." O problema é que toda vez que o burro tenta morder a cenoura, ela se mexe! Se você é um pai perfeccionista, seu filho sabe que pode pular cada vez mais alto... mas nunca receberá a recompensa.

Enaltecimento foca no ator: "Você é o melhor menino do mundo!" Encorajamento foca na ação: "Muito obrigado por fazer isso. Ajudou-me bastante", "Oh, que ótimo! Estudar mais realmente valeu a pena, não é? Bom trabalho!"

O pai perfeccionista que diz, com as próprias palavras e ações, "É melhor você pular — e pular bem alto — para estar à minha altura" tem a grande probabilidade de criar um seguidor de cenoura que sempre estará precisando de uma estrela emocional.

Ao contrário, as crianças que crescem com encorajamento em vez de enaltecimento têm um sentimento de apoio, confiança e segurança por toda a vida. São realizadores, e não procrastinadores.

QUANDO A VIDA NÃO É JUSTA

Quem quer que tenha dito que a vida é justa estava mentindo.

Quando seu filho é intimidado, atormentado ou humilhado, o melhor remédio é dizer: "Sabe, querido, isso realmente deve tê-lo ofendido. Mas como mãe/pai, vi como você lidou com a situação, e foi muito bom. Você não revidou, não xingou, apesar de ele ter sido sem consideração e maldoso. Há muitas pessoas assim na vida, infelizmente. Estou orgulhoso de como você lidou com a situação".

Se você diz esse tipo de coisas a seu filho, está aplicando a vacina que diz: "Eu consigo superar isso. Meu pai acredita em mim".

Com qualquer ofensor, tudo o que vai no final tem volta. Mesmo que você não esteja ali para ver. E, às vezes, volta de forma criativa.

Karyn, no primeiro ano, era constantemente importunada por Tyler, do mesmo ano. Dia após dia, ele se postava em sua frente e a agredia verbalmente. Um dia sua mãe perguntou: "O que você acha que ele faria se você não revidasse?".

> Com qualquer ofensor, tudo o que vai no final tem volta. Mesmo que você não esteja ali para ver.

Karyn decidiu tentar. Três dias depois, ela voltou correndo para o carro da mãe depois da escola. "Adivinhe? Tyler disse que quer ser meu amigo agora. Ele disse que não tem mais graça implicar comigo porque eu não revido mais."

Quando um não quer, dois não brigam. Brigar é realmente um ato de cooperação. Quando um desiste, o outro geralmente desiste também.

RECLAMAÇÕES

Ele sempre entra no meu quarto e faz bagunça.

Nós *temos* que levá-la ao *shopping* conosco? Ela me mata de vergonha.

Ela pegou meu suéter sem pedir. E agora não consegue encontrá-lo.

Detesto aquela professora. Ela é muito injusta.

Há muito tempo, quando eu era assistente da seção de alunos de uma universidade, duas secretárias reclamavam o tempo todo uma da outra para mim. Finalmente, fiquei cansado disso. Na vez seguinte em que uma secretária reclamou da outra, a conduzi, de braços dados, à mesa da colega. Aquilo cortou a reclamação pela raiz e eliminou os outros pontos de vista. Forçou as duas mulheres a lidar sozinhas com suas diferenças em vez de envolver outras pessoas.

Outra vez recebi um telefonema dos pais de um aluno. Eles estavam muito nervosos porque seu filho tinha telefonado para eles colocando um ponto que ele considerava injusto. Então, agradeci e chamei o aluno ao meu escritório.

"Que tal a escola?", perguntei.

"Ótima."

"Sua vida social?"

"Legal."

"Suas aulas?"

"Tudo bem."

"Bem, isso é interessante. Porque o motivo pelo qual você está aqui em minha sala é que recebi um telefonema de seus pais."

O aluno se mexeu na cadeira. "Ah, não se preocupe com isso. Eu não estava de muito bom humor ontem à noite..."

Você acha que aquele aluno telefonaria para seus pais mais uma vez para desabafar, sabendo que poderia acabar na minha sala novamente?

Provavelmente, não. Ele foi forçado a admitir suas próprias palavras. Crianças sempre vão reclamar — sobre o irmão, a irmã, o pai ou a mãe, a professora. Na verdade, crianças *adoram* choramingar e reclamar de outras pessoas. O que elas não gostam de fazer é confrontar a outra pessoa. Então, se seu filho reclama, conduza-o diretamente à fonte de sua reclamação.

> Se seu filho reclama, conduza-o diretamente à fonte de sua reclamação.

Vamos dizer que seu filho se aproxime para reclamar do irmão mais velho. O pai responsável dirá: "Você já falou com seu irmão sobre isso?" Há grandes chances de seu filho dizer não. Então, conduza-o pela mão, leve-o até o irmão e diga: "Diga a seu irmão como você está se sentindo".

Na época do ensino médio, quando os alunos se envolviam em uma briga, o diretor lhes dava luvas de boxe, levava-os para o ginásio e dizia: "Avisem-me quando terminarem", e saía porta afora.

Nunca soube de alguém que realmente tivesse lutado. Algumas vezes fui pego pelo colarinho e levado ao ginásio. Mas nunca lutei com ninguém.

Não havia "Você começou" ou "Não, foi você". Ninguém nunca se deu ao trabalho de apontar o dedo para culpar.

Uma ação como essa — colocar os dois contendores juntos — vai baixar a bola de seu filho ou, mais provavelmente, vai tirar seu filho de perto da bola.

Crianças vão explodir sobre uma coisa ou outra. Isso é fato. Mas, se você conduzir seu filho à fonte de sua reclamação, geralmente vai terminar rapidamente com a reclamação, sem se envolver demais.

REPETÊNCIA ESCOLAR (DO JARDIM DE INFÂNCIA ATÉ O TERCEIRO GRAU)

Durante muitos anos, os pais olharam depreciativamente para a ideia de repetência. De alguma forma, nos preocupávamos que isso traumatizaria a psique das crianças — o autoconceito, a autoestima. E assim a criança ficaria constrangida.

Não passam de mentiras. A realidade é que todas as crianças crescem e aprendem em ritmos diferentes. Duas crianças de 5 anos que começam a pré-escola podem ser completamente diferentes física, psicológica e educacionalmente. Uma pode ter 12 kg, outra 22 kg. Uma pode estar louca para começar a ir à escola; a outra pode ainda estar na barra da saia da mamãe. Uma pode saber o alfabeto; a outra pode não fazer ideia.

Nós, pais, somos criaturas engraçadas. Não vemos problema se uma criança é capaz de arrasar no futebol ou montar a cavalo aos 5 anos e outra não. Mas achamos um problema quando uma criança não aprende o alfabeto ao mesmo tempo que outra criança.

> Todas as crianças crescem e aprendem em ritmos diferentes.

Assim como há exigências para estar pronto para ir ao penico, há exigências para estar pronto para ir à escola. Algumas crianças de 5 anos estão prontas para a pré-escola acadêmica e socialmente. Outras devem esperar até os 6 anos para começar. Algumas crianças estão prontas para ir para a primeira série depois de um ano de pré-escola. Outras precisam de mais um ano.

É importante que os pais enxerguem a longo prazo. Nós seguramos nossa caçula, Lauren, na pré-escola. Na sétima série, ela estava muito além do nível médio em testes padronizados.

Ao longo dos anos, a repetência tem sido alvo de muitas críticas, principalmente devido ao medo de que a criança fique constrangida ou perca os amigos. Mas, essas preocupações não ficam registradas para uma criança de pouca idade — a menos que os pais a façam registrar. Explicar para uma criança a decisão de segurá-la tem tudo a ver com a forma de apresentação. "Sabe, Andy, como você fica frustrado com aprender como escrever as letras?" (A criança assente e começa a mostrar um pouco de tristeza.) "Bem, a professora e eu conversamos. Ela adoraria que você estivesse na classe dela novamente no próximo ano. Na verdade, ela está pensando em ensinar as letras de uma forma diferente. Ela vai propor um tema da selva, e cada criança será um animal diferente. Não parece divertido?" Se a criança ouve uma interpretação positiva de você (e não seus muxoxos e sussurros nos bastidores), ela será positiva quanto a repetir o ano.

Quando você segura a criança por um ano, está prestando um grande favor a ela. Está lhe dando a chance de aprender os comportamentos acadêmicos básicos exigidos para determinada série. Se você passa a criança para o próximo ano e ela não tem as habilidades necessárias, está sendo desrespeitoso (e preparando-a para o fracasso). O que é respeitoso é tornar a criança responsável pelo nível em que está no processo de aprendizado.

Uma observação para as pessoas que são pais de meninos: em geral, meninos tendem a crescer mais lentamente e costumam precisar de um ano a mais para amadurecer e se desenvolver antes de ir para a pré-escola. Quando você vê que realmente vale a pena? No primeiro ano do ensino médio, quando eles estão competitivos nos esportes e em sua melhor forma! Sempre lembrei a Lauren que ela poderá ir dirigindo para a escola quando estiver no primeiro ano do ensino médio. A maioria de seus amigos terá de esperar até o segundo ano. E isso é uma coisa que os adolescentes aprovam.

Se você tem uma criança que nasceu no segundo semestre, é melhor esperar para colocá-la na pré-escola. O aniversário de Lauren é no dia 22 de agosto, ela era muito nova para começar e por isso teve de esperar mais um pouco.

Se você se preocupa com que seu filho se sinta fracassado, então é só em você que está pensando (você tem medo do que seus amigos vão dizer), e não no que é melhor para ele. Karen, mãe solteira, teve um ataque na sala do diretor quando ele sugeriu que sua filha, Mandy, repetisse a primeira série. Porém, então o diretor disse a ela: "Como você se sentiria se estivesse fazendo um curso no qual todo mundo soubesse o básico, e você não? Você se sentiria um pouco perdida e assustada o tempo todo? Como se não pudesse estar à altura das exigências?".

Ainda assim, isso é o que alguns pais fazem a seus filhos o tempo todo. Eles os empurram para a frente, mesmo quando não deveriam, e chamam isso de promoção social. Foi o que aconteceu comigo na escola, e por isso sou um defensor ferrenho de deixar a criança repetir o ano quando necessário. Se eu tivesse ficado mais um ano em um dos primeiros anos, teria me saído muito melhor na escola. Eu estaria mais preparado para ela.

Para crianças de 5 anos, repetir a pré-escola não é um problema. Elas podem brincar um ano a mais!

É tudo uma questão de ponto de vista. Não seria preferível deixar a criança um ano a mais no início da escola a vê-la lutar com a escola por toda a vida, com conceitos para os quais não está preparada?

Se seu filho precisar repetir depois da terceira série, é melhor mudá-lo de escola. Estar em um lugar novo alivia o impacto e a pressão dos colegas.

RESPEITO

Essa é uma questão fundamental para todas as famílias. Sem respeito, não há família. São simplesmente pessoas que vivem juntas no mesmo local e fazem suas coisas na hora em que bem entendem. Responsabilidade, prestação de contas e respeito são o que tornam uma família uma *família*.

Quando você responsabiliza seu filho por ter respeito por você e outros membros da família, está respeitando-o. Afinal, se o rapazinho não aprender a respeitar a mãe, quem ele vai apresentar como sua noiva no futuro? Uma mulher que ele possa dominar e que esteja a seus pés. E se uma filha não respeitar o pai, que tipo de visão terá de outros homens durante a vida, incluindo o chefe no trabalho? Ela vai se casar com um homem que possa dominar. Seu desrespeito por seu supervisor não só vai colocá-la em apuros; poderá significar sua demissão.

> Atitudes, Bom comportamento e Caráter são adquiridos e não ensinados. Seu filho o está observando. O que ele está aprendendo?

A visão de mundo dos pais é transmitida aos filhos. Isso significa que nós, como pais, precisamos pensar em nossas palavras antes de dizê-las. São palavras das quais queremos que nossos filhos se lembrem? Ou são palavras que falamos precipitadamente e não são respeitosas? Precisamos nos lembrar de que todo membro da família tem um voto nas atividades da família. Isso não significa que seu filho manda em todo mundo, mas um dos privilégios de ser um membro da família é poder opinar sobre as coisas.

Quando você ouve a opinião de seu filho e se importa com as coisas que ele valoriza, está dizendo: “Eu valorizo e respeito você. Importo-me com o que você pensa e sente”.

Respeito é uma via de mão dupla. Se seu filho não o respeita, examine-se primeiro para ver se você é parte do problema. Na maior parte das vezes, problemas de respeito se originam das Atitudes, Comportamento e Caráter de um ou de ambos os pais.

Sei que você não quer ouvir isso, mas é a verdade. Eu disse abertamente que haveria ocasiões neste livro que você não gostaria do que eu teria a dizer. Esta é uma delas. Mas, por favor, considere, para o bem de sua família. *Você* é a chave do comportamento de seu filho. Para que ele avance no sentido de respeitá-lo, você também precisa querer mudar na área do respeito. Você, em suas palavras e comportamento, está respeitando seu filho? Se não, por que ele deveria ter respeito por você? (O velho adágio é verdadeiro: você trataria seu chefe no trabalho da mesma forma que trata sua esposa e filhos?) Lembre-se de que Atitudes, Bom comportamento e Caráter são adquiridos, e não ensinados. Seu filho o está observando. O que ele está aprendendo?

Ser pai é uma tarefa difícil. Você pode fazer oito coisas bem feitas e estragar duas delas, e essas duas o levam de volta ao início do jogo em relação a seus filhos. É aí que você tem de trabalhar duro para ser cuidadosamente consistente — sem reagir de forma exagerada, sem sair do sério. Você precisa manter o curso, agir de uma maneira respeitosa e responsável. Por exemplo, o que seu filho aprende se você gritar: "Você tem de ir à igreja. É bom pra você!" e então deixar a criança na igreja e sair para tomar um café?

Seu filho está observando sua Atitude, seu Comportamento e seu Caráter. Se as coisas em casa não forem coerentes com a imagem que você projeta para os outros, seu filho será o primeiro a perceber a dissonância. Dizer uma coisa e fazer outra vai estabelecer um padrão de desrespeito em sua casa. Esforce-se para manter um comportamento consistente, calmo e racional. Sem gritar, sem "Eu te disse!", sem "Se você não...". Seus filhos precisam ver em suas ações que as coisas são diferentes em sua vida, que você está mudando para melhor. Sim, você pode cometer erros e explodir de vez em quando. Afinal, você é humano. Mas, quando fizer isso, precisa pedir desculpas a seu filho por seu comportamento.

Se você quer uma criança respeitosa, também precisa respeitar.

RETRUCAR

Nada tira mais um pai do sério do que um filho que retruca, que confronta abertamente, que é insubordinado e tudo o mais.

Na maioria das vezes, isso acontece depois que você deu uma ordem à criança que ela definitivamente não quer cumprir.

Qual é sua primeira reação? Envolver a criança em uma batalha, para mostrar exatamente onde ela está errada. Você quer subjugá-la, vencer a discussão. Mas adivinhe! Os pais nunca vencem esse jogo. Pais têm muito a perder, e toda criança é esperta o suficiente para saber disso.

Responder só vai agravar a batalha. A melhor coisa a fazer assim que aquela boca se abre é fechar a sua, sair de perto e arrumar o que fazer.

O queixo dele vai cair. Ele vai pensar: *Quê? Como é que não funcionou deixar a mamãe irritada? Isso sempre funcionava...*

De repente, você tirou o vento das velas de seu filho, e as velas desinflaram um pouco. Não só isso, mas a direção do barco de seu filho começou a oscilar. Ele não tem muita certeza do que está acontecendo.

Seu papel? Sente-se e espere o momento instrutivo. Pode não vir por seis horas, dependendo do dia da semana. Mas haverá um momento em que ele vai querer alguma coisa de você ou precisará fazer alguma coisa — e esse é o momento pelo qual você estava esperando. O fato é que seu filho precisa de você o tempo todo; ele apenas não percebe. Você tem as chaves de tudo na vida dele, e ele pode fazer muito pouco sem a cooperação dos pais. Você, por natureza, é quem tem o poder. Não ele. Ainda assim, muitos pais abrem mão dessa posição ao se render ao falatório e às exigências do filho. Quando seu filho precisa de alguma coisa e pede a você, sua resposta, independente do pedido, tem de ser não. Seu filho ficará agitado. "Mas, mãe, você sempre me deixa fazer isso. Qual é o problema?"

Agora é a hora de deixar seu filho pensar um pouco no problema. "Eu não gosto do jeito que você falou comigo hoje pela manhã, de modo que não estou com vontade de fazer nada. Então não, você não pode fazer isso."

Algumas crianças, especialmente as poderosas, tentarão argumentar e dissuadi-la de sua decisão. Elas tentam atingi-la em todos os ângulos, incluindo o da culpa: "Mas, mãe, você sabe que eu não quis dizer isso quando falei... Todo mundo fica bravo de vez em quando... Você não me ama?"

> A melhor coisa a fazer assim que aquela boca se abre é fechar a sua, sair de perto e arrumar o que fazer.

Outras crianças dirão: "Me desculpe". Algumas serão sinceras, outras dirão apenas para conseguir que você faça o que elas querem.

No entanto, o enredo não termina aqui. Agora diga a seu filho como o que ele disse o fez sentir. "Quando você fala comigo dessa maneira, está dizendo basicamente que não tenho a menor importância em sua vida. Minha existência não importa. Você não me valoriza ou respeita. Você não quer que eu me envolva em sua vida. Então, estou escolhendo não me envolver neste momento."

Acaba com a graça de responder, não é?

Essa é uma montanha enorme entre pais e filhos. Você tem de lidar com essas coisas quando elas surgem, porque sem respeito não pode haver relacionamento.

Pode levar vários dias que você tenha de dizer não a seu filho para que ele finalmente se conscientize. Depois que esses dias passarem, para encerrar o assunto, você pode acrescentar: "Você me tratou como se eu fosse sua escrava por muito tempo. Mas eu *não* sou sua escrava — alguém que você pode usar e abusar. Sou sua mãe, e você vai demonstrar o respeito apropriado. Esta semana, você teve um gosto de como é não ter um relacionamento. É isso mesmo o que você quer?".

Sua responsabilidade é devolver a bola para o campo de seu filho para que ele controle a boca. Retrucar nunca é aceitável.

Lares precisam ser construídos com amor, respeito e responsabilidade. Não há relacionamento sem essas pedras angulares importantes.

REVIRAR DE OLHOS

Crianças conseguem ser tão dramáticas, não? Especialmente adolescentes e pré-adolescentes. Eles são mestres na síndrome do revirar de olhos. É uma forma não verbal de dizer: “Por favor, de novo não!”. “Pai, você está me fazendo passar vergonha. Não acredito que você fez isso!”.

Quando seus filhos reviram os olhos, não é uma montanha. Todas as crianças fazem isso. (E você também faz às vezes!) É como dizer: “O que você disse/fez é completamente sem noção. Não acredito que você disse/fez isso”. Revirar os olhos é uma atitude negativa, sim, mas não é o fim do mundo e não afeta o caráter em longo prazo. (Mas falar pelas costas e ser sabe-tudo é outra história.)

Da próxima vez que você vir um revirar de olhos, diga: “Ah, isso é ótimo. Você faria de novo? Em câmara lenta?”

Pais, esse não é motivo para começar uma guerra. Então, por que não se divertir um pouco com isso? Da próxima vez que você vir um revirar de olhos, diga: “Ah, isso é ótimo. Você faria de novo? Em câmara lenta?”.

Tratar essa atitude e comportamento de uma maneira leve vai reduzir sua importância quando acontecer... e pode propiciar aos dois uma risada mais que necessária.

RIVALIDADE ENTRE IRMÃOS

Anos atrás, escrevi um livro sobre a ordem de nascimento e como isso afeta as crianças da família. O título do meu trabalho era “Abel fez por merecer”, mas meu editor me disse que esse título não era adequado. Então ele o descartou e veio com um título mais provocativo: “O livro da ordem de nascimento”.

Sempre existiu rivalidade entre irmãos, desde que Caim e Abel se atracaram no quintal e Abel perdeu. Se você tem mais de um filho, sempre presencia demonstrações de rivalidade entre irmãos em sua casa. Mas, se quiser manter isso em níveis mínimos, garanta que seus filhos assumam a responsabilidade.

Digamos que sua filha reclame: “Ela usou meu suéter e o deixou por aí. Agora quero usá-lo e está sujo!”.

Se você, como pai, se colocar no meio da batalha, será mastigado e cuspido. É como diz o ditado: “Onde os anjos temem ir é onde o perigo está”. Em briga de irmãos, é melhor não se meter.

Quando a recompensa acabar, o comportamento também cessará.

Já que brigas são um ato de cooperação, os dois irmãos precisam ser responsabilizados. Reúna-os em um quarto e deixe-os discutir. Garanto que um deles vai acabar lavando o suéter para que possa ser usado novamente.

Se seus filhos começarem a brigar no carro (v. “Brigas no Carro”), dê meia--volta e volte para casa. E, não vá a lugar algum que as crianças quiserem pelo resto do dia. Assim que você fizer isso, eles vão pensar: *Mamãe está ficando louca* ou *Acho que conseguimos chamar sua atenção. Mas não funcionou bem do jeito que pensamos, com certeza.*

De uma forma ou de outra, seus filhos vão perceber que não faz sentido fazer coisas pelas quais não se é recompensado. Muitos pais, inadvertidamente, recompensam as coisas negativas que os filhos fazem por terem uma personalidade imatura. Quando a recompensa acabar, o comportamento também cessará. Eu garanto.

SAPATEAR PELA CASA

> Foi uma performance incrível — um sapateado dramático pela cozinha e escada acima — e eu poderia ter rido... mas me deixou furiosa.

Crianças definitivamente sabem como se posicionar, e sapatear pela sala é uma das boas. Em geral, é combinado, segundos depois, com a batida da porta do quarto (ou a porta da frente ou a de trás).

O que um sapateador está dizendo? A mesma coisa que o batedor de porta: "Você é absolutamente o pai mais idiota que eu poderia ter. Estou tão nervoso que não sei como lidar com isso, então vou mostrar a você. Tome!".

> Você é o pai e o adulto na situação, por isso pede desculpas primeiro.

O sapateador não tem a menor ideia de quão ridículo ele parece. O pai ponderado permitirá que a criança termine o sapateado pela casa e saia pela porta ou vá para o quarto. Por mais que o sapateador o deixe louco, você será esperto o suficiente para encontrar o que fazer por um tempo, antes de confrontar o comportamento. Se você vier com tudo para o quarto ou sair pela porta dizendo: "Deixe-me mostrar a você uma coisa, rapazinho!", só vai piorar as coisas. Vai potencializar a batalha. Em guerras de poder com crianças, você não ganha nunca, então não vá por aí. Adultos têm muito mais a perder do que crianças nessas discussões, e você não tem a visão estreita de uma criança. Você tem mais o que fazer.

Espere até que a criança se acalme, entre no quarto dela (ou espere até que ela volte para casa) e diga: "Você parece estar nervoso demais e estive pensando que o que eu lhe disse foi inadequado (ou errado) e preciso me desculpar".

Essa abordagem vai espantar seu filho. "O quê? Ele vai se desculpar? Comigo? Essa é boa..."

Quando você diz a alguém "Eu estava errado" e pede desculpas, na maior parte das vezes, a pessoa vai suavizar. Você é o pai e o adulto na situação, por isso pede desculpas primeiro. Portanto, diga: "Ei, ouça, podemos começar de novo? Antes de você sapatear pela cozinha e eu ficar gritando com você como idiota e seguir você pelo corredor? Vamos conversar sobre isso? O que você acha?".

Agora quem é que vai discutir com um discurso como esse?

E o que você está fazendo? Está dando o exemplo de uma maneira alternativa de responder. Ficar louco, sapatear pela casa, bater a porta e sair correndo não é jeito de responder. Em vez disso, você está dizendo: "OK, estamos os dois loucos. Mas nos amamos, então vamos encarar isso juntos. Quero saber como você se sente e o que pensa".

Se você conseguir chegar a esse ponto com a criança, está estabelecendo a igualdade. Não está projetando uma visão "Sou mais sagrado do que você". Você está se encontrando com seu filho no mesmo território. Praticamente toda criança do mundo vai respeitar isso — assim que estiver mais calma.

SOCOS NAS PAREDES

Este é um dos comportamentos mais comuns sobre os quais sou questionado nas sessões. Geralmente, os responsáveis por dar socos nas paredes são os garotos. As meninas tendem a bater portas e gritar: "Eu te odeio!". Meninos costumam perder o controle e esmurrar as paredes (bom, adultos também fazem isso — especialmente pais). Um pai me disse, com a maior desfaçatez, que o filho adolescente o deixara tão furioso que ele esmurrou a janela do próprio carro, quebrou o vidro e teve de ir ao hospital para tomar pontos. (E ele se perguntava onde o filho tinha aprendido a dar murros nas paredes.)

Quando seu filho dá socos nas paredes, muito provavelmente foi uma criança irada durante grande parte de sua vida. Tenho notícias sobre isso: esse tipo de comportamento não é fácil de consertar, porque a raiva passou um longo tempo fermentando. Muitas vezes, pais constrangidos tentam lidar com essa situação em casa. Mas a criança necessita de ajuda profissional. (Não estou dizendo isso apenas porque sou psicólogo e preciso ganhar uns trocados. Estou dizendo por que é verdade.) São essas as crianças que se tornam tão zangadas e inconstantes que podem explodir e ferir alguém. Você lê sobre isso nos noticiários e, se não lidar com a situação apropriada e imediatamente, seu filho pode ir parar nas manchetes dos jornais.

Quando seu filho dá socos nas paredes, muito provavelmente foi uma criança irada durante grande parte de sua vida.

Isso significa que você não faz nada a respeito em casa? É claro que não. Em primeiro lugar, você precisa dizer: "Não vamos aceitar esse tipo de comportamento em nossa casa". O problema é que, a essa altura, o comportamento está tão arraigado que se parece com as fibras de uma tábua de madeira. Elas seguem em uma direção e não mudam. Você pode encerar, polir, pintar, mas o sentido é o mesmo. É por isso que é tão importante treinar a criança para o amor e o respeito e para ser um membro da família quando ela é pequena.

Então, por favor, procure ajuda profissional para seu filho superar os problemas de raiva. Mas não o deixe livre de punição em casa. Seu filho deve trabalhar para ganhar o dinheiro necessário para consertar os estragos que fez. Se ele não tiver um trabalho de meio-período, suspenda a mesada até que os consertos estejam pagos. Lembre-se também de que "B não acontece até que A esteja concluído". Isso significa que você não vai levá-lo à casa do amigo quando ele disser "Eu não vou ao psicólogo". A única coisa que você precisa insistir é para que ele vá ao aconselhamento psicológico, para o seu próprio bem — e do resto da família.

Não dê as costas para essa montanha.

TAREFAS

Ah, mãe, eu *tenho* que fazer isso?

Estou cansado de ter de fazer todo o trabalho aqui.

Toda família tem tarefas que precisam ser realizadas, e todo membro da família precisa colocar a mão na massa e ajudar. Isso significa todo mundo, da criança mais nova à mais velha, até os pais. Há muitas coisas que crianças podem fazer, como arrumar a mesa, lavar os pratos, colocar a roupa na máquina de lavar, juntar o lixo, varrer a varanda, lavar o carro, cuidar dos animais de estimação. Conforme elas crescem, podem ajudar em tarefas mais avançadas, como cortar a grama, ir ao supermercado, trocar o óleo do carro, pesquisar na internet lugares para a família viajar nas férias, etc.

Toda família tem tarefas que precisam ser realizadas, e todo membro da família precisa colocar a mão na massa e ajudar.

Toda criança vai se esquecer uma vez ou outra. Quando uma criança esquece, não é uma montanha, então, não transforme a situação em uma. Simplesmente diga: "Querido, acho que você deve ter saído às pressas para a escola porque se esqueceu de passear com o cachorro. Vi que Rosie estava se contorcendo de vontade, então eu mesma a levei." Na maioria das vezes, a criança vai responder: "Oh, muito obrigado, mamãe. Eu realmente me esqueci. Me desculpe!" E fim de papo. Da próxima vez, ele vai se lembrar.

Entretanto, caso o esquecimento de passear com o cachorro se torne uma constante, você precisa fazer algo diferente para chamar a atenção de seu filho. A melhor coisa que encontrei é atacá-lo pelo bolso. Sem advertências, sem ameaças, sem lamúrias, sem brigas. Simplesmente pague outra pessoa (ou a si mesmo, se não houver mais ninguém) para fazer a tarefa, e deduza o valor da mesada da criança. Sua mensagem será ouvida, alto e bom som. Família — e as tarefas que cabem à família — deve vir em primeiro lugar.

A ação desta mãe colheu rápidos resultados:

> Cabe a Jason tirar o lixo toda semana. Quando ele não fez isso pela terceira semana seguida, minha amiga me deu uma ideia que ela usava com o filho adolescente para defender seu ponto de vista. Ela recolhia todo o lixo da casa e as latas de lixo externas e colocava no quarto do filho depois que ele saía para a escola. Ela fechava a porta do quarto e deixava o lixo fedorento no quarto o dia todo. Quando ele chegava em casa, o cheiro lá dentro estava realmente insuportável. Tentei a mesma coisa com Jason. Bem, uma mãe desesperada tem de fazer o que deve ser feito! Ele captou a mensagem, especialmente quando aconteceu de sua namorada entrar com ele no quarto depois da escola. Isso aconteceu há seis meses, e desde então ele *sempre* se lembra de que segunda-feira é o dia do lixo. Ele geralmente se levanta um pouquinho mais cedo para colocá-lo para fora. Quando Jason percebeu que eu não estava para brincadeira, ele também parou de reclamar sobre outras coisas que eu pedia que fizesse.

TATUAGENS E *PIERCINGS*

Há muito tempo, quando eu estava crescendo, a única pessoa que tinha tatuagens eram motoqueiros de Harley Davidson. Eram caras durões, que deixavam claro que ninguém devia mexer com eles.

O mundo atual é muito diferente. Jovens mães que me ouvem falar sobre casamento e problemas familiares são bem vestidas, educadas e têm um ou mais filhos. E algumas delas também têm tatuagens — no ombro, na perna, no braço e sabe-se onde mais.

> Permitir tatuagens e *piercings* fica a critério de cada pai.

É óbvio que tatuagem é popular. Alguns de vocês que estão lendo este livro têm tatuagens e se perguntam qual é o grande problema disso. Por que incluí isso em meu livro? Seria eu um velho ultrapassado ou algo do gênero?

O ponto que gostaria de defender é que as pessoas têm uma relação de amor e ódio com tatuagens. Ou amam ou odeiam. Francamente, permitir tatuagens e *piercings* fica a critério de cada pai.

Para alguns, tatuagem não é grande coisa. "Então ele fez uma tatuagem. Não é o fim do mundo", dizem. "Ele é um bom garoto."

A maioria dos jovens quer fazer tatuagens ou colocar *piercings* (no nariz, sobrancelha, umbigo, orelhas, língua) a fim de ressaltar a singularidade. O que é engraçado, porém, é que eles também querem fazer isso porque seus amigos estão fazendo. Então o que há de singular nisso?

Inclino-me a concordar com os pais que não encorajariam seus filhos a se distinguir por meio de tatuagens ou *piercings*. Eu desafiaria essas crianças a serem o maior clarinetista da banda ou o zagueiro impenetrável do time de futebol americano. Há muitas maneiras de ser único — tocando trompete, sendo um leitor voraz ou um jogador de xadrez invencível. Quanto mais confiante a criança é sobre si mesma, menos será tentada a perfurar alguma parte do corpo para se encaixar na multidão.

Lisa fez uma tatuagem quando tinha 13 anos, com a aprovação dos pais. Quinze anos depois ela se tornou mãe e se mudou para um bairro muito conservador, em uma região rica da cidade. Foi então que decidiu se submeter à dor de remover a tatuagem. "Eu ficava desconfortável em usar blusas sem manga, porque tinha medo do que as outras mães pensariam. Especialmente depois que uma mãe falou com veemência sobre uma mulher que fez uma tatuagem e perdeu a moral, etc. Minha filha completou 16 anos no mês passado e queria fazer uma tatuagem. Expliquei a ela por que não queria que ela fizesse. Era uma perspectiva diferente da que ela tinha ouvido, e ela não entendeu completamente, mas honrou meu pedido."

Também pendo para o lado dos pais que não acreditam em tatuagens ou brincos em crianças pequenas, a menos que isso faça parte da cultura (como os indianos ou hispânicos). Por que pressionar crianças pequenas a ser como todo mundo? "Bem, Susan da rua de baixo tem as orelhas furadas. Você também não quer furar as suas?" (Susan tem 5 anos de idade.)

Os pais de hoje parecem estar correndo para dar tudo às crianças, o mais rápido possível. É por isso que crianças da primeira série estão andando por aí de telefone celular. Se essa é sua perspectiva como pai, você não acha que seu filho vai entender?

Se seu filho é mais velho, você sempre pode dizer o que pensa. Mas a decisão é dele. Quando ele tiver 18 anos, poderá tatuar o nariz, as bochechas e o pescoço e acabar se parecendo com Michael Tyson. (O corpo dele vai pagar por isso, mas o corpo é dele.) Porém, se você reservar um tempo para dizer a seus filhos o que pensa e por que, a maioria deles (mesmo os mais velhos) não vai agir contra os desejos dos pais.

E quanto a *piercings*? Falei sobre brincos antes (v. "Brincos"), então não vou falar sobre isso novamente, mas vou discutir outros furos no corpo.

Recentemente Jeff, um pai que conheço, estava fazendo compras em um grande supermercado. Ele é um pai moderno, com 30 e poucos anos. Mas, depois de vinte minutos na loja tentando decifrar o que o balconista estava dizendo, ele pediu para falar com o gerente. Ele disse que a loja deveria pelo menos contratar atendentes que conseguissem se comunicar com os clientes.

Não estou fazendo nenhum julgamento moral sobre furos no nariz, língua, sobrancelha, umbigo ou qualquer outro lugar. Estou dizendo simplesmente que deixar sua filha de 14 anos "se expressar" deixando-a furar a língua é bem idiota. É estúpido. E perigoso para a saúde, com todos os germes existentes na boca. E certamente não vai ajudá-la socialmente a tentar conversar com os outros com uma fala ininteligível e estridente — especialmente com outras pessoas que não têm *piercings* na língua (a maioria da população).

Também é sensato que o pai tenha em mente que o que uma criança quer aos 14 anos não é necessariamente o que ela quer aos 17. Há um amadurecimento profundo durante esses anos. Alguns tipos de *piercings* que podem ser colocados em partes não-tradicionais do corpo (por exemplo, outras que não sejam o lóbulo da orelha) são realmente atos de rebeldia silenciosa. São feitos para mostrar ao mundo inteiro que "eu não sou como todo mundo". Volto à minha visão de que há maneiras melhores de mostrar ao mundo sua singularidade do que ferindo o corpo.

Acho natural um pai dizer não para uma tatuagem ou *piercing*. Afinal, é ele quem geralmente vai pagar por isso. Por que você pagaria para machucar o corpo de seu filho? Dê a ele vitamina N (não) se tatuagens e *piercings* não se enquadram em seus valores e sistema de crenças.

TEIMOSIA

Crianças não saem teimosas do útero. Elas aprendem a ser teimosas — porque vale a pena.

Vamos dizer que uma criança se recuse a ir com você à casa dos avós. O que você faz? Você dança em volta da criança: "Ah, vamos, vai. Lá não é tão chato. E ela vai adorar ver você".

A criança continua se recusando, e balançando a cabeça com teimosia.

"Mas, Daniel, ela quase não tem companhia. Vai ser muito importante para ela se você for. Por favor. Por mim você vai?"

A essa altura, você adotou aquele tom sedutor. Qual é o próximo passo, se a criança se recusar?

"Tudo bem, eu sei que você não quer ir, mas, se você for comigo ver a vovó às vezes, eu compro para você aquele *skate* que você queria."

Ah-ah, agora você despertou o interesse de seu filho. Ele aceita ir. Ele conseguiu o *skate* sem muita dificuldade, não é?

Você vai embora achando que ganhou, mas ganhou mesmo? Seu filho aprendeu que, se ele resistir um pouco, você vai oferecer a lua para ele — e ele vai tê-la. Seu filho tem você na palma da mão, e você permite.

Qual a natureza motivacional da teimosia de seu filho? Conseguir o que quer. Então, não lhe dê a satisfação de conseguir nada. Do contrário, qualquer criança no planeta será esperta o suficiente para saber que, se bater o pé, você irá à casa da vovó sozinha, acabará fazendo a tarefa que pediu que ele fizesse ou vai se esquecer completamente do que pediu.

> Crianças não saem teimosas do útero. Elas aprendem a ser teimosas — porque vale a pena.

É um jogo de tentativa e erro. Seu filho conhece você. Você vai deixá-lo ganhar? Ou vai fazê-lo assumir suas responsabilidades?

Querer que seu filho visite a vovó uma vez por mês na casa de repouso não é um pedido absurdo. Se ele se recusar, vá sem ele. Mas depois não o leve aonde ele quiser ir. Lembre-se, B não acontece até que A esteja concluído.

TIMIDEZ

Ela não tem amigos porque não conversa com ninguém. É muito tímida.

Você sabia que uma criança extremamente tímida é uma criança extremamente poderosa? A timidez se torna uma maneira de ter certeza de que o adulto na vida daquela criança fará as coisas da maneira que as crianças querem que ele faça. É, na verdade, uma forma de manipulação.

Talvez, a pequena Annie diga que é muito tímida para sair e ir brincar com outras crianças no tanque de areia do parque. O que ela realmente está dizendo? "Papai, não quero ir lá sozinha. Não sei o que dizer e não quero fazer muito esforço para tentar. Quero que você vá lá comigo e quebre o gelo para mim." Mas isso vai fazer algum bem à pequena Annie a longo prazo?

> Uma criança extremamente tímida é uma criança extremamente poderosa.

Para se tornarem adultos saudáveis, as crianças precisam aprender a se relacionar com os outros. Isso significa se comunicar com eles. Seu filho nunca vai aprender a fazer isso se você sempre se colocar no caminho e asfaltar sua estrada da vida.

O que o pai deveria dizer a pequena Annie no parque? "Oh, que pena, Annie. Achei que o dia estava lindo para brincar, e aquelas crianças parecem estar se divertindo. Trouxe você aqui para que eu pudesse trabalhar um pouco enquanto você se divertia, mas acho que vamos precisar voltar para casa. Também posso trabalhar lá."

Em 95% dos casos, essa observação será o empurrãozinho necessário para que a pequena Annie se torne mais proativa e comece a brincar com aquelas crianças. Por quê? Porque no fundo, no fundo, ela não quer ir para casa. Deseja brincar com as outras crianças. Mas quer que as coisas sejam do jeito dela, do jeito mais fácil.

O pai inteligente não cai nessa lábia.

Outro dia, ouvi uma conversa interessante entre garotas da segunda série que estavam indo visitar um lar para idosos em um trabalho de campo da escola. Kimmy, a primeira garotinha, declarou: "Bem, eu não vou falar com essas pessoas de idade. Sou tímida".

Kayla, a segunda menina, parou. "Você sabe o que é timidez? Minha mãe diz que ser tímida é pensar em si mesmo em vez de pensar nos outros. É ser egoísta. É dizer: 'Eu sou mais importante do que você'."

Fiquei com vontade de cumprimentar Kayla. Especialmente quando vi o olhar de confusão total no rosto de Kimmy.

O que Kayla disse é totalmente verdade. Crianças tímidas dizem "eu, eu, eu" — mas tão baixinho que geralmente os pais não ouvem. O pai inteligente, porém, verá a timidez pelo que realmente é: uma ferramenta de manipulação para uma criança se dar bem. (V. tb. "Egoísmo".)

TOMAR CONTA DE CRIANÇAS

> Amigos me perguntam a toda hora se minha filha de 11 anos poderia tomar conta do filho deles de 3. Não me sinto confortável em deixar Lexi fazer isso, pois me parece muita responsabilidade para uma menina. E se alguma coisa der errado?

> Uma garota, que é nossa vizinha, sempre cuidou de nossos dois filhos. Mas, agora que ela tem 17 anos, sempre traz o namorado. Fico me perguntando em quem ela presta atenção: em nossos filhos ou no namorado? Devemos trocar de babá ou simplesmente dizer que ela não pode trazer o namorado?

Tomar conta de crianças é uma via de mão dupla — escolher alguém que tome conta de seus filhos e decidir quando seu filho pode cuidar de outras crianças, se ele tiver interesse.

Quando você deve deixar seu filho tomar conta de outras crianças? A partir dos 10 ou 11 anos, se ele demonstrar um alto nível de responsabilidade em outras áreas da vida, mas geralmente sugiro que não tenha menos de 12 anos. Claro, o dinheiro oferecido pode soar atraente, mas ele também está assumindo uma grande responsabilidade — especialmente se a criança de quem está cuidando for menor de 2 anos e não conseguir expressar sentimentos e necessidades com palavras. E também de quantas crianças seu filho vai cuidar? Elas são bem comportadas? Além disso depende da personalidade de seu filho. Emily, por exemplo, não começou a tomar conta até os 16 anos. Antes disso, ela não estava pronta para a responsabilidade, e não teria sido capaz de controlar mais de uma criança. Jill começou a tomar conta aos 11. Tinha uma afinidade natural com crianças pequenas, já que tinha quatro irmãos menores, e estava acostumada a atender a múltiplas necessidades.

Nenhuma criança deve ser forçada a cuidar de crianças fora da própria família, a menos que queiram. Se tiver interesse, ofereça as oportunidades aos poucos, para que possa desenvolver a responsabilidade de tomar conta sem se sobrecarregar e sem colocar a si mesma e às outras crianças potencialmente em perigo. Conheço duas famílias no mesmo quarteirão com filhas de 11 e 13 anos. Elas se revezam na responsabilidades de tomar conta das crianças menores de suas famílias. Em duas sextas-feiras por mês, Stacey, de 11 anos, vai ao cinema com as amigas enquanto seus pais também saem juntos. Kendra, de 13 anos, cuida das crianças de 3 anos de ambas as famílias na casa de Stacey, enquanto seus pais ficam sozinhos em casa à noite. Na semana seguinte, as duas garotas e seus pais invertem os papéis. Assim, as duas meninas ganham dinheiro para ir ao acampamento de verão, ainda que as duas estejam a apenas três casas de distância de um casal de pais (o que fica em casa sozinho) que está ali para qualquer problema com as crianças pequenas. É um plano que funciona bem para todas as partes envolvidas. E o plano de emergência foi usado apenas uma vez — quando faltou luz devido a uma tempestade, e Stacey não sabia como mexer na caixa de força para fazer a luz voltar.

> Geralmente sugiro que não tenha menos de 12 anos. Claro, o dinheiro oferecido pode soar atraente, mas eles também estão assumindo uma grande responsabilidade.

Se for sua filha quem toma conta, tenha cuidado em relação ao lugar em que ela vai ficar. É melhor, se possível, que você conheça a família pessoalmente. De qualquer forma, tenha certeza de que *você* é quem vai levar sua filha para a casa e de que *você* vai buscá-la. Infelizmente, já ouvi muitas histórias de homens adultos — *pais* — que assediam garotas adolescentes quando as levam de volta para casa. Quando uma adolescente ou uma mulher tomava conta de nossos filhos em casa, Sande sempre a levava de volta. Porque é fácil crianças inventarem histórias sobre o que adultos fazem com e para elas, Sande e eu adotamos essa política desde cedo: eu levo os meninos para casa; Sande leva as meninas. Nunca nos desviamos dessa política. Se sua filha é mais velha e tem um namorado, isso geralmente pode acrescentar um componente interessante à equação. Minha sugestão é que você faça um acordo com sua filha: quando ela tomar conta de alguém, o namorado nunca deve aparecer. Assim, ela está livre para se concentrar nas crianças pelas quais é responsável, e não envia uma mensagem confusa à família para quem está trabalhando.

> Se for sua filha quem toma conta, tenha cuidado em relação ao lugar em que ela vai ficar.

Antes de aceitar qualquer pessoa para tomar conta de suas crianças, pense nisso:

1. A segurança física e emocional de seu filho está nas mãos dessa pessoa. Que tipo de pessoa você quer que seja?
2. Que instruções você precisa dar à pessoa sobre os cuidados com seu filho? É sempre melhor escrever e deixar uma cópia com a pessoa, a fim de não haver confusão. Isso é especialmente importante se for preciso dar algum medicamento ou alimentação para bebês e crianças pequenas.
3. Por quanto tempo você vai estar ausente da primeira vez? Alguns pais decidem sair por apenas uma hora e ir a um local a não mais que 10 a 20 minutos de distância de casa se tiverem uma pessoa nova cuidando de seus filhos.
4. Que expectativas você tem quanto ao que vai acontecer enquanto você estiver fora?
5. Alguns pais sugerem um cronograma como o seguinte: pizza no jantar às 18h; filme (escolhido pelos pais, sobre a prateleira) das 19h às 20h30; hora de dormir às 20h30 com uma história de ninar já escolhida para ser lida para as crianças. Você, e só você, sabe os horários das crianças. Se deseja que seus filhos pequenos estejam dormindo pacificamente quando chegar em casa, mostre à pessoa o cronograma para que as coisas pareçam normais para as crianças. Se você não se importa com uma noite sem regras (nem com a limpeza resultante da bagunça), tudo bem. De qualquer forma, deixe suas expectativas claras para a pessoa, incluindo que ela vai limpar tudo.

6. Certifique-se de que a pessoa tenha o número de seu celular, saiba a que horas você deve chegar e como ligar para o telefone de emergência.

Todas essas coisas vão ajudá-lo a ter experiências saudáveis nesses momentos.

TRANSTORNO OBSESSIVO-COMPULSIVO (TOC)

Quando estive recentemente em Atlanta ministrando um seminário, uma senhora se aproximou de mim no final e me contou que seu filho tinha sido diagnosticado com TOC, um distúrbio de ansiedade no qual uma pessoa precisa passar por certos rituais a fim de conter seu pânico ou medo irracional. Ela me relatou todos os procedimentos que devem ser feitos antes que ele faça alguma coisa. Como o fato de ela ter de usar uma borracha imaginária na banheira para fazer todos os movimentos de limpeza antes de entrar. E que ela tem de dobrar o cobertor dele de uma maneira específica quando o coloca na cama à noite. Ele certamente parece ser uma criança perfeccionista. Mas todas as pessoas têm excentricidades. E crianças são amantes da rotina. Elas insistem em que certos procedimentos em casa sejam seguidos (particularmente na rotina de ir para a cama). Então o que a fez pensar que seu filho tivesse TOC? Um livro que ela leu sobre o assunto, e o comentário de uma vizinha durante o café.

Muitas crianças receberam um diagnóstico errado de TOC quando são simplesmente crianças poderosas que querem que você se aproxime delas de uma maneira específica.

Se você está preocupada de que seu filho possa ter TOC, faça uma avaliação com um profissional do ramo. Muitas crianças receberam um diagnóstico errado de TOC quando são simplesmente crianças poderosas que querem que você se aproxime delas de uma maneira específica. Qual a natureza motivacional desse comportamento? Chamar sua atenção. Controlar seu mundo. Dominar e controlar os outros.

E elas vão fazer um trabalho muito bom, porque são obstinadamente perfeccionistas. Entretanto, o que é importante em relação a essas crianças é ajudá-las a entender por que elas precisam de rituais. É devido a um medo profundo e secreto de que as coisas mudem? De que você vá embora?

Antes de rotular seu filho ou aceitar um rótulo de qualquer outra pessoa, por que não compreender a natureza motivacional do comportamento e, então, trabalhar para mudar esse comportamento?

TV OU *VIDEO GAMES* EM EXCESSO

Meu filho vive em dois mundos — a escola e os *video games*. Ele está em um ou outro, nunca em outro lugar. Isso é normal ou estou sendo implicante? Fora isso, ele é um bom garoto.

Minha filha é viciada em todos os seriados noturnos de TV. Às vezes, ela não começa a fazer a lição de casa até perto da meia-noite, porque está envolvida neles.

Sejamos honestos. Muitos de nós assistimos a TV demais. Quando eram exibidas maratonas de *Mayberry*[9], eu assistia a duas horas de episódios, mesmo sabendo cada palavra que era dita já que tinha assistido a todos várias vezes. (Hoje isso é tolice, mas foi o que fiz. É um ótimo programa, mas assistir tantas vezes era uma perda de tempo.) Pior, há muitas coisas sem graça na TV. Sinceramente revoltantes, na verdade. Ruins para qualquer pessoa.

Então por que permitimos que nossos filhos assistam tanto à TV? Para ser sincero, televisão, filmes e *video games* se tornaram babás para muitos pais. Deixe a criança grudada diante de um programa, e mamãe pode lavar a louça e arrumar a cozinha em paz. Papai pode ter horas extras de trabalho com isso. Se você tem uma criança de 2 anos, uma TV portátil e um DVD player, por que não levá-los todos ao restaurante e deixar a criança ver o filme, para que você tenha um jantar calmo e tranquilo? O que há de errado em deixar a criança lá sentada, imersa no DVD ou no *video game*? Pelo menos ela está quieta!

Sejamos honestos. Muitos de nós assistimos a TV demais.

Usar a TV, filmes e *video games* como babás é funcional e muito tentador. Mas é saudável para seus filhos? Olhar para um aparelho eletrônico hora após hora em vez de interagir com pais e irmãos? Provavelmente não.

Não há nada de errado com TV, filmes e DVDs, se usados com parcimônia, filtrados do material questionável e adequados à idade das crianças. Alguns programas, como *National Geographic* e *Kiddy Planet*, são educativos. O problema é que a maioria dos pais não estabelece limites razoáveis para o uso desses itens. Por que não perguntar a seu filho qual é o limite razoável? É interessante como as crianças geralmente estabelecem limites mais estritos, quando questionadas, do que os adultos. Se elas ajudarem a chegar a um limite razoável, terão mais probabilidade de seguir as próprias regras — e você não terá de ser o cão de guarda.

Uma última observação: não permita que as crianças tenham TV no quarto. A TV deve ficar em uma sala central na casa, onde qualquer um que passe possa ver o que está passando. Colocar uma TV no quarto da criança, especialmente se você tem serviço de TV por assinatura em casa, é pedir para ter problemas. Você deixaria seu filho dar uma volta pela rua mais decadente da cidade? Então por que permitir que seu filho tenha acesso a tudo de decadente que vem pela TV a cabo e pela transmissão normal da madrugada? É sua responsabilidade proteger a mente de seu filho.

VIOLÊNCIA

Mas ela me bateu primeiro!

Foi ele que começou!

A maioria dos irmãos não vai pensar duas vezes antes de descer a mão no outro durante uma briga. Eles não vão dar um soco no olho e se sentir mal a respeito.

Pais perdem um tempo razoável tentando definir quem começou. Mas considere isto: brigar é um ato de cooperação. Não se trata de quem deu o primeiro sopapo. Isso significa que, em vez de tentar descobrir quem disse ou fez o quê, os dois envolvidos precisam ser retirados de cena e levados a um quarto, a portas fechadas, onde se encarem sozinhos até que o problema esteja resolvido.

> Brigar é um ato de cooperação. Não importa quem deu o primeiro sopapo.

O que é impressionante é que isso funciona em qualquer idade, seja aos 3 ou aos 15 anos. Agora, os de 3 geralmente não conseguem solucionar suas diferenças, mas podem ter um tempo a sós. Não estar onde mamãe está, sabendo que ela não está feliz, já é suficientemente ruim. Você sabia que um minuto ausente pode parecer uma eternidade para uma criança de 3 anos?

Eu tive de rir (internamente) outro dia quando minha filha Krissy mandou o pequeno Conner para o quarto para um momento a sós. Ele marchou como um soldadinho e sentou-se quietamente em seu quarto. Depois daquela "eternidade" (três minutos se passaram) separado da mãe, Krissy chamou: "Conner, você está pronto para sair?". E ele respondeu em uma voz arrasada: "Sim, mamãe".

A questão é que quando a criança sai, precisa estar pronta para se reunir com a família novamente. Isso significa tratar a irmã com respeito mesmo que não esteja com vontade.

Quando duas crianças batem uma na outra ou brigam na hora do café da manhã, retire os dois da mesa, coloque-os juntos em um quarto e feche a porta.

Há ainda um bônus para você: quando eles saírem de lá com os problemas resolvidos, o café da manhã acabou. Eles vão ficar com fome até a hora do almoço, e o armário dos lanchinhos não está aberto. Eles vão morrer por passar algumas horas sem comer? Não, apesar de talvez comerem mais do que o normal no almoço. Você vai deixar claro que não gosta e não tolera brigas à mesa.

Sob circunstância alguma você deve permitir que uma criança bata em você. Presenciei uma vez uma criança de 6 anos estapear sua mãe grávida bem na barriga, e a mãe disse apenas: "Você só está bravo. Você não quer dizer isso!".

Muitos pais acham que seus filhos — especialmente os menores — não sabem o que estão fazendo quando batem em você. Há controvérsias. Mas, seja ou não verdade, não se pode permitir que esse comportamento continue. Se seu filho de 11 meses bate em seu rosto, segure seus braços firmemente e envolva os braços dele com os seus para que ele não consiga atingi-lo novamente. Reforce sua ação com palavras gentis, mas firmes. Diga suavemente: "Não bata. A mamãe não gosta de apanhar". Estabeleça um limite o mais cedo possível de que bater é inaceitável. E, acima de tudo, nunca revide. (Bater propositadamente para mudar uma ação da criança, para aqueles que se sentem confortáveis com isso, é uma atitude muito diferente de revidar como resposta impensada. V. "Palmadas".)

Se você quer uma criança perfeita, compre um boneco. Crianças não vêm na especificação "boneco". Criar um filho tem tudo a ver com o relacionamento que se tem — que seja construído sobre o amor, respeito mútuo e cooperação. Permitir que sua casa seja uma zona livre de pancadaria e enfrentar esse comportamento quando acontece é crucial para estabelecer um ambiente seguro.

XINGAMENTOS

> O monitor do *playground* me telefonou em casa porque meu filho da terceira série chamou outro garoto de "gorducho" e o fez chorar. Fiquei constrangida e não sabia o que dizer. Por que Luke disse isso? Ele também não é um garoto magricela!

> Passei toda minha infância com garotos da vizinhança que me xingavam porque eu era de uma etnia diferente de todos os demais. Então realmente me abalei quando minha filha foi para o jardim de infância e voltou para casa dizendo: "Mamãe, o que é um chicano? Alguém na escola me chamou de chicano".

Por que crianças colocam apelidos e xingam?

Pessoas que rotulam os outros fazem isso para se sentir melhor em relação a si mesmos. Quem xinga pode parecer importante e dominador, mas no fundo é inseguro. Apesar disso, pode causar um grande estrago a outras crianças se não for contido.

Se seu filho xinga outra criança, você não pode deixar esse comportamento para lá. Precisa dar uma freada brusca nele.

"Você está se sentindo mal consigo mesmo?" você precisa perguntar.

"Do que você está falando?" seu filho explode.

"Você acabou de humilhar seu irmão. Você o chamou de... Pessoas que fazem isso não se sentem bem consigo mesmas. Fico preocupada de que você aparentemente não esteja se sentindo bem sobre si mesmo.

A graça do xingamento acaba indo embora, não acha? Na cabeça da criança, isso é registrado como: *Se eu humilho meu irmão, estou dizendo às pessoas que não me sinto bem comigo mesmo? Será?*

Crianças em geral são contundentes. Elas às vezes dizem coisas que machucam os outros por ignorância ou inocência. Mas todo pai sabe a diferença de falar algo impróprio honestamente, por curiosidade e xingar ou ofender outra pessoa propositadamente. Tudo está na atitude.

> Quem xinga pode parecer importante e dominador, mas no fundo é inseguro.

Crianças podem ser especialmente ofensivas em se tratando de raça, etnia e características físicas. Disseram a uma garotinha que ela não podia brincar com seus colegas porque não tinha cabelo loiro como eles. A outro menino, disseram que suas orelhas eram "engraçadas", e ele passou os três anos seguintes implorando a seus pais por uma cirurgia nas orelhas para que pudesse parecer normal.

Quando eu era criança, havia uma garota em minha classe cujo nariz lembrava muito o de um porco. Todo mundo a chamava de "cara de porco". Pode imaginar? Que pobre menina! Eu me encolho de medo hoje quando penso no que ela enfrentou. O que seus colegas disseram de gozação é possível que a tenha levado ao desespero. Crianças conseguem ser bem cruéis. Não deixe que seu filho seja! E, se ele for um injuriador, enfrente o problema agora. Não espere para ver seu filho aproveitar-se de alguém.

Se seu filho é o que recebe o xingamento, encoraje-o. "Querido, sei que o que ela disse doeu, mas estou orgulhosa da forma em que você lidou com a situação. O que você escolheu dizer e a história que contou à garota foram realmente um retrato maravilhoso do que a amizade deveria ser." Dizer que você tem orgulho da forma em que seu filho respondeu vai sobrepujar a dor do xingamento e faz mais para recuperar o autoconceito dele do que qualquer outra coisa que você possa fazer como pai (tanto quanto querer marchar para a casa da outra criança e lhe dar uma lição).

Ao fazer isso, você está ensinando a seu filho que, sim, às vezes as pessoas vão maltratá-lo. Mas a forma de reagir a essa situação é que faz a diferença. Se você tomar o caminho certo, sairá ganhando em longo prazo.

XIXI NA CAMA

> Tentei de tudo — o despertador, a campainha e o forro — mas ele dorme assim mesmo. Nada funciona. Socorro!

> Andrea foi treinada para usar o penico desde os 2 anos. Então um dia recebi um telefonema da escola pedindo que eu levasse uma muda de roupas. Ela tinha molhado as calças. Fiquei surpresa. Andrea está na segunda série. O que será que aconteceu?

> Jarrod, às vezes, ainda molha a cama e ele tem 10 anos. O que estou fazendo errado?

Muitos pais exageram quanto a fazer xixi na cama. Eles tentam todos os tipos de apetrechos para impedir a criança de molhar a cama. Há o despertador que, diante do primeiro sinal de umidade, emite um som e acorda a criança. Há a campainha e o forro — quando o forro fica molhado, a campainha toca e acorda a criança.

No entanto, vamos colocar as coisas em perspectiva. Você pode ler dezenas de livros e tentar todas as técnicas. Pode fazer a criança não beber muito líquido na hora do jantar; pode levar a criança ao penico antes de ir para a cama; pode conversar sobre se levantar para ir ao penico assim que ela sentir a bexiga cheia.

> Crianças que molham a cama têm um padrão de sono profundo. A maioria dessas crianças vai amadurecer com o tempo e parar de fazer xixi na cama.

E, ainda assim, seu filho molhará a cama.

Como isso faz você, pai ou mãe, se sentir? Muitos pais se martirizam de ansiedade. *Oh, que horror! Não devo estar dando a ele amor e atenção suficientes. Devo ser um pai horrível. Ele deve estar estressado de alguma forma para fazer isso. Se algum de seus amigos descobrir, ele ficará tão constrangido! E que sujeira! Detesto ter de lavar esses lençóis fedidos e trocar a cama toda manhã... sem contar que o colchão está arruinado.*

Porém, leve isso em consideração: uma pesquisa apontou que crianças que molham a cama têm um padrão de sono profundo. A maioria dessas crianças vai amadurecer com o tempo e parar de fazer xixi na cama.

Portanto, relaxe! Como diz o sábio ditado: "Tudo na vida passa". Fazer xixi na cama vai passar antes do ensino médio. Eu garanto. Nesse meio tempo, use lençóis de borracha e instale calhas na cama.

Talvez seja preciso tomar algumas medidas. Por exemplo, se seu filho de 7 anos molha a cama, não seria recomendável deixá-lo passar a noite na casa de um amigo. Você não gostaria de constranger a criança nem de causar esse inconveniente aos pais do amigo. Mas, como explicar isso para seu filho? Fale naturalmente, de modo que a criança saiba o motivo de não poder passar a noite fora. Não deve haver um tom de advertência ou punição em sua voz. Diga calmamente: "Querido, quando você conseguir se controlar, pode fazer coisas como essa. Mas, por enquanto, não dá."

Se seu filho fizer xixi na roupa na escola, considere o caso como imprevisto. Não crie muito caso a respeito. Leve uma muda de roupas para a criança. Não coloque, porém, um conjunto extra de roupas na mochila de seu filho para o caso de ele voltar a fazer o mesmo. Dessa forma, você simplesmente reforçaria tal comportamento.

Na questão do xixi na cama, é importante não constranger seu filho — e ter uma visão de longo prazo.

EPÍLOGO

Dia de lazer

Você agora está equipado com as estratégias de *Transforme seu filho até sexta* e pronto para acabar com aquelas coisas de seu filho e da relação entre vocês que o deixam louco. Na verdade, você está sentado, relaxado, esperando com um sorriso no rosto pelo próximo movimento de seu filho. Você agora sabe por que eles fazem o que fazem, e qual a altura e o que vem depois de seus gritos de guerra que estão relacionados a você e ao tipo de pai que tem sido. E esse segredinho o coloca na dianteira para vencer *bonito* esse páreo.

Você também é inteligente (muito mais do que seus filhos acreditam). E está mais convencido do que nunca de que Atitude, Bom comportamento e Caráter são as três coisas mais importantes de que seu filho precisa, não só para aprender agora, mas para levar para o resto da vida dele. Você, de todas as pessoas do mundo, está no papel singular de ensinar esses aspectos — porque está sempre em evidência para seu filho. É como o adesivo que vi uma vez e do qual morri de rir: "Ser pai é como estar ao microscópio 24 horas, 7 dias por semana". É verdade. Os valores são absorvidos, e não ensinados. Independente da idade e do estágio — do pequeno de 2 ou 3 anos, passando pelo pré-adolescente exasperante, pelo barulhento adolescente, até o jovem adulto questionador — seus filhos estão aprendendo como viver ao observá-lo.

Ser pai é como estar ao microscópio 24 horas, 7 dias por semana.

Como você lida com a raiva, a tristeza e as decepções.

Como você reconhece as realizações e comemora as alegrias.

Como você prioriza.

Como você trata os outros e a si mesmo. Um pouco assustador, às vezes, não é?

Mas também pode ser estimulante, se você souber como usar a tendência humana natural de observar outros. Certo, vamos dar nome aos bois. Somos apenas e simplesmente *bisbilhoteiros*. E você pode usar isso a seu favor com seu filho.

Você também teve a oportunidade reveladora de ver a experiência de um vizinho ou colega de trabalho e decidiu que não quer estar na pele dele lá para a frente. Você está mais determinado do que nunca de que *agora* é a hora de mudar.

Para alguns de vocês, dar início a essa mudança usando a estratégia deste livro pode ser bem fácil. Cinco dias de carga, e seus filhos estarão tão desorientados pela mudança em você que ficarão de boca aberta. *Por que não funciona mais?*, eles se perguntam. *Estava acostumado a conseguir tudo o que queria...*

Para outros, este livro vai preparar o terreno de como sua família será conduzida a partir de agora, mas seu filho pode ser mais difícil, mais renitente. Quanto mais nova a criança, mais fácil moldar o cimento molhado, como falamos antes. Geralmente, quanto maior a criança, mais difícil moldá-la, pois algumas das marcas de Atitude, Bom comportamento e Caráter já começaram a endurecer.

Pai, muitos de vocês que leram este livro tiveram grande sucesso. Seu filho agora está praticamente crescido e fora de casa. Você presenciou o tremendo poder que pode ter como pai para criar o tipo de ambiente que encoraja seu filho a atingir seu potencial verdadeiro.

Outros de vocês enfrentaram situações difíceis com o filho que era extremamente rebelde e lhe deu todo tipo de preocupação e noites sem dormir. No final, seu filho dobrou a esquina. Deixe-me dizer algumas palavras de cautela. Não seja presunçoso nem ache que tem todas as respostas da vida em seu bolso. Não seja um cavador de ossos. Não esfregue os erros no nariz de seus filhos. Seja apenas agradecido por tanto você como seu filho terem uma nova compreensão da vida.

Entendo que alguns de vocês que leem este livro não são cristãos, mas gostaria de compartilhar com vocês uma história da Bíblia, que se encontra no evangelho de Lucas 15:11-32. É para aqueles que tiveram (ou ainda têm) um filho pródigo, um filho perdido que contrariou as crenças e valores de sua família. Talvez ele tenha deixado sua casa e vivido em locais indesejados, se envolvido com coisas que você nunca imaginou que pudesse fazer, e constrangido você diante de toda a vizinhança, sem contar amigos e parentes.

O filho perdido da Bíblia estava cansado de como as coisas aconteciam em sua casa. Ele era inquieto. Um dia, chegou para o pai e disse: "Você sabe, este lugar é a Bobolândia. Quero cair fora. Quero a parte que me cabe. Já era. Fui".

E o filho fez exatamente isso. Foi embora e viveu a vida que quis. Gastou todo o dinheiro — em vinho, mulheres e música. Finalmente, caiu em si e percebeu que até mesmo os lavradores de seu pai estavam em melhor situação do que ele, porque pelo menos tinham o que comer. Então ele voltou para a casa do pai.

Uma das partes mais emocionantes de toda a história é quando o pai viu seu filho, vindo lá longe... voltando para casa.

O que aquele pai fez? Quando ele viu o filho, correu ao seu encontro! Abraçou-o. Ele estava absolutamente maravilhado porque seu filho tinha voltado para casa.

Preciso salientar algumas coisas que aquele pai não disse.

O pai não disse: "Bem, olhe a confusão em que você se meteu. Já teve independência suficiente?" ou "Ah, imagino que você tenha aprendido a lição". Nada disso.

O pai abraçou o filho e demonstrou seu amor.

É um grande lembrete para todos que têm um filho pródigo.

Sim, você gostaria de poder viver novamente esses 3 anos em que seu filho esteve distante de você e se meteu em tanta confusão. Mas você precisa se apoiar no fato de que seu filho agora está a salvo, em casa. Precisa começar um novo capítulo na vida dos dois. Você precisa amá-lo e seguir adiante.

Vamos dizer isso sem rodeios. Você não é perfeito. Seu filho também não. Às vezes ele vai se comportar mal... e de maneira totalmente desesperadora e constrangedora. Como a garotinha cujos pais pediram que tirasse uma soneca no quarto numa tarde de domingo enquanto o pastor e sua esposa estavam ali para jantar. "Mamãe", gritou a garotinha no momento em que deveria estar dormindo, "adivinhe onde estão meus dedos?"

Quando ele viu o filho, correu ao seu encontro!

Às vezes, *você* é que desistirá quando sabia que não devia... ou quem vai reverter os velhos modos autoritários nos quais foi criado.

Ninguém de nós é perfeito. Seus filhos precisam da sustentação do tripé aceitação, bem-querer e competência para se tornarem membros da sociedade funcionais e saudáveis. Eles também precisam da sinceridade e do encorajamento que constroem o caráter, em vez da plataforma falsa e vazia do enaltecimento. Acima de tudo, eles precisam de consistência. Precisam de uma mãe e/ou pai que encarem o desafio de ser pais. Mesmo que isso signifique ser o Inimigo Público Número 1 do filho por um momento.

Hoje é o *seu* Dia de lazer. A recompensa por seu trabalho e determinação. O dia em que você se senta e aprecia a diversão! O olhar de confusão absoluta no rosto de seu filho quando você coloca o plano de ação em prática será impagável.

> Às vezes ele vai se comportar mal... e de maneira totalmente desesperadora e constrangedora.

Lembra-se do pequeno Matthew, o garotinho de 4 anos do capítulo "Segunda-feira", que desrespeitou a mãe no carro e então se perguntou por que não teria o lanchinho de leite com biscoitos depois da escolinha? Quem não conseguiria entender o "não" de sua mãe até que estivesse tão desesperado por seu lanche rotineiro que finalmente desse ouvidos à razão pela qual ela deixou de lhe servir o lanche?

Ah, mas daí vem a parte realmente difícil para qualquer pai. Aquela mãe teve de se abaixar e olhar nos olhos vermelhos, lacrimejantes e humildes daquela criança de 4 anos e *mesmo assim não dar o que ele queria*!

Quão tentada você acha que ela ficou em desistir? Quão tentado *você* ficaria? Mas o que teria acontecido se ela desistisse? Ela teria conseguido alguma coisa, depois de todo o seu esforço?

Sem a persistência determinada da mamãe, Matthew não teria a menor ideia de quão sério ela estava falando e quando ele a tinha ofendido. Acima de tudo, aquele pequeno mordedor de calcanhares, com menos de 1 metro de altura, teria continuado no assento do motorista da relação.

O velho ditado está certo: às vezes, o amor tem de ser severo. E às vezes é você quem deve aplicar esse tipo de amor. Mas, se fizer isso, a recompensa vai surgir diante de seus olhos. Você ficará surpreso! Você também pode experimentar o que milhares de famílias já têm: uma revolução completa em suas relações e vida familiar. Leia essa história de uma mãe de três filhos. Ela com certeza me fez sorrir.

E-mail

Para: Dr. Kevin Leman

De: Uma ex-mãe sobrecarregada do Texas

Caro dr. Leman,

Assisti aos seminários que o senhor proferiu semana passada em Dallas, no Texas. Muito obrigada pelas ideias práticas e fáceis de implementar. Coloquei-as em ação imediatamente.

Depois da palestra de segunda-feira pela manhã, peguei meus três filhos (de 6, 4 e 3 anos) e me encaminhei para casa, a cerca de trinta minutos de distância. Como era hora do almoço, decidi parar no McDonald's para comer. Enquanto esperava na fila para fazer o pedido, minha filha de 4 anos começou a reclamar e tagarelar. Disse a ela que íamos embora, e, conforme caminhei em direção à saída sem comida, meus três filhos adoráveis começaram a gritar, chorar, pular, etc. As pessoas olhavam para nós como se fôssemos um bando de lunáticos. Enfiei os três na *van* e toquei para casa. Todos eles continuaram a gritar e chorar, então liguei o rádio o mais alto possível. O maior e o menor finalmente se aquietaram, mas Emma, a de 4 anos, continuou tendo um chilique. Quando chegamos, não disse uma palavra, apenas tirei Emma do carro, caminhei para casa e fui direto para a porta de trás. Coloquei-a para fora, fechei a porta e passei a chave. Ela continuou gritando por mais dez ou quinze minutos, enquanto eu preparava o almoço. Assim que ela se acalmou, deixei-a entrar para almoçar e os três se comportaram muito bem durante o resto da tarde.

Meu marido e eu fomos à sessão noturna de segunda-feira também. Emma costumava dormir bem, mas houve uma mudança quando ela completou 2 anos, e a hora de ir para a cama se tornou uma batalha nos últimos dois anos. Tentamos tudo o que pudemos imaginar para que ela fosse dormir sem briga. Apesar de termos tentado a técnica do isolamento, geralmente era combinada com conversa, sermão, gritos, etc. Quando a ouvimos gritar em seu quarto naquela noite depois da sessão, olhei para meu marido e disse: "Acho que vou colocá-la para fora". Ele respondeu: "Acho que vou ajudá-la". Subimos e sem dizer uma palavra, soltei os dedos de Emma das cobertas e a peguei no colo. Chutando e berrando, a levamos até a porta de trás. Ela até começou a gritar: "Eu quero uma palmada; eu quero uma palmada; não me coloque lá fora". Coloquei-a lá fora, fechei a porta e tranquei. Em dez segundos, ouvi três batidinhas na porta, seguidas de uma voz muito calma que dizia: "Mamãe, parei de gritar". Quando abri a porta, ela correu para cima, e não ouvimos um pio pelo resto da noite. Nem preciso dizer que meu marido e eu ficamos atônitos.

Para ir direto ao assunto, essa mãe e esse pai decidiram que não tolerariam mais os jogos de poder da senhorita Emma.

Então resolveram entrar em ação. Eles não estão sozinhos. Outros que experimentaram as estratégias deste livro disseram o seguinte sobre sua eficácia:

Experimente esses princípios — eles *realmente funcionam*. Mas molengas não têm vez. Eliminei o caos de minha casa, e agora todo mundo — inclusive eu — adoramos muito mais viver lá.

Wilma, Carolina do Sul

Estava cético no início quando ouvi sobre isso como "a cura miraculosa", mas é. Sou pai solteiro há 5 anos e sempre me senti mal por minhas duas filhas não terem mais mãe. Então lhes dava tudo o que queriam, mesmo que não pudesse pagar e tivesse de passar sem coisas básicas para mim, a fim de lhes dar os brinquedos mais modernos. Então um dia, quando elas tinham 12 e 13 anos, percebi, depois que elas tiveram um faniquito por não conseguirem *jeans* de grife, que tinha criado duas pestes. Fiquei aturdido. Me senti totalmente inepto. Foi quando uma amiga minha me contou sobre o que tinha aprendido em um de seus seminários para pais que comecei a dizer não para as lamúrias delas. Fiz como o senhor disse — falei não e mantive a decisão. Depois de cinco dias, minha filha mais velha chegou para mim, me deu um abraço e disse: "Papai, te amo. Você fez muitos sacrifícios por nós". Essa foi a primeira vez em que ela me abraçou em mais de um ano desde que ela ficou "legal".

Stan, Nova York

Minha filha mais nova, Mary, sempre foi um desafio, mas seu comportamento chegou a um extremo quando ela completou 4 anos. Ninguém mais queria tomar conta dela para mim, porque diziam que Mary era impossível de controlar. Sabia que precisava fazer alguma coisa. Estava deixando uma criança de 4 anos dominar a casa. Meu marido e eu não conseguíamos sequer sair para uma noite uma vez por mês porque ela era difícil. Experimentamos suas estratégias, e funcionaram! Depois de armar um berreiro, Mary passou vinte minutos do lado de fora da cozinha, olhando o resto da família comer bolo de chocolate, sua sobremesa favorita... e não havia mais nada quando ela finalmente encerrou seu ataque de raiva. Esperei três dias, então fiz bolo de chocolate novamente. Dessa vez Mary se juntou a nós sem confusão e até disse "por favor" quando perguntei se ela queria um pedaço! Isso é incrível em nossa casa. Meus outros filhos olharam para mim de olhos arregalados. O mais velho deu uma piscadinha e disse: "Acho que está funcionando, mãe".

Betty, Iowa

Devin era um grande garoto. Então fez 14 anos. De repente, ele começou a usar preto o tempo todo, tatuou todo o braço sem nossa permissão, passou a se recusar a participar das atividades da família, não ia mais à igreja conosco e era ríspido toda vez que eu fazia uma pergunta. Finalmente, suspirei e desisti, achando que fosse só uma fase. Esperava que ele superasse isso. Mas continuava me incomodando. Ele sempre esperava que estivéssemos à sua disposição quando queria alguma coisa — como ser levado para a casa de um amigo —, mas nunca demonstrou o menor respeito. Finalmente, decidi me recusar a levá-lo a qualquer lugar depois da escola. Durante três dias, ele ficou de chamando de "doida nojenta" e dizendo que a culpa era minha, até que finalmente se aquietou e perguntou por que... mas o que veio em seguida foi a primeira boa conversa que tivemos por quase seis meses. Isso foi ontem à noite, e hoje ele não só apareceu para jantar com a família, como perguntou o que podia fazer para ajudar. Sei que a batalha não terminou, mas pelo menos agora estamos conversando.

Jane, Illinois

A hora do jantar era sempre uma grande zona de batalha. Nenhum de meus filhos gostava do que eu fazia, e sempre reclamavam. Baseada em seus princípios, decidi preparar o jantar para meu marido e eu e servir pratos vazios às crianças. Eles não acreditaram! Mas entenderam a mensagem. Não vim a este mundo para ser cozinheira *a la carte* deles! E adivinhe! Semana passada, eles até se ofereceram para preparar o jantar para todos nós... e arrumaram a cozinha também!

Amy, Texas

Meu filho não arrumou emprego depois da faculdade, então voltou para casa. Dois anos depois, ainda estava em casa e não dava mostras de que estivesse fazendo nenhum esforço para encontrar um emprego. Trabalho em período integral e cuido de minha mãe idosa, então passo muito tempo fora de casa. Quando voltava para casa, havia pilhas de pratos sujos, e Nate estava sentado no sofá, comendo pizza. Só depois que adotei seus princípios com afinco e endureci é que as coisas mudaram. Disse que, para ganhar seu sustento, havia certas coisas que ele deveria fazer na casa — e deixei uma lista enorme. Também parei de pagar a TV por assinatura e a internet, e comprava apenas a comida de que precisava. Levei o estoque da minha despensa para o trabalho e para a casa de minha mãe. A primeira reação dele foi o choque, depois a raiva. Mas, depois de três semanas, ele viu que eu estava falando sério. Estava pedindo que ele se aprumasse e fosse homem, em vez de um bebê. Duas semanas depois, ele começou a procurar emprego e agora tem um trabalho que paga seu próprio apartamento.

Kari, Indiana

Não acredito que estou escrevendo uma carta para lhe contar isso, porque não sou o tipo de cara que escreve cartas. Nos últimos três anos, minha esposa e eu estávamos constantemente exaustos porque não conseguíamos fazer nossa filha Jessie, de 6 anos, ficar na cama. Ela estava sempre vagando pela casa a noite inteira, pedindo água e lanche. Aceitamos seu conselho e insistimos para que ela ficasse na cama. Quando ela não ficou, firmemente fechamos a porta e ignoramos o choro. (Ela não sabia, mas tínhamos uma babá eletrônica escondida no quarto, de modo que poderíamos saber se ela estivesse realmente em apuros.) Depois de três noites assim, Jessie estava exausta. Então adormeceu. Desde então, passou a ficar na cama sozinha! Muito obrigado por ter nos dado sua vida e um pouco de seu tempo! Minha esposa lhe agradeceria também... mas ela está dormindo.

Martin, Oregon

Você leu os *e-mails*. Então sabe que os princípios funcionam. Mas e se parecer que eles não funcionam em sua casa? O que fazer? Talvez você se identifique com essa mãe:

E-mail
Para: Dr. Kevin Leman
De: Exasperada em Michigan

Caro dr. Leman:
Segui todos os seus princípios e ainda tenho um filho de 4 anos mal-educado. Recentemente, estávamos no barco de meu tio, e Christopher começou a discutir e reclamar de tudo. Disse-lhe que, se ele não se acalmasse imediatamente, não haveria parque de diversões no dia seguinte (quarta-feira é o Dia da Criança, então nos organizamos para ir até lá).

Ele continuou reclamando. Fiquei realmente constrangida e nervosa, e disse-lhe que não iríamos a seu restaurante favorito — do outro lado do lago — para almoçar. Sem resultados.

Ele só se acalmou depois de meia hora, no restaurante, quando meu marido lhe deu uma palmada no traseiro.

Preciso de mais ajuda, depressa. Se houver alguma forma de o senhor me mandar um conselho por *e-mail*, gostaria muito de pagar por isso.

Eis o que respondi:

E-mail
Para: Exasperada em Michigan
De: Dr. Kevin Leman

Cara Exasperada:
Vamos rever os princípios à luz do seu *e-mail*.

1. Quando Christopher discutiu, você lhe disse que parasse *imediatamente*. Essa nunca é uma boa ideia, porque a maioria das crianças de 4 anos não é boa em parar qualquer coisa imediatamente.
2. Você ameaçou Christopher duas vezes. Primeiro você disse que não haveria parque de diversões, a menos que ele se acalmasse. Depois você falou que não iria almoçar em seu restaurante favorito se ele não se acalmasse. Em nenhum momento de meus seminários, eu disse para você ameaçar seu filho. Na verdade, destaquei que ameaçar uma criança é contraproducente para o resultado que se está buscando e não é respeitoso à criança. Ameaçar nunca funciona. Dizer para uma criança: "Se você não fizer isso, não lhe dou tal coisa..." nunca funciona. Você, como mãe, sempre vai perder nessa situação. Seu filho percebe muito bem, de experiências passadas, que você vai desistir se ele brigar ou reclamar alto demais.
3. "Amanhã" não significa nada para uma criança de 4 anos. É longe demais. Uma eternidade. Então ameaçá-la com não ir ao parque de diversões nem chega a ser captado pelo radar.
4. Quando você disse a ele que não o levaria para almoçar, aposto que seu tio e outras pessoas no barco ficaram felizes de ouvir isso.
5. Mesmo quando você disse que não levaria a criança para almoçar, obviamente levou. Dois dos princípios mais importantes da paternidade são consistência e persistência. Você precisa ser consistente em suas ações o tempo todo e levar a cabo o que disse que faria. Se você diz que uma coisa vai acontecer, tem de acontecer.

Eu a aplaudo e agradeço por ter sido honesta. Você demonstrou ser humana e usou os termos *nervosa* e *constrangida* para se descrever. Essas provavelmente são boas razões por que seu marido decidiu dar uma palmada no traseiro de Christopher no restaurante.

O que você precisa entender sobre crianças é que elas vão conseguir atenção. E vão consegui-la de uma maneira positiva ou negativa. Seu tempo no barco foi uma briga pelo poder na qual seu filho estava determinado a fazer você prestar atenção nele. Afinal, é difícil ignorar uma criança de 4 anos que não está se comportando bem em um barco.

Entretanto, se você estivesse agindo segundo meus princípios — se você estivesse fazendo o passeio de barco e seu filho de 4 anos começasse a não se comportar bem, você pediria ao capitão que deixasse você e seu filho no cais. Você não ameaçaria seu filho com a perda do parque de diversões. Seu filho sentiria falta do almoço, e isso teria um efeito sobre você e ele — o que, se espera, um dos dois viria a se lembrar em trocas futuras. Não haveria luta pelo poder, porque você permaneceria calmamente no controle e seu filho viveria consequências imediatas.

Se você usar esses princípios consistentemente e persistir no que disse que faria, *terá* um novo filho nas mãos na sexta-feira. E terá um sorriso no rosto na maior parte do tempo. Eu garanto!

A chave para qualquer plano de ação é consistência e persistência. Muitos pais com quem conversei dizem que tentaram de tudo — palmadas, suspender a mesada, cancelar privilégios, etc. Eles leram todos os livros e consultaram um bando de especialistas e nada funcionou.

No entanto, o que eles têm tentado fazer é parecido com um sapo que pula de ninfeia em ninfeia, sem nunca permanecer em nenhuma por tempo suficiente. É de admirar que tanto as crianças como os pais estejam exasperados? Tanta confusão é criada pelos pais ao "mudar de planos" continuamente, para tentar encontrar algo que funcione melhor. A estratégia Leman é simples. Diga uma vez. Vire as costas. Vá embora. Deixe a realidade ensinar. Aprenda a responder sem reagir. B não acontece até que A esteja concluído. Funciona toda vez. Garanto.

Contagem regressiva para ter um filho novo na próxima sexta-feira

10. Seja 100% consistente em seu comportamento.
9. Sempre persista no que disse que vai fazer.
8. Responda, não reaja.
7. Conte até dez e pergunte-se: "O que meu velho eu faria nessa situação? O que meu novo eu deveria fazer?".
6. Nunca ameace seus filhos.
5. Nunca fique nervoso. (Quando ficar, peça desculpas rapidamente.)
4. Não faça advertências. (Se você avisar a criança, estará dizendo: "Você é tão estúpida que tenho de dizer duas vezes".)
3. Pergunte-se: "De quem é o problema?" (Não assuma o que não é seu.)
2. Não pense que o mau comportamento vai desaparecer.
1. Mantenha um rosto alegre, mesmo quando você quiser... fazer outra coisa.

Notas

Capítulo Segunda-Feira

[1] Anne Ortlund, Children are Wet Cement. Backinprint.com, 2002.

Capítulo Terça-Feira

[1] Respostas do teste "Montanha ou Grão de areia"
Randy — grão de areia
Jennifer — grão de areia
Sam — montanha
Mandy — montanha

Capítulo Quarta-Feira

[1] Kevin Leman, *Faça a cabeça de seus filhos sem perder a sua.* Rio de Janeiro: Alta books, 2003.

[2] J. Neusner, citado em "As Undergraduates Recommence their Efforts", de Malcolm Stevenson Forbes Jr., *Forbes,* out. de 1981.

Capítulo Pergunte ao dr. Leman

[1] Liga internacional que promove o aleitamento materno. Atua também no Brasil. [N. do T.]

[2] Programa matinal da rede ABC News, exibido desde 1975, com notícias, previsão do tempo e entrevistas. [N. do T.]

[3] "Facts Every Parent Should Know", <http>//www.max.com/site/maxprotect.shtml>.

[4] Nos EUA a legislação permite que o adolescente dirija aos 16 anos de idade. [N. do T.]

[5] Personagem de um seriado policial norte-americano, um incansável investigador defensor público. [N. do T.]

[6] Loja de moda jovem com preços acessíveis, encontrada nas grandes cidades norte-americanas. [N. do T.]

[7] Enough Is Inough homepage, <http://www.enough.org>, acesso em ago. de 2007.

[8] Idem. Para mais informações e recursos valiosos, <http://www.protectkids.com>.

[9] Seriado norte-americano exibido na década de 1980. [N. do T.]

Conheça outras obras de

Kevin Leman

- Acabe com o estresse antes que ele acabe com você
- A diferença que a mãe faz
- É seu filho, não um *hamster*
- Entre lençóis
- Mãe de primeira viagem
- Mais velho, do meio ou caçula
- Meu filho do coração
- Novo casamento... novos filhos
- O que as lembranças de infância revelam sobre você
- O sexo começa na cozinha
- Sete segredos que ele nunca vai contar pra você
- Transforme a si mesmo até sexta
- Transforme seu adolescente até sexta
- Transforme seu filho até sexta
- Transforme seu marido até sexta

Veja mais em:

Compartilhe suas impressões de leitura escrevendo para:
opiniao-do-leitor@mundocristao.com.br
Acesse nosso *site*: www.mundocristao.com.br

Diagramação: Sonia Peticov
Revisão: Josemar de Souza Pinto
Fonte: Adobe Garamond
Papel: Pólen Soft 80 g/m² (miolo)
Cartão 250 g/m² (capa)